Günter Hol

Fanatismus

Psyche und Gesellschaft
Herausgegeben von Johann August Schülein
und Hans-Jürgen Wirth

Günter Hole

Fanatismus

Der Drang zum Extrem und seine psychischen Wurzeln

Psychosozial-Verlag

Bibliografische Information der Deutschen Bibliothek
Die Deutsche Bibliothek verzeichnet diese Publikation in der Deutschen Nationalbibliografie; detaillierte bibliografische Daten sind im Internet über <http://dnb.d-nb.de> abrufbar.

E-Mail: info@psychosozial-verlag.de
www.psychosozial-verlag.de
Überarbeitete und erweiterte Neuausgabe
der Ausgabe von 1995, Herder Verlag

Umschlagabbildung: Marc Chagall: Der Engelsturz, 1923/1933/1947
Öl auf Leinwand, 147.5 x 188.5 cm

Privatbesitz, Depositum im Kunstmuseum Basel.
Öffentliche Kunstsammlung Basel, Martin Bühler
Umschlaggestaltung: Christof Röhl
nach Entwürfen des Ateliers Warminski, Büdingen
Lektorat und Satz: Daniela Bone
Printed in Germany
ISBN 978-3-89806-293-0

Inhalt

IV. Typologie und Psychodynamik des Fanatikers

V. Inhaltliche Ausrichtungen des Fanatismus

VI. Übergänge und Abgrenzungen zum Fanatismus

VII. Gegenbewegung zum Fanatismus

I. Einleitung

Betroffenheit und Erschrecken über die offensichtliche Zunahme von individueller und kollektiver Aggressivität und Gewalt in unserer Zeit kennzeichnen die Reaktion vieler Menschen. Die Frage, wie so etwas, nach den schrecklichen Erfahrungen der beiden Weltkriege, erneut möglich werden konnte, zieht sich durch viele Diskussionen und einschlägige Beiträge in den Medien, und diese spiegeln ja nur die gleiche Frage in unser aller Denken wieder. In diesem Zusammenhang begegnet uns recht oft, und nicht selten im Sinn einer Erklärung verwendet, das Stichwort »Fanatismus« oder der Zusatz »fanatisch«. Beides, Gewalt und Fanatismus, wird sogar häufig gleichgesetzt, oder aber in unscharfer, auch unkritischer Weise kombiniert. Dies besonders dann, wenn sich die beschriebenen Gewaltereignisse durch besondere Schrecklichkeit, Exzessivität und vor allem auch Unverständlichkeit auszeichnen.

Doch Gewalt in ihren verschiedenen Formen, und erst recht Aggression und Aggressivität im weiteren Sinn, ist ein vom Ansatz her wesentlich anderes Phänomen als Fanatismus. Ob die Motive in kalkuliertem Machtstreben und in Besitzvermehrung, in sozialem Neid und in Eifersucht, in Geltungsbedürfnis und Größenideen, in Hass oder Rachegefühlen liegen – mit Fanatismus hat dies zunächst nichts zu tun. Dieser hat seine Wurzeln in wesentlich anderen Bereichen der Psyche, und es sind deutlich unterschiedliche Ebenen, auf denen die verhängnisvolle emotionale Verdichtung und Eskalation abläuft – auch wenn sich die einzelnen Elemente in der Endstrecke des tatsächlichen Handelns oft in so erschreckender Weise verbinden.

Die fanatisch induzierte Gewalt zeigt in ihrem Ansatz ein ganz anderes Wesen. Diese Art von Drang zum Extrem erwächst nicht einfach aus Triebregungen und Kompensationsbedürfnissen, sondern aus bestimmten ideellen Einstellungen und Identifikationen mit hohen Zielen, und eben dies ist auch das zentrale Thema unserer Darstellungen. Umso mehr aber lässt deshalb die mit brutaler Gewalt vorangetriebene Verfolgung von fanatisch besetzten Zielen, lassen die Ausbrüche ungebremster fanatischer Impulse mit Schauder in Abgründe destruktiver Möglichkeiten des Menschseins überhaupt blicken. Das Thema Fanatismus ist so eines der bedrängendsten, beklemmendsten und brisantesten Themen unserer Zeit, ein Thema auf Leben und Tod. Spätestens nach den verheerenden Anschlägen auf die Türme des World Trade Center in New York am 11. September 2001 ist dies einer großen Zahl von Menschen in schrecklicher Weise bewusst geworden.

Aber Fanatismus hat auch ganz andere Seiten. So gibt es auch den stillen, unauffälligen persönlichen Fanatismus Einzelner, der freilich an unerschütterlicher Fixiertheit auf die Verwirklichung einer Idee dem militanten Fanatismus oft keineswegs nachsteht. Auch der Fundamentalismus, der ebenfalls häufig und fälschlicherweise mit dem Fanatismus in eins gesetzt wird, ist seiner primären Ausrichtung nach überzeugungsextrem, aber nicht gewaltexzessiv, und wird dies erst sekundär als Ideenkern des Fanatischen (vgl. Kap. III.). Doch unverkennbar und von zentraler Bedeutung bleibt – und gerade das macht das besonders Beklemmende an diesem Urphänomen der Gesellschaft aus –, dass Fanatismus seinem Wesen nach, geradezu elementar, in den hellen, ideell ausgerichteten Bereichen der menschlichen Psyche wurzelt. In einem geläufigen Modell ausgedrückt: Fanatismus ist die Gefahr »von oben«, nicht die Gefahr »von unten« (vgl. Kap. III.). Das Ergriffensein und die Begeisterung von hohen ethischen Werten und Menschheitszielen macht oft sein Kernmotiv aus. Dies gerät unter dem Eindruck der schrecklichen historischen und individuellen Auswirkungen von fanatischem Verhalten leicht aus dem Blick, und es ist ganze Jahrzehnte aus dem Blick geraten, auch wissenschaftlich.

Der – wenn man so sagen darf – »luziferische Sturz« von hohen Wertidentifikationen, Idealen und Beglückungsphantasien in tiefe Inhumanität und Tyrannei enthält dabei irrationale Elemente, die sich auch mit den gängigen psychologischen Modellen nicht befriedigend fassen lassen. Vor allem aber scheint es mit unserem Selbstbild, dem persönlichen und dem gesellschaftlichen, schwer verträglich, dass ein solcher Absturz oder, milder ausgedrückt, eine solche Entwicklung in den Möglichkeiten auch unserer eigenen Wertsysteme und deren Anfälligkeiten liegen soll, – nicht nur in denen der »Anderen«. Es ist allemal leichter und entlastender, diese Zusammenhänge abzuwehren und dann ein solches beklemmendes Geschehen von der hohen Warte ethischer Ideale oder bürgerlicher Unbescholtenheit aus auf die sichtbar »Bösen« oder auf bestimmte »Sündenböcke« zu projizieren.

Wie sehr also gerade die Begeisterungsfähigkeit, das Sich-mitreißenlassen, der Enthusiasmus, das Ergriffensein von Idealen und die Identifikation mit ihnen, bei der Entstehung fanatischer Bewegungen eine grundlegende Rolle spielen, ist ein wichtiger Ansatzpunkt zum Verständnis des Phänomens und bedarf auch in dieser Darstellung der besonderen Herausarbeitung. Mit Recht haben gerade in jüngster Zeit L. Bolterauer (1989) und U. Aeschbacher (1992) ebenfalls diese Akzentuierung vorgenommen und sich vor allem gegen eine einseitige Pathologisierung des Fanatikers gewandt. Es ist die schockierende Erkenntnis von der »Destruktivität von Idealen« (Schmidbauer, 1980, Untertitel), die es zu bearbeiten und zu verarbeiten gilt, vor allem eben unter dem Gesichtspunkt der psychologischen Hintergründe eines solchen Drangs zum Extrem. Nicht also das Ausleben primär destruktiver Impulse ist hier gemeint, nicht Machtstreben, Gewaltlust, Sadismus, Rache und »böse« Ziele sonst, sondern der Impuls zur extremen, also vollkommenen Verwirklichung ursprünglich positiv erlebter, hochgesteckter Ziele. Beispiele gibt es in der Weltgeschichte, ob im religiösen oder im säkularen Bereich, in Fülle.

Woher kommt dieser Drang zum Extrem? Wie weit nötigt und zieht ein vorgegebener Inhalt – religiöse Vollkommenheitsimperative, überzeugende politische Zielsetzungen, ideelle persönliche Interessen – den Betreffenden in ein extremes Engagement hinein? Wie weit greift sich, umgekehrt, ein eigenes Bedürfnis nach vollkommenem Glück und idealer Lebensgestaltung, für sich und für andere, gerade dafür geeignete Ideen zur Verabsolutierung heraus? Wie weit erfüllen sich auf diesem Weg elementare Wünsche nach hoher Geltung und besonderem Herausgehobensein aus dem Durchschnitt? Auf welche Weise geraten vor allem Menschen mit starkem Autoritätsbedürfnis und der Neigung zur totalen Unterordnung in den unausweichlichen Sog extremer Forderungen durch Andere? Wo und warum versagt das innere Regulativ des »Über-Ich« oder des Gewissens in der Abschätzung der ethischen Folgen extremer Positionen? Warum und bei welchen Menschen werden Augenmaß, Umsicht und Rücksicht als Korrektiv menschlichen Verhaltens unter einer bestimmten Ideenwelt außer Kraft gesetzt? In welcher Dynamik stehen in fanatischen Systemen Massenverhalten und Einzelverhalten, Gruppendruck und individuelles Denken, »Führer« und »Gefolgschaft« zueinander? Schließlich: Wie weit ist der fatale Drang zum Extrem im Menschen vorgegeben und wie weit wird er in Erziehung und Entwicklung durch bestimmte Stile und Ziele erzeugt und gefördert? Wann und in welchem Umfang können schon schwierige und unerträgliche soziale Verhältnisse aus sich heraus diesen Drang zum Extrem in Form von Radikalität erzeugen? Die Zahl der Fragen zum Thema wächst mit der Intensität der Beschäftigung mit ihm.

Wir kennen viele Formen von Fanatismus, und noch viel mehr historische und gegenwärtige Einzelbeispiele. Sie können in dieser Darstellung weithin nur typologisch erwähnt und nur exemplarisch näher geschildert werden. Die Betrachtung muss sich sowohl auf die fanatischen Einzelpersönlichkeiten als auch auf die fanatischen Bewegungen richten. Vor allem die beiden großen Bereiche fanatischer Ausuferung mit tiefgreifender gesellschaftlicher Auswirkung, der religiöse und der politische Fanatismus, zeigen die unterschiedlichsten Facetten und Kombinationen. Die kollektiven Beispiele in unserem Kulturkreis reichen von bestimmten Formen der Austragung dogmatischer Streitigkeiten und der Hexenverfolgung bis zur islamistischen Revolution und den autoritären Sekten, von der französischen Revolution, der kommunistischen Bewegung und dem Nationalsozialismus bis zum heutigen Terrorismus und Rechtsextremismus. Alle diese Bewegungen sind aber nicht denkbar ohne die zündende Aktivität bestimmter fanatischer Einzelpersönlichkeiten, und deren Psychologie gilt daher der besondere Schwerpunkt unserer Analysen. Am religiösen Fanatismus im engeren Sinn, gerade wo er sich noch nicht in komplexer Weise mit sozialen und politischen Interessen und Zielsetzungen vermischt hat, lässt sich dabei die beschriebene Motivation aus hohen Idealen und ethischen Imperativen, die Faszination durch Vollkommenheitsziele, Gehorsam und Selbsthingabe bis zum Tod, am klarsten aufzeigen. Und im Vorfeld gerade dieses Bereichs spielt vor allem auch der religiöse Fundamentalismus eine bahnende Rolle. So bedarf dieser als möglicher Wegbereiter fanatischer Einstellungen, als deren Ideenkern, in dieser Darstellung ebenfalls besonderer Aufmerksamkeit und einer entsprechenden Analyse, auch wenn es sich, wie gesagt, bei Fundamentalismus und Fanatismus trotz verschiedenster Überschneidungen um zwei durchaus unterschiedliche Phänomene handelt.

An dieser Unterscheidung wird gleichzeitig auch das Problem der Abgrenzung fanatischer Wesensart und Verhaltensweisen von anderen, verwandten Einstellungen, Überzeugungen und Glaubensformen deutlich. Ein fundamentalistisch fixierter, also z. B. an ein absolut gültiges religiöses Dokument gebundener Glaube ist für sich noch kein Fanatismus, ebensowenig wie glühende Begeisterung für die Aktivitäten einer Jugendgruppe oder die hartnäckige Überzeugung im Rahmen einer parteipolitischen Position. Auch für Antisemitismus und Ausländerfeindlichkeit als persönliche Positionsbestimmung trifft dies zu. Eine fanatische Durchdringung und Intensivierung geschieht auch hier jeweils durch die Wirkung zusätzlicher Elemente. – Auf der anderen Seite lässt sich auch eine deutliche Unterscheidung vom Wahn oder einer wahnhaften Entwicklung im Sinn einer psychiatrischen Erkrankung treffen, selbst wenn die Abgrenzung in bestimmten Übergangsbereichen manchmal schwierig wird oder nicht mehr gelingt. Die Tatsache, dass in bestimmten komplexen Konstellationen und Grenzbereichen solche Scheidungen nicht mehr möglich sind, spricht ja – auch auf anderen Gebieten – nicht gegen eine grundsätzliche Unterscheidbarkeit aufgrund der Phänomene selbst. Würde jede Form unerschütterlicher Überzeugung, jedes unbelehrbar »sture« Festhalten an Positionen und jede Art hartnäckigen Durchsetzungsbestrebens als »fanatisch« bezeichnet, so wäre der Ausdruck weithin uferlos und für sich kaum mehr aussagekräftig. Es ist deshalb von entscheidender Wichtigkeit, dass der Begriff »Fanatismus« gut konturiert bleibt. Nur so lassen sich auch seine wesentlichen Elemente, also die für ihn typischen psychischen Faktoren und Abläufe, in ihrer jeweiligen Spezifität hinreichend transparent machen.

Was also ist Fanatismus? Eine Antwort auf diese Frage zu finden und zu begründen und gleichzeitig die Hintergründe dieses Drangs zum Extrem zu beleuchten, hat sich diese Darstellung zur Aufgabe gemacht. Sie stützt sich auf verschiedene Vorarbeiten zum Thema, versucht aber auch Merkmale und Perspektiven hervorzuheben, die bisher weniger beachtet waren. Nicht wenige der herkömmlichen Erklärungen und Deutungen des Gesamtphänomens sind von dem Versuch getragen, ein ganz bestimmtes Einzelelement als das Wesentliche herauszustellen. In Wirklichkeit ist der Fanatismus als persönliche und als gesellschaftliche Erscheinung eine überaus komplexe und oft in sich widersprüchliche Größe, und er lässt sich keinesfalls auf eine einfache Wurzel beziehen, weder auf eine gesellschaftlich-soziale noch auf eine individuell-tiefenpsychologische. Vielmehr mündet hier eine Mehrzahl von ursächlichen und bedingenden Faktoren im Sinn einer Ergänzungsreihe in eine gemeinsame Endstrecke ein, die dann die deutlichen Zeichen oder Symptome von fanatischem Denken und Handeln trägt. Es drängen sich verschiedene Analogien hierfür auf, wie z. B. die Depression: Auch hier stellt das markante klinische Symptombild erst die Endstrecke aus einer Vielfalt von Einflussfaktoren genetischer, sozialer, tiefenpsychologischer und situativer Art dar.

Schwierigkeiten macht vor allem auch die formale Einteilung verschiedener Arten von Fanatismus, weit mehr als die schon erwähnte einfache Unterscheidung nach Inhalten (z. B. religiöse, politische und andere). Die Gruppierung nach »militanten« und »stillen« Fanatikern wurde schon erwähnt. Vieles spricht weiterhin für die Differenzierung zwischen typischen »klassischen« Fanatikern, die aufgrund ihrer Persönlichkeitsstruktur primär zur fanatischen Ausformung und Durchsetzung von Ideen und Zielen neigen, und einer großen Gruppe von Durchschnittsmenschen, die ihrerseits zwar fanatisch anfällig sind, dazu aber eine begünstigende Situation und Anregung, einen mitreißenden Anstoß von außen brauchen. Die ersteren gelten als Vertreter des »essentiellen«, »originären« oder »strukturellen« Fanatismus, die letzteren können als »induzierte« Fanatiker, als »fanatisch Infizierbare« oder als »Teilfanatiker« bezeichnet werden. Gerade die letztgenannten als Großgruppe freilich sind es, die das Thema Fanatismus zu einem so brisanten und beklemmenden machen. Denn das Heer von überzeugten Mitläufern und aktiv Mithandelnden innerhalb aller fanatisch ausgerichteten Strömungen und Bewegungen dieser Welt rekrutiert sich zu einem erheblichen Teil eben aus dieser Gruppe.

Es ist ferner der Frage nachzugehen, ob eine Unterscheidung von »hartem« und »weichem« Fanatismus, in Analogie zur Unterscheidung von »hartem« und »weichem« Fundamentalismus nach Chr. Türcke (1992, S. 13;

vgl. auch Kap. III.), einen weiteren Erkenntniswert für das Phänomen an sich bringt. Auch die Beobachtung, dass es einerseits Formen von klar durchformuliertem und theoretisch differenziert strukturiertem Fanatismus gibt, andererseits aber auch Formen eines »dumpfen« Fanatismus mit verschwommenen Vorstellungen und unkonturierter gedanklicher Ausrichtung, bedarf näherer Beachtung. Doch allen, auch den »dumpfen« fanatischen Einstellungen, liegt primär eine bestimmte Ideenwelt und Wertwelt zugrunde, und deren Artikulierung in vereinfachten, plakativen Äußerungsformen und Schlagworten stellt ja ohnehin eines ihrer typischen Wesensmerkmale dar.

Der Versuch, das Phänomen Fanatismus als Menschheitsphänomen auf seine psychologischen Hintergründe hin zu untersuchen und so in seiner Entstehung transparenter zu machen, kann von vornherein nur begrenzter Art sein. Dies nicht nur wegen des unüberschaubaren Umfangs und der Vielfalt fanatischer Erscheinungen in unserer Welt, sondern auch, und vor allem, weil eine erhellende Annäherung an elementare psychische Vorgänge, an denen wir selbst teilhaben, mit allen Einseitigkeiten, Ausblendungen und subjektiven Gewichtungen aus der eigenen Erfahrungsbildung behaftet ist. Hinzu kommt, dass es geeignete psychologische Modellvorstellungen zur Erfassung des Gesamtphänomens Fanatismus nicht gibt; die heranziehbaren Partialmodelle, z. B. konstitutioneller, tiefenpsychologischer oder gruppendynamischer Art, können immer nur einen Teilbereich fanatischen Verhaltens abdecken.

Der Fanatismus bleibt eine überaus komplexe Erscheinung, die zwar beim einzelnen Menschen selbstverständlich ihre Wurzeln und Hintergründe in dessen psychischen Abläufen und dessen Entwicklung hat, mit ihrer gleichzeitigen Verankerung in sozialen, religiösen und politischen Traditionen und Zusammenhängen jedoch weit darüber hinausweist. Das Fanatische entzieht sich so letztlich dem Eingefangenwerden in durchsichtige Zuordnungs- und Erklärungsmuster. Wäre dies nicht so, so wäre auch die Welt- und Geistesgeschichte, die in so großem Maß von fanatischen Persönlichkeiten und Bewegungen geprägt worden ist, besser deutbar. So aber stehen wir, gerade auch beim intensiven Versuch des Verstehenwollens, vor einer gleichzeitig faszinierenden und erschreckenden Erscheinung, deren Rätsel nur in einem recht bescheidenen Bereich der Aufschlüsselung zugänglich sind.

Dennoch, und gerade angesichts dieser Situation, muss es eine dringende, ja lebenswichtige Aufgabe bleiben, die Entstehung fanatischer Einstellungen und deren Auswirkungen fassbarer und verstehbarer zu machen. Nur so lässt sich eine bessere Chance für die Auseinandersetzung mit diesem Phänomen finden, und vielleicht auch für die weitere Herausbildung von möglichen Gegenpositionen und Gegenbewegungen. Unverkennbar ist die Gefährlichkeit sowohl einzelner fanatischer Menschen als auch fanatischer Gruppen und Bewegungen in unserer Zeit enorm gestiegen, denkt man an den möglichen Zugriff zu entsprechenden Machtmitteln und Zerstörungspotentialen. In einer mit Massenvernichtungswaffen angefüllten Welt, folgert A. Bryson (2002) zu Recht, »fanaticism poses perhaps the most significant danger to human existence« (ebd., S. 1). Alles, was dem entgegenwirken kann, sowohl auf der Ebene der klareren Erfassung und des besseren Verstehens des Phänomens Fanatismus, als auch auf der Ebene des möglichen Umgangs mit Fanatikern oder deren Bekämpfung, muss höchste Priorität haben.

II. Hintergründe des Phänomens in der Gegenwart

a) Wertewandel, Werte-Pluralismus und die Suche nach neuer Sicherheit

Es lässt sich über dieses Thema nur dann sachgerecht reden, wenn klargestellt ist, dass es Epochen des gesellschaftlichen Umbruchs, des Wertewandels und damit auch des Verlusts bisheriger Verbindlichkeiten immer gegeben hat und geben wird. Darstellungen, die das Bild vermitteln, als ob gerade unsere Zeit eine besondere Zeit solchen Wandels, und damit vor allem auch der Defizite und des Wertverlustes sei, haben freilich heute publizistische Konjunktur. Sie drücken ein weit verbreitetes Lebensgefühl aus. Dieses fragt nicht nach der richtigen historischen Einordnung, sondern wirkt atmosphärisch in der Gesellschaft, hat somit auch ansteckenden Charakter.

Die heutigen Wandlungsprozesse, und damit auch die Bedrohung bisheriger Normen und Lebensperspektiven, können eine Entwicklung in zwei Richtungen auslösen. Diese stehen in Spannung zueinander, ja sie schließen sich weithin gegenseitig aus, soweit sie eine innere Folgerichtigkeit zeigen. Die eine Richtung lässt sich als das akzeptierte Nebeneinander von Weltanschauungen, Glaubensrichtungen und Lebensgestaltungen in einer Gesellschaft charakterisieren, als Vielfalt der möglichen Lebensformen überhaupt, wie sie aus der Gleichzeitigkeit von Altem und Neuem resultieren. Die Wandlung kann so durchaus als befreiend erlebt und als Chance für eine bessere Zukunft begrüßt werden. Die andere Richtung besteht gerade in der Abwehr dieses Nebeneinander, in der Ablehnung der gleichzeitigen Gültigkeit verschiedener Glaubens- und Lebensformen, in der entschiedenen Bekämpfung entweder des Alten oder des Neuen. Die Vielfalt wird nicht akzeptiert oder gar als befreiend angesehen, sondern verworfen und als bedrohlich erlebt.

Der genannte Vorgang, den es als historischen und psychologischen Prozess zu allen Zeiten gegeben hat, scheint nun in der heutigen Wandlungssituation zu besonders markanten Polarisierungen zu führen. Es soll dahingestellt bleiben, ob dies weithin auch an der besseren Schärfe unseres Blicks für die Gegenwart und deren Details liegt. Die eine Richtung, die der akzeptierten Vielfalt, hat ihre Charakterisierung unter dem Stichwort »Pluralismus« gefunden – Wertepluralismus, kultureller, religiöser, politischer Pluralismus. Die andere Richtung, die der abgelehnten Vielfalt, bei der bewusst nur einer einzigen Einstellung das Existenzrecht zugestanden wird, charakterisiert sich durch Begriffe wie »Alleingültigkeit«, »Einheitlichkeit« oder »Verbindlichkeit«. Dies ist noch nicht identisch mit »Fundamentalismus« und dessen Art der Festlegung auf ein klar definiertes Fundament (vgl. Kap. III.). Hier geht es darum, aufzuzeigen, dass sich beide Prozesse im Leben gegenseitig bedingen und verstärken. Stärkere Tendenzen zur pluralistischen Seite hin rufen notwendigerweise stärkere Tendenzen zur Vereinheitlichung hervor. Denn Einheitlichkeit vermittelt Verbindlichkeit und diese wiederum Sicherheit.

Der heutige Wertewandel, und damit der Verlust bisheriger Verbindlichkeiten und Normen, lässt sich nur vor dem Hintergrund einer Zeitepoche verdeutlichen, in der diese Verbindlichkeit noch einigermaßen gegolten hat. Und der »Verlust« kann auch nur ein relativer, ein teilweiser sein, sonst würde sich ja die menschliche Gemeinschaft als nicht mehr existenzfähig erweisen (s. u.). Es gibt zwar pessimistisch-apokalyptische Schilderungen dieser Art, doch sie leben von einer unhistorischen Schwarz-Weiß-Malerei.

Es sei auch an die vielerlei Versuche erinnert, die spürbare Verunsicherung und Orientierungslosigkeit in unserer Zeit in einem großen historischen Rahmen zu sehen: Der Aufbruch in die »Neuzeit« als Ende des mittelalterlichen Weltsystems, die neuen geistigen Bewegungen der Aufklärung mit ihren idealistischen und rationalistischen Ausrichtungen, die großen politischen Bewegungen von der Französischen Revolution bis zum Kommunismus und Faschismus – all das liege in der Ursachenkette der heutigen Problematik. Zweifellos ließe sich vieles hinzufügen: so das Herausfallen des Menschen aus dem Bewusstsein der Einmaligkeit und des Weltmittelpunktes durch die Kopernikanische Wende, die jeweils weitere »Wende« in der naturwissenschaftlichen und psychologischen Weltsicht, vor allem durch die Abstammungslehre und die Tiefenpsychologie, das Zerbrechen oder Wegsinken bisheriger religiöser Fundierungen in Weltbild und Ethik; weiterhin das Ungenügen an rationalen Begründungen verbindlicher Wertsysteme, vor allem auch die Orientierungsunfähigkeit gegenüber einer Vielfalt konkurrierender Weltanschauungen, Religionen und Heilsangebote in unserer Zeit.

Doch dieses Szenario eines großen »permanenten Umbruchs« wirkt wohl nur deshalb so markant und einleuchtend, weil es so detailliert beschrieben und analysiert wird. Würden wir andere große historische Epochen in dieselbe Scharfeinstellung hereinnehmen, die Antike zum Beispiel oder auch das alles andere als »einheitliche« Mittelalter, so kämen wir zu ähnlichen dramatischen Umbruchschilderungen. Wandel von Wertehierarchien, von bisherigen Verbindlichkeiten sowie Suche nach neuen Sicherheiten ist ein Menschheitsthema, kein Spezialthema der »Moderne« oder der »Postmoderne«. Menschliches Leben ist sich ständig wandelndes und erneuerndes Leben – die alte Weisheit des Heraklit.

So nötigen also die entstandenen und stets neu entstehenden Situationen im gesellschaftlichen oder religiösen Entwicklungsprozess permanent zu lebensfähigen Arrangements. Diese bleiben freilich im Kern für viele sehr konfliktträchtig, und eben im Durchstehen solcher Konflikte und in der Fähigkeit und Bereitschaft zur Bildung von Lebenskompromissen scheiden sich die persönlichen Strukturen. – Uns allen in unserem eigenen Kulturkreis inzwischen »geläufig«, weil ja ein langer, konflikthafter historischer Prozess bereits hinter uns liegt, ist z. B. der unterschiedliche Umgang mit der *konfessionellen Vielfalt.* Diese gilt äußerlich selbstverständlich als akzeptiert und in der verfassungsgeschützten Religionsfreiheit auch als ungefährdet; darüber hinaus wird sie auch von einem Großteil der Gläubigen durch eine relativierende religiöse Grundeinstellung als zweitrangig oder derzeit unveränderlich hingenommen. Stellt man jedoch die Frage, von wie vielen diese Situation auch wirklich im pluralistischen Sinn »angenommen«, insofern also echt ökumenisch bejaht wird, sieht das Bild psychologisch sofort anders aus. Je wichtiger und existentieller die religiöse Verankerung für einen Menschen wird, umso mehr neigt er dazu, insgeheim doch zwischen »Wahrheit« und »Irrtum«, zumindest zwischen »wahrheitsnäher« und »wahrheitsferner« oder »gültiger« und »weniger gültig« zu unterscheiden. Der »Absolutheitsanspruch im eigenen Herzen«, wie man es nennen kann, unterlagert so oftmals eine äußerlich bewusst angestrebte tolerante Einstellung. Und natürlich tragen auch theologische Positionsverstärkungen als Reaktion auf eben zuviel Annäherungsbereitschaft wiederum ihren Teil zum vermehrten Festhalten am eigenen Glaubenstyp bei. Die anlässlich des Ökumenischen Kirchentags 2003 in Berlin erneut deklarierten fundamentalistischen Fixierungen in der Eucharistiefrage, aufgrund der Enzyklika »Ecclesia in Eucharistia« von Papst Johannes Paul II., stellen ein markantes Beispiel für eine solche Beharrungsdynamik dar (s. *Publik-Forum* Nr. 9 vom 9. Mai 2003, S. 42 ff., sowie Nr. 11 vom 13. Juni 2003, S. 54).

Als weit brisanter erweist sich gegenwärtig freilich das Nebeneinander der verschiedenen *Weltreligionen.* Diesen Pluralismus sind wir, im Unterschied zum konfessionellen Pluralismus, einfach noch nicht »gewohnt«. Eine solche neue, gleichzeitige Existenz und anzuerkennende Vielfalt von Religionsgruppen im gleichen Kulturraum sieht sich mit noch wesentlich stärkeren Abwehrreaktionen konfrontiert. Solange die verschiedenen Religionen räumlich voneinander getrennt waren, konnte die multireligiöse Frage argumentativ auf offenbarungstheologischer Ebene, verstärkt durch ein naives kulturelles Überlegenheitsgefühl, im Sinn des alten Absolutheitsanspruchs des Christentums als gelöst angesehen werden. Sie war für die meisten weder äußerlich noch innerlich bedrängend. Unter den zunehmenden heutigen Berührungs- oder gar Mischungsbedingungen, wie sie schon durch die Medien täglich in breiter Weise vermittelt und auch konkret im Praktizieren oder durch die Existenz von Kirche, Synagoge und Moschee in naher Nachbarschaft erlebt werden, entstehen wiederum bei nicht wenigen deutliche Abgrenzungsbedürfnisse, aus Angst vor Verlust des eigenen Bodens und der eigenen Identität. Hier meldet sich die Sehnsucht nach neuer Festigung und neuer Bestätigung der unumstößlichen Richtigkeit des eigenen Glaubens. Der Theologe R. Bernhardt (1994) bezeichnet so nicht ohne Berechtigung religiöse Absolutheitsansprüche als »Strategie zur Bewältigung von existentieller Angst und geistiger Verunsicherung«; »sie fungieren als Ich-Verstärker in Identitätskrisen« (ebd., S. 59).

Unabhängig von den speziellen religiösen Identitätsproblemen fällt auch im Alltagsverhalten und auf die konkreten Lebensabläufe bezogen auf, dass der Grundkonsens in wichtigen Lebensfragen auch schon innerhalb unseres Volks- oder Staatsverbands merklich gebrochen wirkt; dies zumindest, wenn man die heutige Situation mit den ethisch verpflichtenden Prinzipien vor allem der Zeit vor den beiden Weltkriegen, aber auch weithin noch der ersten Nachkriegszeit über die Mitte des vergangenen Jahrhunderts hinaus vergleicht. Besonders am Wandel der Alltagsformen von Höflichkeit und Rücksichtnahme, der Rollengewichtung zwischen Jung und Alt, dem Wert der individuellen körperlichen Unversehrtheit, auch der Art der Kriminalität und ihrer Zunahme, um nur einige Beispiele zu nennen, ließe sich dies detailliert aufzeigen. Uneinheitlicher sind vor allem auch die Einstellungen zum Wert des Lebens selbst geworden. Dies zeigt sich an der heutigen Abtreibungsdiskussion und -gesetzgebung ebenso wie in dem Wiederaufleben des Euthanasie-Denkens. Bei letzterem freilich treten die in der Bevölkerung schon immer heimlich vorhandenen, befürwortenden Einstellungen hierzu nur erneut zutage; in der Ideologie des Dritten Reiches waren diese ja nur zu ihrem bisher höchsten Exzess gekommen. Die bewusste Gegeneinstellung gegen die Diskriminierung behinderten Lebens, z. B. im Wirken kirchlicher Institutionen und auch in der Gesetzgebung, zeigt andererseits an, wie auch auf einem so heiklen Gebiet Bewegung und Gegenbewegung aufeinander bezogen sind – freilich unter Verlust von Konsens und allgemeiner Verbindlichkeit.

W. Huth (1995), Psychiater und Religionspsychologe, spricht von einer »zunehmenden Zertrümmerung jeglicher Form von Autorität«, was zu einem »Zurückdrängen der kanonisch gebundenen Kulturgüter zugunsten einer frei rezipierbaren Inflation von Informationen« führe; die Menschen fühlten sich »kaum je so hilflos und unruhig wie heute«, als Reaktion auf den »Verlust einer überschaubaren Wirklichkeit und damit verbunden an Geborgenheit« (ebd., S. 19). Er hat damit in sehr markanter Weise die Unsicherheit in einer in ihrer Vielfalt nicht mehr überschaubaren Welt gekennzeichnet. Die genannte Inflation von Informationen, die heute schon über die normale Schulbildung und nicht erst über die Massenmedien, z. B. das Internet, entsteht, birgt in sich ja auch eine Inflation unterschiedlicher Wertangebote und Einstellungsmöglichkeiten für den Einzelnen. In dieser Hinsicht, und auch durch die zunehmende Geschwindigkeit des Informationsflusses, die Entwicklung der Medien-Technik sowie die rasche globale Ausbreitungsmöglichkeit von Einstellungen, Verhaltensweisen und Lebensstilen unterscheidet sich unsere Zeit grundlegend von früheren Zeitabschnitten unserer Kultur- und Zivilisationsgeschichte.

Es verständlich, dass die genannten, z. T. rasanten Veränderungen, besonders diejenigen im direkt emotional erfahrbaren zwischenmenschlichen Bereich, Anlass zu düsteren Ahnungen für die Zukunft überhaupt geben. So fragt K. Stemmler (2002), ob wir es »bei den Verwerfungen im Umgang miteinander vielleicht mit seismischen Schwingungen eines Bebens« zu tun hätten, »von dessen künftigen Verheerungen wir noch keine Vorstellung haben?« (ebd., S. 8). Und er zitiert Eisenberg, der ebenfalls von »tektonischen Beben« aufgrund der Wucht von Modernisierungs- und Globalisierungsprozessen spricht, die nicht nur die tragenden Gerüste des Gesellschaftsbaus, sondern auch »die tradierten Formen sozialer Integration« erschüttern und »bis in den Innenbau des Menschen« hineinreichen würden (ebd., S. 10). – Es geht hier nicht darum, die etwaige Richtigkeit solcher Äußerungen insgesamt oder deren anteilmäßige Stimmigkeit zu bewerten; sie geben jedenfalls tendenzmäßig jene emotionale und mentale Befindlichkeit wieder, wie sie für viele Menschen heute als Reaktion auf einen ängstigenden und verunsichernden Wertewandel, Pluralismus und Normenverlust typisch ist.

Kritisch muss man in diesem Zusammenhang freilich auch hier fragen, wie weit die genannte emotionale und mentale Befindlichkeit als Ausdruck allgemeiner Verunsicherung schwerpunktmäßig nicht doch vorwiegend auf bestimmte, in diese Richtung sensibel reagierende Menschen in den jeweiligen Bevölkerungs- und Altersgruppen beschränkt bleibt. So haben sich z. B., wider alle negativen Erwartungen und Unkenrufe, wie sie noch in den 70er und 80er Jahren des vergangenen Jahrhunderts zu hören waren, in der Welt der Jugendlichen – gewissermaßen unter der Hand – Änderungen vollzogen, die keinesfalls dem Bild von Orientierungslosigkeit und zunehmendem Werteverfall entsprechen. Vielmehr gibt es zunehmend Anzeichen von geradezu unerwarteter Annäherung an frühere traditionelle »Erwachsenen-Werte«, z. B. hinsichtlich partnerschaftlichem Bindungsverhalten, Höflichkeit, Solidarität oder Leistungsbereitschaft. Aus der umfassenden 13. Shell-Jugendstudie 2000 weist H. Petri (2001) in diesem Zusammenhang vor allem auf die Rangfolge der Wertdimensionen »Autonomie«, »Berufsorientierung«, »Familienorientierung« und »Menschlichkeit« hin (ebd., S. 55), und er zitiert speziell aus den Bewertungen der Autoren, dass zwar »der grundgültige und allgemein verbindliche Wertehimmel« vergangen sei, dass aber das »Kant'sche moralische Gesetz in mir« gelte; es lasse sich hier eine »Werteinflation« beobachten, aber kein Verfall der Werte an sich, »mit dem möglichen Verlust ist ein Gewinn an Vielfalt verbunden«; diese Befunde passten so gar nicht in die Landschaft der heute so vielbeschriebenen negativen sozialen Erscheinungen, und sie würden darauf hindeuten, dass das Wegfallen »verbindlicher Wertetopographien« doch »in erster Linie ein Erwachsenenproblem« sei (ebd., S. 57).

Es scheint wichtig, bei allen Bewertungen der gegenwärtigen Situation und vor allem Wertediskussion solche Einschränkungen und unterschiedlichen Entwicklungen kritisch im Auge zu behalten. Auf die Gefahr einer simplifizierenden Schwarz-Weiß-Malerei auf diesem Gebiet haben wir schon oben hingewiesen und deutlich die Relativität jeglicher Art von »Verlust« an Werten und Normen betont. Außer einem entsprechend deutlichen Generationenunterschied lassen sich von vornherein noch eine ganze Reihe anderer Faktoren vermuten, die die Sichtweise und die Reaktion der Menschen auf die Phänomene Wertewandel, Pluralismus und Subjektivismus in unserer Zeit in verschiedenartigster Weise bestimmen. Und jegliche Art von Reaktion, so auch die einer tiefgreifenden Verunsicherung über erlebte Veränderungen, ist gleichzeitig auch in elementarer Weise durch die Struktur der Persönlichkeit und deren subjektivem Erfahrungshintergrund bestimmt.

Unser Thema betrifft nun gerade diese Gruppe von Menschen – ob Jugendliche, ob Erwachsene –, die die beschriebenen Veränderungen als deutliche Bedrohung ihrer bisherigen Existenz erleben. Sie vermögen diese Situation dann nur oder vorwiegend in Form einer polaren inneren Gegenbewegung zu kompensieren, in der sich gewissermaßen ein Akt der Selbstrettung manifestiert. Es meldet sich ein tiefer innerer Drang nach Klarheit, fester Wahrheit und Sicherheit, eben ein starkes Bedürfnis nach einem verlässlichen Fundament – das dann zum Fundamentalismus führen kann; oder ein noch stärkeres derartiges Bedürfnis, unter Entwicklung von besonderer Intensität, Ausschließlichkeit und Durchsetzungsenergie – das dann zum Fanatismus führen kann (s. u.). Eine Kompromissbildung, also ein Konsens auf höherer Ebene, ist in diesem Fall dann nicht mehr möglich. Im Gegenzug zu sexuellem

Libertinismus entwickeln sich so Formen besonderer sexueller Strenge, gegenüber vermehrter religiöser Offenheit und Individualität kommt es zu neuem Dogmatismus als Bestimmung der »wahren Lehre«, und als Abwehr der möglichen Vielfalt und Beliebigkeit von Lebensgestaltung entstehen autoritäre Sekten, bei denen die geistigen und ethischen Normen bis ins Detail vorgegeben sind. Auf dem Gebiet der Ernährung, der Heilkunde, der Kunst, der Pädagogik, der Partnerschaft, des Zusammenlebens allgemein: Immer wieder entstehen gegen die entwickelte Vielfalt alternative Richtungen mit besonderem Gültigkeits- und Ausschließlichkeitsanspruch.

Das Bedürfnis nach einer eindeutigen Identität, und möglichst auch deren Gültigkeit für alle, darf wohl als die elementare treibende Kraft hinter dem Streben nach klaren, feststehenden, unverrückbaren Wahrheiten und Zielsetzungen gelten. Offene Situationen mit ihrer Vieldeutigkeit machen Angst, und Pluralismus bedeutet eben solche Offenheit. Diese auch von dem Politikwissenschaftler Th. Meyer (1989) angesprochene Offenheit – auf dem Gebiet der Wissenschaft, der sozialen Lebenswelten, der modernen Persönlichkeit selbst und aller politischen Systeme – lässt für ihn den Pluralismus zu einem »prinzipiellen« werden; deshalb gelange der moderne Mensch »nur noch zu einer äußerst prekären Identität« (ebd., S. 32–34). Eine solche gefährdete Identität aber sucht nach Selbstrettung. Sie verträgt sich für viele Menschen nicht mit ihrem starken sozialen und normativen Sicherheitsbedürfnis und ihrem geistigen und religiösen Gewissheitsbedürfnis. Das Urphänomen Pluralismus ruft also seinen Kontrapunkt selbst hervor: die Bewegung hin zur fundamentalistischen Eindeutigkeit und Festlegung, und erst recht die zur fanatischen Ausschließlichkeit und Durchsetzung.

Gerade die besondere Bedeutung des Gewissheitsverlusts hat Meyer in seinen differenzierten Analysen der Situation der heutigen Welt herausgestellt. Er sieht im Ergebnis die Moderne als »Epoche der unentrinnbaren, generalisierten Ungewissheit«. Dieser »Zerfall der Gewißheit« bedeutet gleichzeitig die »Offenheit als Prinzip«, und zwar als »Dauerzustand des Individuums selbst« (ebd., S. 26–32). – Doch eben in letzterem Punkt müssen wir ihm widersprechen, so zutreffend die Gesamtanalyse auch sein mag. Diesen individuellen »Dauerzustand« gibt es nicht. Ungewissheit in wirklich wesentlichen, existentiellen Lebensdingen erträgt der Mensch kaum, zumindest nicht in vielen Lebensbereichen gleichzeitig. Er wird durch einen inneren Prozess gezwungen, neue für ihn schlüssige Bejahungen, Sicherheiten und Gewissheiten zu suchen. Dies kann durchaus auch durch Rückzug auf eine schmalere Erkenntnis- und Lebensbasis geschehen, oder durch entsprechende Aufwertung anderer Bereiche im Lebensalltag, wie Kunst, Sport, Natur, Musik, oder Beruf, Familie, Freundschaft. Die weitere Möglichkeit freilich ist, neue Verbindlichkeiten zu suchen bzw. deren Faszination zu erliegen. Damit ist die alte Sicherheit wiederhergestellt, die innere Komplettierung und auch narzisstische Ergänzung wieder erreicht (vgl. auch Kap. III. und IV.).

Dieser Vorgang lässt sich auf den verschiedensten Gebieten beobachten und psychologisch erfassen. Auf der politischen Ebene kann so beim selben Menschen innerhalb kurzer Zeit das eine, fraglich gewordene oder untergegangene System durch ein anderes ersetzt werden, einschließlich analoger autoritärer Abhängigkeit und Sündenbock-Projektionen. Das instinktive Suchverhalten vieler Jugendlicher nach Auflösung der DDR und ihrer trotz allem doch psychisch stabilisierenden Strukturen z. B., das umgehend zur Übernahme einer rechtsradikalen Ideologie geführt hat (vgl. Kap. V.), gehört hierher. Ebenso fühlen sich nicht wenige Menschen, die durch den Verlust bisheriger religiöser Bindung oder wegen deren Bedrohung durch pluralistische Strömungen verunsichert sind, von dem Angebot neuer Verbindlichkeit und neuer Gewissheiten enorm angezogen. Sie sind bereit, unter Wegschiebung aller selbstkritischen Einwände sich neuen Frömmigkeitsströmungen auszuliefern und deren mit besonderer Gewissheit vertretene Lehre, speziell in Sekten, voll zu übernehmen, einschließlich der oft maximalen Forderungen an Askese und Gehorsamsbereitschaft (vgl. Kap. V.).

An solchen inneren Vorgängen wird auch die Bedeutung eines elementaren Sinngefühls für den Menschen besonders deutlich – wohl gemerkt als emotionale Befindlichkeit, nicht als rationales »Wissen« um einen letzten Sinn des Daseins; solches Wissen ist uns Menschen in unserer Beschränktheit ohnehin nicht greifbar, und es gibt zweifellos eine große Zahl von Menschen, die unangefochten und stabil ihr Leben leben, ohne dessen »Sinn« formulieren oder definieren zu können. Es geht vielmehr um das, was auch V. Frankl (1993) mit dem »Leiden« des heutigen Menschen an der offenen »Sinnfrage« meint, dem »existentiellen Vakuum«, das zu einem »spezifischen Neurotizismus« führt, den er als »noogene Neurose« bezeichnet (ebd., S. 11–13); auch sein Begriff der »essentiellen Frustration« weist, im Gegensatz zu den vielerlei biographisch fassbaren und alltäglich vorkommenden Frustrationen, auf die elementare Ebene hin, von der her das Existieren überhaupt seine Sinnerfüllung – und eben sein Sinngefühl – erhält. Nach Frankl ist das »Sinnlosigkeitsgefühl« zur »Massenneurose von heute« geworden; und er benennt ausdrücklich die Gefahren, die er aus dieser inneren Situation erwachsen sieht: den »Konformismus« einerseits und den »Totalitarismus« andererseits (ebd., S. 110f.).

Es sei dahingestellt, wieweit diese Diagnose einer »Massenneurose« umfangmäßig gerechtfertigt ist oder wieweit sie eben als eine markante Benennung eines zeittypischen psychischen Komplexes zu gelten hat. Jedenfalls ist nach allen Erkenntnissen der Neurosenlehre davon auszugehen, dass das hier beschriebene existentielle bzw. emotionale Sinndefizit, so sehr es auch inhaltlich auf die erörterten pluralistischen Zeitströmungen mit ihrer normativen Verunsicherung bezogen sein mag, psychogenetisch auf ganz andere, individuell vorbestehende Problembereiche in der psychischen Grundstruktur hinweist. Im Zusammenhang unseres Themas ist hier vor allem auf das in früher Kindheit basisbildende »Urvertrauen« im Sinn von Erikson (vgl. auch Kap. III. und Kap. VII.) und auf die elementare Auswirkung eines sicheren oder unsicheren Bindungsstils im Sinn der modernen Bindungstheorie (Brisch; vgl. auch Kap. VII.) hinzuweisen. Eine defizitäre und auch schon teildefizitäre Strukturbildung in diesen Bereichen, die sich auch auf die normale zwischenmenschliche Vertrauensbildung und auf die allgemeine Glaubensfähigkeit auswirkt (vgl. Kap. IV. und VII.), kann dann bei zeittypischen äußeren Verunsicherungen und Wegfall bisheriger Stabilisatoren, wie beschrieben, leicht ein schon gefährdetes Sinngefühl nachhaltig unterminieren oder zusammenbrechen lassen.

Die elementare Suche nach erlebbarem Sinn und gleichzeitig nach neuer Wahrheit, Sicherheit und Gewissheit, dazu die Bereitschaft zur Verankerung hierin, stellt nun zweifellos bereits ein wesentliches Merkmal aus dem Vorfeld von möglichem Fundamentalismus, teils auch Fanatismus, dar. Man kann die oben beschriebenen Strömungen in ihrer Anziehungskraft, gerade auch deren besonderes Anwachsen in unserer Zeit, nur verstehen vor diesem Hintergrund. »Das Bedürfnis nach Sicherheit«, schreibt auch der Psychoanalytiker M. Odermatt (1991), sei »zweifellos eine der wichtigen psychologischen Wurzeln der fundamentalistischen Bewegungen« (ebd., S. 8), und dies bestätigt sich durch viele ähnliche Erfahrungen mit Menschen, die sich solchen Strömungen und Systemen anschließen. – Die sich hierzu nun grundsätzlich und ebenso auch detailliert aufdrängenden Fragen, welche reaktiven, situativen und strukturellen Voraussetzungen bei diesen Menschen dann weiterhin vorliegen müssen, damit der entsprechende Impuls gerade in die fundamentalistische oder fanatische Richtung geht, werden uns in verschiedenem Zusammenhang noch ausführlich beschäftigen.

b) Die persönliche soziale Situation und ihre Rolle

Es wurde schon eingangs deutlich darauf hingewiesen, dass der Fanatismus ein überaus komplexes Phänomen darstellt und dass dieses nie befriedigend zu fassen ist. Dies macht es freilich umso wichtiger, diejenigen Teilbedingungen gründlich auszuleuchten, die uns einigermaßen zugänglich sind. Sie gehören sehr verschiedenen Lebensbereichen an. Jedoch liegt, der gewählten Beschränkung gemäß, der Schwerpunkt unserer Analysen und Darstellungen ja auf den psychologischen Momenten und Hintergründen des Fanatismus. Die eigentliche Perspektive muss hier also vornehmlich das innerseelische Bedingungsgefüge und Kräftespiel bei den betreffenden Personen sein.

Über die andere, wichtige Dimension des Bedingungsgefüges nun, über die soziale und sozialpsychologische, ließe sich eine eigene Abhandlung verfassen; es gibt deren, im Unterschied zur psychologisch-psychodynamischen Seite, auch nicht wenige. Hier jedoch kann es nur um einen knappen Aufriss oder Umriss dieser Dimension gehen; dies immer im Blick auf die Art des persönlichen Umgangs mit der eigenen sozialen Situation und die Muster zu ihrer Bewältigung, soweit es sich überhaupt um eine Bewältigung in Richtung fanatischer Überkompensation handelt. Es ist wichtig, in dieser Hinsicht genau hinzuschauen. Geschieht dies nicht, dann kann sehr rasch und fälschlicherweise ein aggressiver Protest, eine nachhaltige Entwicklung von Ressentiments und Hassgefühlen oder ein plötzlicher Ausbruch von Gewalttätigkeit auf das Konto einer fanatischen Einstellung gebucht werden, die gar nicht besteht.

Dies soll zunächst an einem der wichtigsten und schwierigsten derzeitigen sozialen Probleme, der *Arbeitslosigkeit,* aufgezeigt weiden. Unabhängig von der Frage, welche Personen oder welche Veränderungen im politischen oder wirtschaftlichen Bereich hieran »schuld« sind: das Schicksal, das den Einzelnen mit der selbst unverschuldeten Arbeitslosigkeit trifft, ist sein betont »eigenes«, unabhängig davon, welche Form von Solidarität es dabei auch geben mag. Und so ist auch seine Verarbeitung dieses Schicksals die »seine«, von seinem Typus und seinen Strukturen bestimmte, unabhängig von dem gemeinsamen Leidenszustand, den er mit anderen überindividuell teilt: das soziale Absinken aus finanziellen Gründen, das Zusammenbrechen von Planungen, das resignierte Gefühl, von der Gesellschaft nicht mehr gebraucht zu werden – was besonders der Sozialethiker St. Pfürtner hervorhebt (1991, S. 96) –, die Scham- und Schuldgefühle gegenüber den Angehörigen oder aber die Neid- und Aggressionsgefühle gegenüber denen, die Arbeit haben.

Je länger die Arbeitslosigkeit dauert, umso markanter und auch persönlichkeitstypischer werden die Verarbeitungs- und Reaktionsformen. Sie reichen, vor allem bei jugendlichen Arbeitslosen, vom Anschluss an radikale Gruppen mit Protestverhalten und Gewalt-Aktionismus, über ein noch hoffendes Zuwarten mit viel Eigenbemühung, bis zum resigniert-apathischen Dahinleben, das in eine depressive Verfassung einmünden kann. Die negativen, die Persönlichkeit beeinträchtigenden Auswirkungen sind jedenfalls weit in der Überzahl und wurden vielfach beschrieben. So stellt Th.

Kieselbach (1995) heraus, dass sich die anhaltende Arbeitslosigkeit vieler Betroffener »äußerst negativ auf ihre psychische und körperliche Gesundheit« auswirke; die nachgewiesenen psychosozialen Folgen reichten von »Depressivität, Ängstlichkeit, Schlaflosigkeit, Reizbarkeit und Konzentrationsstörungen« bis zu einer Verringerung der Immunabwehr und einer gravierenden Erhöhung von Suiziden und Suizidversuchen, sowie allgemein behandlungsbedürftiger psychischer und psychosomatischer Störungen selbst bei Jugendlichen (ebd., S. 501).

Eine fanatische Anfälligkeit ist bei der depressiven, apathischen und mit sonstigen psychophysischen Beeinträchtigungen verbundenen Reaktionsform auf die Arbeitslosigkeit von der inneren Dynamik her kaum mehr denkbar, hingegen durchaus beim erstgenannten Verhalten, dem aggressiv-aktionistischen; sie entsteht jedoch auch da keinesfalls zwangsläufig, sondern ist von persönlichkeitstypischen Bedingungen abhängig (vgl. Kap. IV.). Wir stehen hier bereits konkret vor der schon einleitend deutlich gemachten Unterscheidung zwischen Gewalt und Aggressionen überhaupt – aus welchen Gründen diese auch immer entstehen – und der speziell fanatisch motivierten Gewalt. Zweifellos aber vermag sich das Gesamterleben, wie es durch das Schicksal der Arbeitslosigkeit gegeben ist, u. a. auch begünstigend auf die Auslösung fanatischen Verhaltens auszuwirken.

Ein greifbares Beispiel hierfür stellt die damalige deutliche Anfälligkeit gegenüber der nationalsozialistischen Ideologie dar, bei der das Mitgezogenwerden oder die fanatische Begeisterung sehr wesentlich auch aus der Reaktion auf die anhaltend bestehende Massenarbeitslosigkeit entstanden war (vgl. Kap. III.). Der Betroffene, der seine Arbeitslosigkeit als Zukunftslosigkeit erlebt, muss ja alles, was wieder Zukunft verspricht, verständlicherweise positiv aufnehmen. Hier wird ja gerade das oben besprochene »Sinngefühl« wieder aktiviert. Und umgekehrt werden dann die vermeintlich »Schuldigen« an der Misere zum »Sündenbock«, auf den sich die gemeinschaftliche Wut wirft, – als Projektion aller angestauter Aggressionen.

So sieht auch der Psychiater R. Lempp (1993) in der erschreckenden Welle von Gewaltanschlägen in Deutschland insgesamt eine Fehlreaktion enttäuschter Jugendlicher, »die keine Zukunft für sich sehen« und glauben, dass der Staat den Fremden helfe, sie aber »im Regen stehen lasse«; das Losschlagen gegen Ausländer sei der »Protest des Sohnes gegen die vermeintliche Bevorzugung des angenommenen fremden Kindes« (zit. n. *Spiegel* Nr. 47, 1993, S. 46). Dennoch muss erneut betont werden: Dies alles stellt zweifellos ein begünstigendes Vorfeld für fanatische Einstellungen und Entwicklungen dar. Ob es aber beim Einzelnen oder auch bei der Masse hierzu wirklich kommt, ob eine fanatisch eingeengte Leitidee wirklich die gesamte Person nachhaltig besetzt, hängt immer von besonderen zusätzlichen Bedingungen und Faktoren ab. Diese sind, wie gesagt, vorwiegend in der Persönlichkeitsstruktur und in der Reaktionsweise des Einzelnen und nur teilweise in der sozialen Situation begründet. Dies bleibt ein wichtiger Punkt für unsere weiteren Darlegungen. Es ist ja ein aus der Tiefenpsychologie und der einschlägigen Psychodynamik wohlbekanntes Phänomen, dass die Gründe für die eigenen Einstellungen und psychischen Reaktionen mit Vorliebe auf die soziale Außenwelt projiziert werden.

Dieselben Zusammenhänge und Unterschiede ließen sich auch an einer anderen, einschneidenden, durch den Zusammenbruch bisher tragender Lebensverhältnisse gekennzeichneten Situation darlegen: an dem, was die anschauliche Bezeichnung *»Entwurzelung«* meint. Es ist ein weltweites, schreckliches und permanentes Geschehen, angefangen von dem in seinem Ausmaß überhaupt nicht mehr fassbaren Schicksal der großen Flüchtlingsströme, bis hin zu dem Zustand des Einzelnen, der sich durch seinen persönlichen Lebensgang seiner bisherigen Wurzeln im vertrauten sozialen und atmosphärischen Umfeld beraubt sieht. Ob solche Entwurzelung und das nachfolgende Bedürfnis nach Wiederfindung von Geborgenheit und Anerkennung in einer neuen Gruppe nun zu einer fanatischen Entwicklun oder zumindest fanatischer Anfälligkeit führt, ist jeweils wieder eine Frage der ganz persönlichen Reaktionsform. Sie hängt keinesfalls von der Schwere der Entwurzelung und dem Grad des Eingriffs in die bisherige psychische Welt ab, auch nur bedingt von einer eher aktiv-aggressiven Verarbeitung dieses Schicksals. Was man aber sagen kann: Solches Erleben kann eine begünstigende Ausgangssituation für möglichen Fanatismus sein.

Vor allem der fanatische »Mitnahmeeffekt« in einschlägigen Gruppen und Massenbildungen nun, die Entstehung von »induziertem« Fanatismus (vgl. Kap. III.), findet gerade in einer solchen Situation einen entsprechenden Nährboden. Pfürtner (1991) hat dies speziell am Zusammenbruch der ehemaligen DDR aufgezeigt: dass auch ein im einzelnen fragwürdiges Wertsystem doch ein »sinngebendes Wertsystem« sein kann, dessen Zerfall als »schmerzhaft« erfahren wird, weil damit gleichzeitig die Akzeptanz und Achtung in der bisherigen Sozialgruppe entfallen ist (ebd., S. 96). Wie diese Form von Entwurzelung und das dadurch entstandene psychische und ideologische Vakuum gerade bei Jugendlichen vehement in Richtung neuer radikaler Gruppierungen drängt, die gewaltbereit in jede Richtung sind, wurde von verschiedenster Seite aufgezeigt.

Es bestätigt sich in alledem, was F. Hacker (1992) in seiner Darstellung auch des »Faschismus-Syndroms« ausführt: Faschismusanfälligkeit sei vor allem verursacht »durch echte psychische Not«, durch »spirituelle Krisen«, die nach »ideologiegefärbter, psychologischer Erleuchtung und Erlösung« verlangen; dies sei aber durch ökonomische Faktoren zumindest mitbestimmt; es seien besonders »ungefestigte Jugendliche«, aber auch ungezählte andere, die sich so »betont dynamischen, ›jungen‹ Bewegungen« anschließen; ihre wirtschaftliche und seelische Not mache sie zuerst zu Sympathisanten und schließlich zu Mitläufern und enthusiastischen Parteigängern (ebd., S. 132f.).

Auch nicht wenige Elemente in der gegenwärtigen Konfrontation zwischen der *islamischen Welt* bzw. der islamistischen Bewegung und der westlichen Welt lassen sich auf das bestehende soziale Gefälle zurückführen. Speziell an der alltäglichen Situation eines Großteils der arabischen Muslime, ob in den palästinensischen Flüchtlingslagern oder in den von zunehmender Armut der breiten Bevölkerung gekennzeichneten arabischen Staaten, kann man dies exemplifizieren. Nach B. Lewis (2002), Islamwissenschaftler, ist fast die ganze muslimische Welt »von Armut und Tyrannei heimgesucht«, und die Menschen würden dank moderner Kommunikationsmittel «immer stärker die tiefe und sich verbreiternde Kluft« zwischen der freien Welt und der »erschrkckenden Armut und Unterdrückung« bei sich selbst sehen (ebd., S. 12 u. 13); die mittelöstliche Kombination von niederer Produktivität und hoher Geburtenrate ergebe eine »instabile Mischung«, und die arabischen Länder blieben nach allen Voraussagen immer weiter hinter dem Westen zurück (ebd., S. 14).

Dennoch kann auch hier der so augenfällig angehäufte soziale Sprengstoff keineswegs geradlinig für die Entstehung des islamistischen Fundamentalismus und Fanatismus verbucht werden. Nicht nur, dass entsprechende antiwestliche und »antiimperialistische« Einstellungen durch alle sozialen Schichten hindurch im Zunehmen begriffen sind; auch die vorwiegenden fundamentalistischen und fanatischen Argumentationen und deren psychische Hintergründe zeugen von einem ganz anderen Bewegungsschwerpunkt, nämlich der ideellen Identifikation mit vorwiegend religiösen, zweitrangig auch ethischen, Überzeugungen und Zielen. Wir werden auf diese Zusammenhänge ausführlich zurückkommen (vgl. Kap. V.). Also auch auf dieser brisanten welthistorischen Ebene stellt die Rolle der sozialen Situation des Einzelnen und auch des Kollektivs hinsichtlich der Genese fanatischer Einstellungen nur ein mitbedingendes, wenn auch verständliches Element unter anderen dar, keinesfalls jedoch ein hinreichendes.

Nicht verwechselt werden darf schließlich die mögliche Entstehung fanatischer Einstellungen aus der sozialen Situation heraus mit derjenigen von politischen Einstellungen überhaupt. Letztere sind weit mehr von dem allgemeinen Beeinflussungsgefüge unter Menschen und innerhalb bestimmter

Gruppen abhängig. So lässt sich auch die oft bearbeitete Frage, ob es fassbare Zusammenhänge zwischen bestimmten politischen Einstellungen und bestimmten Persönlichkeitseigenschaften gibt, nach P. Steck (1980) heute dahingehend beantworten, dass solche direkten Zuordnungen empirisch nicht belegbar sind. Er zitiert die These von Smelser (1968) als allgemein anerkannt, dass Persönlichkeitsvariablen nicht im engeren Sinn als Ursachen politischen Verhaltens begriffen werden können. Die Persönlichkeit setze lediglich Grenzen; die Grundlagen der Einstellungen bestünden demgegenüber »mehr in psychischen und sozialen Prozessen« (ebd., S. 106 u. 108). Als bestimmend erweise sich demnach die vorgegebene Gruppenzugehörigkeit und die Abhängigkeit von »Gruppennormen«, wobei die Primärgruppen, wozu auch die Familie gehört, die »entscheidenden Träger politischer Beeinflussung« seien (ebd., S. 121f.).

Ob aus einer solchen gruppenbezogenen Überzeugung schließlich eine fanatische Ausrichtung entsteht, ist wiederum von besonderen inneren Prozessen beim jeweiligen Einzelnen abhängig. Es gibt keinen eigentlichen »Familienfanatismus«, es sei denn, die Mitglieder der Familie hätten je für sich persönlich fanatische Neigungen. Auch beim religiösen Fanatismus verhält es sich so. Aus der Darstellung sollte insgesamt deutlich werden, dass die persönliche soziale Situation eines Menschen, vor allem auch deren einschneidende Verschlechterung, zwar eine große bestimmende Rolle für seine Reaktionen, Einstellungen und Verhaltensweisen spielt. Doch im Hinblick auf eine mögliche fanatische Entwicklung und Fixierung stellt sie nur ein begünstigendes Vorfeld und eine unter mehreren Einflussgrößen dar.

III. Grundlegendes zum Wesen des Fanatischen

a) Fundamentalismus als Ideenkern des Fanatismus

1) Definition und Merkmale

Das Wort ist zum griffigen Schlagwort, ja zum Kampf- und Abgrenzungswort geworden. Zwar wird es allgemein, hierüber besteht Einigkeit, auf solche Gruppierungen angewandt, die sich in ihrer Grundorientierung und ihrer Überzeugungs- und Glaubenswelt auf ein definiertes und deklariertes Fundament berufen. Doch in der inhaltlichen Bewertung dieser Haltung bestehen sofort negative oder positive Akzentuierungen. Die Bezeichnung »fundamentalistisch« wird sehr rasch zum Etikettierungsbegriff für Personen und Gruppierungen, die nicht dem eigenen Überzeugungsfeld zugehören. Fundamentalisten, im Sinn solcher subjektiven Festlegung, das sind dann die »Anderen«.

Schon die einfache Frage, was für mich fundamental wichtig ist, muss aber zu einer sorgfältigeren Handhabung der Bezeichnung »fundamentalistisch« für Andere führen. Erst recht kann diese dann nicht mehr einfach zu einer naiv abqualifizierenden Festlegung eines Menschen auf verengte Horizonte, auf »Engstirnigkeit« werden. Sieht man daher den Fundamentalismus von der elementaren psychischen Bedürfnislage her, deren Ausdruck er darstellt, so wird deutlich, dass er als Einstellung weit über die konkreten Erscheinungsformen hinausreicht, in denen er gegenwärtig und auch historisch (s. u.) zu fassen ist. Er ist die Konsequenz geistiger Entwicklung und psychischer Differenzierung des Menschen. Wo es Bewusstseinsbildung und Ideenbildung gibt, entsteht auch Identifikation mit Ideen. Und die Unterschiedlichkeit der Ideen und Vorstellungswelten führt zu unterschiedlichen Identifikationen und damit auch Positionen. Mit diesen sind aber auch sofort bestimmte Verankerungs-, Sicherungs- und Abgrenzungstendenzen gegeben.

Damit haben wir bereits eines der wesentlichen Merkmale fundamentalistischer Positionen benannt, eben das Bedürfnis nach Sicherheit. Mit Recht wird dieses von M. Odermatt (1991) als »eine der wichtigen psychologischen Wurzeln der fundamentalistischen Bewegungen« bezeichnet; dieses sei »nicht nur Ausdruck der defizienten Autonomie einer kindlich-regressiven Persönlichkeit«, sondern gehöre auch »zur Psyche des reifen Erwachsenen« (ebd., S. 8). Und sehr lapidar charakterisiert W. Huth (1995) das Wesen des Fundamentalistischen als »Flucht in die Gewißheit« (Buchtitel) und versucht damit noch deutlicher, einen grundlegenden psychodynamischen Ablauf zu kennzeichnen. Unter den genannten Gesichtspunkten darf man das Bedürfnis nach solcher Bewahrung des eigenen Fundaments wohl weithin als ein menschlich-existentielles Urbedürfnis einschätzen. Fundamentalistische Verankerungen haben, psychologisch gesehen, einen primären, originären Kern als Ausdruck der elementaren Notwendigkeit von klarer Identitätsbildung, Verwurzelung und Gewissheitserfahrung. Dies bestimmt auch die Kernbestimmung des Fundamentalistischen wesentlich mit.

Der Versuch einer solchen Kernbestimmung oder Definition soll hier zunächst in einer bewusst lapidar und einfach gehaltenen Diktion unternommen werden, in Form von drei grundlegenden Elementen. Diese markieren in etwa einen Basiskonsens aus den Sichtweisen und Definitionen einer Mehrzahl einschlägiger Autoren. Fundamentalismus lässt sich demnach bestimmen als

- eine überzeugungsgeleitete *Identifikation* mit einem *Grundwert* oder einer *formulierten Anschauung* (feste Norm oder historisches Dokument),
- die Bezogenheit dieser Überzeugung auf eine *vorgegebene Autorität*, die ihrerseits *nicht mehr in Frage gestellt* werden darf (religiös: Bibel, Koran, Dogma, Papst, Guru; politisch: Magna Charta, Kommunistisches Manifest, Grundgesetz, Parteidoktrin),
- das *strenge Bewahren* der Einstellung und der Formulierungen auch im *Detail*, aus *Angst vor ihrem Verlust* (Neuerungen oder Kompromisse als Gefahr für das Ganze).

Für sehr wichtig erachten wir den Hinweis, dass von Fundamentalismus im engeren, eigentlichen Sinn nur dann gesprochen werden kann, wenn alle drei genannten Elemente in der jeweiligen Einstellung erkennbar sind. Dies muss nicht in gleicher Stärke der Fall sein, die Elemente können vordergründig und augenfällig, aber auch nur hintergründig wirksam sein. Vor allem der Angstanteil bleibt nicht selten auf den ersten Blick verborgen und manchmal erschließt er sich erst einer subtilen psychologischen Analyse, besonders dann, wenn er durch typische Überkompensationsmechanismen (vgl. Kap. IV. und VI.) überdeckt ist.

Gerade nun weil jedes einzelne Element für sich in ganz anderen Zusammenhängen vorkommen kann, als Bestandteil eines normalen Überzeugungsfundaments, einer traditionellen Autoritätsbindung oder einer Angstsymptomatik ganz anderer Art, bedarf es stets der Eruierung der genannten Basiselemente, will man sachgerecht von Fundamentalismus reden. »Fundamente« zu haben, ist noch nicht »Fundamentalismus«, sondern Bestandteil gesunden autonomen psychischen Lebens. Um solche Missverständnisse zu vermeiden, kann, anders ausgedrückt, Fundamentalismus im typischen Sinn nur in Form eines Syndroms diagnostiziert werden, bei dem die oben ausführlich dargelegte Trias – Überzeugungsidentifikation, Autoritätsgebundenheit und Verlustangst – die Basissymptome kennzeichnet.

Über Psychogenese und Psychodynamik der fundamentalistischen Einstellung ist mit dieser phänomenologischen Klärung freilich noch wenig ausgesagt. Eine weitere Annäherung ergibt sich über die Nennung einer Reihe typischer psychischer Grundbedürfnisse, die in der fundamentalistischen Einstellung und Dynamik in besonderer Weise wirksam sind:

- das Bedürfnis nach *Sicherheit*, also nach Aufhebung aller sonstiger Möglichkeiten und aller Ungewissheiten über die Richtigkeit des eigenen Wegs,
- das Bedürfnis nach *Verankerung*, d. h. nach fester Gründung in einem zuverlässigen Fundament, das stets Halt zu geben vermag,
- das Bedürfnis nach *Autorität*, also nach Unterordnung unter die inhaltlichen Vorgaben durch eine Person oder eine Schrift, deren Kompetenz und Zuständigkeit unbezweifelbar ist,
- das Bedürfnis nach *Identifikation*, d. h. nach voller persönlicher Übereinstimmung oder Verschmelzung mit der vertretenen Idee oder der sie tragenden Gemeinschaft,
- das Bedürfnis nach *Perfektion*, als Ausdruck des Wunsches nach Vollkommenheit der vertretenen Einstellung, die damit keiner Ergänzung oder Korrektur mehr bedarf,
- das Bedürfnis nach *Einfachheit*, d. h. nach Reduzierung komplexer, vieldeutiger Zusammenhänge auf wenige Prinzipien oder Lehrsätze, die sich eindeutig und plakativ formulieren lassen.

Die Aufzählung und Erläuterung dieser Grundbedürfnisse und Merkmale in solch holzschnittartiger Form sollte nicht einer ungerechtfertigten Vereinfachung dienen, vielmehr Markierungspunkte für Tendenzen aufzeigen, die auch beim Fanatismus wieder begegnen. Vor diesem Hintergrund lassen sich vor allem die je eigenen Elemente, die den Fanatismus zusätzlich auszeichnen, wesentlich konturierter herausarbeiten. Denn Fundamentalismus ist, wie schon eingangs dargelegt, auf weite Strecken ein psychologischer und thematischer Wegbereiter für Fanatismus, ohne freilich mit ihm identisch zu sein.

Als weiteres stellt sich vor allem auch die Frage, wodurch die emotionale Schubkraft ausgelöst wird, die Menschen dazu bringt, sich fundamentalistisch, d. h. in solcher Ausschließlichkeit, mit bestimmten Positionen zu identifizieren und sich darin zu verankern. Zweifellos lässt sich dies am religiösen Fundamentalismus am besten aufzeigen, weil es sich hier ja primär um innere Vorgänge und nicht um die Reaktion auf gesellschaftliche Situationen handelt. Nimmt man die schon erwähnten psychischen Bedürfnisse als vorgegeben an, die bei bestimmten Menschen eben eine besondere Stärke entwickeln, so wird deutlich, dass es sich hier um eine elementare Gegenbewegung gegen die Angst, keine Basis, kein Fundament mehr zu haben, handelt. Dahinter mag ein mangelhaftes Selbstwertgefühl stehen, das sich der Auseinandersetzung mit anderen Meinungen und Lebenshaltungen nicht gewachsen fühlt und deshalb Sicherheit, Geborgenheit und »den klaren Satz« der Suche nach Sinn vorzieht (Beinert, 1991, S. 63); oder es kann hier der sogenannte »autoritäre Charakter« in seinen verschiedenen Schattierungen, auch in »milderen Formen von Abhängigkeit« eine Leitrolle spielen (E. Fromm, 1966, S. 169f. und 172f.), ebenso auch das schon erwähnte zeittypische »existentielle Vakuum« mit der Neigung zu Konformismus oder Totalitarismus im Sinne von V. Frankl (vgl. Kap. II.). Wir werden auf diese Punkte noch zurückkommen. Deutlich ist jedoch insgesamt das Element der Angst, der Verunsicherung, der Orientierungslosigkeit, der pluralistischen Mehrdeutigkeit, das hier die Bereitschaft zu schützender, wenn auch dabei totaler Bindung an fundamentalistische Systeme aktiviert und unterhält.

Damit kommt aber ein psychologischer Zusammenhang ins Blickfeld, wie er bei fanatischen Haltungen häufig in ebenso typischer Weise belegbar ist (vgl. Kap. IV.): Es ist der in dem fundamentalistischen Sicherheits- und Verankerungsbedürfnis und in der entsprechend schroffen Abgrenzung verborgene Versuch, die eigenen Unsicherheiten und Zweifel gegenüber dem zu vertretenden Inhalt durch besonders unanfechtbare, harte Festlegungen abzuwehren und auszuschließen. Der hier wirksame psychische Grundvorgang ist freilich auch auf vielen anderen Lebensgebieten zu beobachten, eben als betont oder übermäßig starkes Auftreten gegenüber einer drohenden Gefahr. Vom laut singenden Kind im Keller, das dort Angst hat, über den Menschen, der seine soziale Unsicherheit durch forsches Auftreten überdeckt, bis zu dem Typus des Hochstaplers, der sich selbst in seine Größenrolle hineinlebt und so seine Selbstwertprobleme negiert – jeweils steht der gewählte Ausgleich, die Kompensation bzw. Überkompensation, im Dienst der Angstbewältigung und Selbstbestätigung.

Die genannten Analogien zur fundamentalistischen Haltung zeigen, dass diese mithin Ausdruck der eigenen Zweifelsanteile und gleichzeitig auch das Instrument zu deren Bewältigung sein kann. »Fundamentalismus beruft sich auf etwas, was erschüttert ist ... Er ist das angestrengte Dementi seines eigenen Zweifels, ein von Unglauben durchsetzter Glaube«, formuliert Chr. Türcke (1992, S. 12). Weil die moderne Gesellschaft aus der christlichen hervorging, sei das Christentum zum vorzüglichen Opfer ihrer zersetzenden Kraft geworden, »zum ersten Kandidaten des Fundamentalismus« (ebd.). In direkter, lapidarer

Formulierung redet auch St. Pfürtner (1993) davon, dass Fundamentalismus »theologisch als Unglaube zu entlarven« sei, und er moniert, dass alle Fundamentalisten »Vorletztes zum Letzten« machen, indem sie die Schrift, die kirchliche Institution, die Tradition, ihre politischen Prinzipien, ihre kulturellen Werte so verabsolutieren, dass ihre »Identität mit diesen vorletzten Inhalten steht und fällt« (ebd., S. 18f.). Gemeint ist damit, mit anderen Worten, dass die erstrebte absolute und wörtliche Geltungssicherheit von Positionen und Dokumenten, also auch von dogmatischen Festlegungen, auf einen Mangel an wirklichem Vertrauen und offener, personaler Gläubigkeit hinweist. Gerade dieser Punkt wird uns im Zusammenhang mit dem Fanatismus erneut beschäftigen (s. u. und Kap. VII.).

Selbstverständlich ist mit dieser Akzentuierung eines markanten Zusammenhangs nicht ausgesagt, dass jeder Anhänger einer fundamentalistischen Richtung von derartiger innerer Dynamik bestimmt sei. Es gibt ein naives Hineinwachsen in solche Denkweisen und ein Großwerden in ihnen im Rahmen normaler Meinungsbildungsprozesse und typischer Gruppenidentifikation. Theologisch und politisch ausgedrückt: Wer keine andere Form von Glauben und wer keine andere Art von Ideologie kennen gelernt hat, muss diese seine jetzige, erworbene Einstellung als die fraglos richtige erleben. Eine vielfache Anhängerschaft des islamischen Fundamentalismus ist ebenso wie eine vielfache Mitgliederschaft in christlich-fundamentalistischen Gruppierungen in dieser Weise einzustufen.

2) Historische Einbettung

Je nachdem, ob man vom Begriff »Fundamentalismus« selbst ausgeht, oder aber von der damit gemeinten Grundeinstellung, kommt man zu ganz unterschiedlichen Perspektiven über seine historischen Wurzeln. Darüber ist auch eine wissenschaftliche Diskussion entstanden. Unter vorwiegend psychologischer Betrachtung ist freilich eine enge, begrifflich ausgerichtete Beschränkung wenig sinnvoll, denn Phänomene der menschlichen Psyche, gerade solche so elementarer Art, sind zeitlos typologisch und höchstens in ihrer jeweiligen Ausprägung geschichtlich gebunden. Andererseits sollte eine inflationistische Verwendung des Begriffs vermieden werden, damit er nicht seine konkrete Brauchbarkeit einbüßt.

Zu kurz gegriffen dürfte jedenfalls die weit verbreitete Beschränkung der »Entstehung« des Fundamentalismus auf die späte Neuzeit sein (s. u.). Denn traditionell beharrende Abwehr von Lehren und Positionen, die die eigene Identität bedrohen, gab und gibt es immer schon dort, wo sich Neues meldet (vgl. Kap. II.). Die heftigen philosophischen und religiösen Auseinandersetzungen in der Antike, der harte Grundsatzstreit zwischen Judenchristen und Heidenchristen in der Entstehung des frühen Christentums, die späteren dogmatischen Abgrenzungen mit allen Gruppen- und Kirchenspaltungen bis in die Neuzeit – man denke nur an die bekannten unverrückbaren Positionen im Abendmahlsstreit zwischen Luther und Zwingli (s. u.) – all dies sind letztlich Szenen fundamentalistisch motivierter und ausgetragener Überzeugungskämpfe. Pfürtner (1991) erinnert in diesem Zusammenhang z. B. auch an die chiliastischen Strömungen und die Kreuzzugs- und Armutsbewegungen des Mittelalters, an Thomas Müntzer und die späteren Religionskriege (ebd., S. 47). Indiz ist immer, dass es um etwas »Unverlierbares« geht, um die Bewahrung wichtiger Anliegen, um die Sorge und Angst vor dem Verlust des eigenen Fundaments. Wo »Wahrheiten« wichtig sind, drohen immer auch fundamentalistische Positionen.

Die konkrete Entstehungsgeschichte für den Begriff »Fundamentalismus« selbst beginnt Ende des 19. Jahrhunderts in den antimodernistischen Strömungen des Protestantismus in den USA. Speziell in Abwehr der Ergebnisse der modernen Naturwissenschaft und des Darwinismus sowie verschiedener Formen des Libertinismus kam es zu Zusammenschlüssen und Tagungen besonders konservativer, bibeltreuer Christen, vor allem mit dem Charakteristikum des Festhaltens an der Verbalinspiration, d. h. dem Glauben an die wörtliche Eingebung jeglichen Bibelwortes durch den Heiligen Geist (u. a. nach 2. Tim. 3,16). Zwischen 1910 und 1915 wurde von diesen Gruppierungen eine Schriftenreihe mit dem Titel »The Fundamentals« herausgegeben, 1919 erfolgte die Gründung der »World's Christian Fundamental Association«, die jedoch dann später wieder in verschiedene Gruppen zerfiel (Barr, 1986, Sp. 1404–1406; Jäggi und Krieger, 1991, S. 21; Odermatt, 1991, S. 12).

Die Bewegung als solche schuf jedoch in ihrem Anliegen einen breiten Konsens innerhalb aller jener christlichen Kreise, die die Grundlagen der eigenen Gläubigkeit durch modernistische Strömungen, sowohl bibelkritisch-liberaler als auch moralkritisch-libertinistischer Art, bedroht sahen. Dies galt besonders für die traditionalistischen Strömungen im Katholizismus und für die pietistische Frömmigkeit im Protestantismus, natürlich auch für die verschiedensten sektiererischen Gruppierungen. Die ursprünglich positiv gemeinte Selbstbezeichnung »Fundamentals« wurde unter der zunehmenden Negativierung des Begriffs allmählich durch Benennungen wie »evangelikal«, »rechtgläubig«, »bibeltreu« u. a. ersetzt.

Bezogen auf den abendländischen Kulturkreis und dessen religiösen Raum insgesamt bestimmen zwei große historisch wirksame Strömungen fundamentalistischer Art unsere Gegenwart, nämlich der christliche und der islamische Fundamentalismus. Deshalb scheint es wichtig, auf die wesentlichen Unterschiede zwischen beiden hinzuweisen. Die aus solchem Fundamentalismus schließlich hervorbrechenden fanatischen Einstellungen und deren Erscheinungsbild werden so verständlicher.

Der *christliche* Fundamentalismus ist als Reaktion auf die seinen eigenen Traditionsanteilen entstammende Denkfreiheit und persönliche Mündigkeit, vor allem auch der Aufklärung mit allen pluralistischen Folgen entstanden. Alle Infragestellungen bisheriger religiöser Wahrheiten fanden zumindest prinzipiell dialogisch, wenn auch antithetisch, in jahrzehntelangen Auseinandersetzungen in den eigenen Reihen statt. Die schon oben erwähnten dogmatischen Abgrenzungen, wie die heftigen trinitarischen und christologischen Streitigkeiten der ersten Jahrhunderte, die selbst in den Synoden z. T. bereits mit fanatischer Gewalt einhergingen (s. Heussi, 1949, S. 34), die spätmittelalterlichen Lehrfixierungen, die Glaubensdiktate der Inquisition, die Unfehlbarkeitserklärung des Papstes im 19. Jahrhundert, aber ebenso auch die vielen innerprotestantischen Positionsbildungen ab der Reformation: Sie alle waren, ob über Bibelexegese oder Traditionsbegründung, um die Formulierung gültiger »Wahrheit« und deren argumentative Verteidigung bemüht, es ging um jenes »Unverlierbare« und »Unverzichtbare«, das nicht preisgegeben werden durfte.

Ein schönes und transparentes Lehrstück hierfür stellt der schon oben angeführte Abendmahlsstreit zwischen Luther und Zwingli dar, der im Jahr 1529 im Marburger Gespräch zwischen beiden Reformatoren seinen Höhepunkt fand. Es ging um die zutreffende Interpretation des lateinischen Wortes »est« in den Einsetzungsworten Jesu (»hoc est corpus meus« = »das ist mein Leib«; Mark. 14, 22). Zwingli wollte es nur symbolisch-spirituell verstehen, für Luther beinhaltete es jedoch gleichzeitig auch eine gewichtige substantielle Aussage mit der Möglichkeit der Realpräsenz des Leibes Christi. Luther war hier – ganz entgegen seinem sonstigen, oft sehr freien Umgang mit Bibelzitaten und biblischen Büchern – der fundamentalistischere, indem er beharrlich am Wortlaut festhielt, aber auch Zwingli war zu keinerlei interpretativen Zugeständnissen bereit (Heussi, 1949, S. 303f.). Diese nicht beizulegende, scheinbar geringfügige und doch hoch bedeutsame Differenz wirkte sich sehr nachteilig für die protestantische Sache aus, weil so die angesichts drohender kriegerischer Auseinandersetzungen dringend angestrebte Einigung nicht zustande kam; in allen anderen strittigen Punkten war sie möglich gewesen. – Die Kirchen- und Dogmengeschichte ist von Anfang bis heute voll von solchen scheinbar »kleinen« Differenzpunkten, in Wortlaut oder Interpretation, die sich gleichwohl als »grundlegend« und konsensverhindernd erwiesen haben, mit z. T. enormen Folgen für den weiteren Gang der Geschichte. An vielen von ihnen lässt sich exemplarisch dartun, was christlicher Fundamentalismus wirklich ist.

Im Unterschied hierzu stellt der *islamische* Fundamentalismus eine aus schwelendem Zustand in kürzester Zeit, insbesondere unter Ayatollah Khomeini (vgl. Kap. V.), stürmisch hervorgebrochene Abwehr gegen die bisherige westliche Vorherrschaft mit zivilisatorischer, wirtschaftlicher und geistiger Überfremdung dar. Eingebunden in diese Abwehr war für ihn dabei auch die christliche Religion, die im Gefolge dieser Vorherrschaft Gültigkeitsansprüche erhob, und der trotz der gemeinsamen abrahamischen Wurzel wegen der missverstandenen Trinitätslehre u. a. der Verdacht des Abfalls vom strengen Monotheismus anhaftete. »Für den gläubigen Muslim«, schreiben Jäggi und Krieger (1991), bedeutete diese Abhängigkeit »einen enormen Glaubensschock: In seinen Augen ist der Islam die fortschrittlichste Religion«. Der Fundamentalismus stelle so für viele »einen glaubhaften Versuch dar, Größe und Lebensformen des Islam wieder herzustellen«, und nur von daher sei auch die stur erscheinende anti-westliche Haltung etwa der radikalen Schiiten-Führer zu verstehen (ebd., S. 22f.; vgl. auch Kap. V.). Der Anspruch der Verschmelzung von Religion und Politik bzw. der Präsenz religiöser Elemente in Staatsform und Gesetzgebung, einschließlich der universellen und wörtlichen Gültigkeit von Koran und Scharia, verleiht diesem Fundamentalismus eine enorme Stoßkraft.

So stellt, wie Tibi (1992) als Muslim sagt, der »kompromißlose islamische Anspruch auf Weltführung ... eine Bedrohung der Idee des Pluralismus und der Säkularität auf einer globalen Ebene dar«. Dennoch warnt er vor generellen Feindbildern und betont, wie so viele andere, dass der islamische Fundamentalismus als politische Ideologie nicht mit dem Islam als Religion identisch sei (ebd., S. 22). Zum Verständnis der Einstellung islamischer Fundamentalisten stellt Tibi (2002) auch noch heraus, dass der »Idealzustand« für sie »die islamische Vergangenheit und spezifisch der Ur-Islam des Propheten« sei; »ihre Utopie ist also rückwärtsgerichtet«; so sei dieser Fundamentalismus »Ausdruck einer umfassenden Krise in jenem Teil der Welt, den man von außen als ›Welt des Islam‹ bezeichnet« (ebd., S. 51). Statt einer neuen Wertorientierung im Sinn der Aufklärung als mensch-zentriertem säkularem Weltbild Raum geben zu können, würden die Fundamentalisten »auf ›das Reich Gottes‹ als Gegenutopie« zurückgreifen und in deren Rahmen »einzig die Lektüre des Koran und die Überlieferung des Propheten Mohammed als *sola scriptura*« gelten lassen; hieraus resultiere die »Krise des modernen Islam als einem kulturellen System mit vormodernen Normen und Werten« (ebd., S. 55 u. 58). – Das Phänomen des aus diesem Fundamentalismus erwachsenden Fanatismus und damit auch des Islamismus als Bewegung überhaupt wird uns noch gesondert und in ausführlicher Weise beschäftigen (vgl. Kap. V.).

3) »Harter« und »weicher« Fundamentalismus

Während es zur allgemeinen und historischen Begriffsbestimmung dessen, was mit Fundamentalismus gemeint ist, Vorschläge und Handhabungen in hinreichender Zahl gibt, ebenso auch zu inhaltlichen Unterscheidungen (s. o.), ist eine innere Differenzierung nach den Kriterien von unterschiedlicher Konsequenz und Rigorosität der fundamentalistischen Einstellung selbst kaum versucht worden. Gerade in solchen Differenzen aber zeigen sich treibendes Motiv, psychische Bedürfnislage und Persönlichkeitsstruktur in besonderer Deutlichkeit. Fundamentalist ist nicht gleich Fundamentalist: Es gibt einen harten Kern mit extrem schroffen, unverrückbaren Festlegungen und Ausgrenzungen, und ein nach außen offenes Umfeld mit Akzeptanz mancherlei kritischer Einwände und unabweisbarer Elemente moderner Wissenschaftserkenntnisse und Lebensformen.

Eine solche Differenzierung, die sich aus dem sehr bunten Bild der Erscheinungen nahelegt, hat nun Chr. Türcke (1992) mit seiner Unterscheidung von »hartem« und »weichem« Fundamentalismus vorgenommen. Sie steht zwar bei ihm unter einem allgemein religionskritischen Akzent, kann aber zur Benennung und zum Verständnis sehr vieler, sonst schwer deutbarer Strömungen sinnvoll und brauchbar sein. Der »harte« Fundamentalismus ist nach ihm die schon beschriebene kompromisslose Festlegung auf strikt formulierte Lehren biblizistischer und traditionalistischer Art, der »weiche« Fundamentalismus hingegen versuche sich dadurch zu behaupten, »dass er behauptet, keiner zu sein«. Türcke führt als Beispiel vor allem bekannte moderne Theologen an, die alle durch verschiedenste Zugeständnisse zwar Flexibilität zeigten, um auch dem modernen Menschen den Glauben zu ermöglichen, in Wirklichkeit aber durch ihr Festhalten an anderen Kernlehren und unverzichtbaren Aussagen doch Fundamentalisten seien, eben »weiche« (ebd., S. 13ff.).

Die Frage legt sich natürlich nahe, ob bei solchem Verständnis von »weichem Fundamentalismus« dann nicht alle Vertreter eines letztlich traditionell verankerten Glaubens, alle überzeugten Anhänger christlicher Grundwahrheiten, auch bei noch so viel Modernismus im eigenen Selbstverständnis, »weiche« Fundamentalisten sind. Damit freilich wäre der Begriff selbst so weich und beliebig, dass er seine Aussagefähigkeit gerade im Sinn der markanten Grundmerkmale des Fundamentalismus verlieren würde.

Will man einer derartigen Ausweitung und damit Unbrauchbarkeit des Begriffs entgehen, die Unterscheidung nach »hart« und »weich« als sinnvolle

Differenzierung aber beibehalten (s. o.), so kann dies nach meiner Einschätzung am ehesten dadurch geschehen, dass die beschriebene typische Merkmals- und Bedürfniskonstellation der fundamentalistischen Gesamthaltung für alle fundamentalistischen Varianten zum Kriterium gemacht wird. Genau dies haben wir ja auch schon dargelegt und begründet (s. o.). Für den »weichen« Fundamentalismus muss dann ebenfalls gelten, dass typische psychische Bedürfnisse, vor allem die nach Sicherheit, Verankerung und Autorität, und dahinter die Angst vor dem Verlust des Fundaments an sich eine maßgebliche Rolle spielen. Denn das letztlich angstbestimmte Sichfestklammern an Wahrheiten und deren Verteidigung, im Gegensatz zu dem Gefühl des Getragenseins und Geborgenseins im Glauben, macht den eigentlichen, inneren Unterschied zwischen fundamentalistischer und nichtfundamentalistischer Frömmigkeit aus (s. u.).

Mit diesem Kriterium ist freilich eine generelle Unterscheidung angesprochen, die sowohl theologisch als auch religionspsychologisch von grundlegender Art ist und auch entsprechend oft thematisiert wird. Der fundamentalistisch ausgerichtete Glaube ist stark charakterisiert durch formulierte und vorgegebene Glaubenswahrheiten (theologisch: fides quae creditur, d. h. Glaubensinhalte, die geglaubt werden), während der nichtfundamentalistische Glaube weit mehr im Akt des Glaubens als personalem Vorgang ruht (fides qua creditur, d. h. Glaube, mit dem geglaubt wird). Was die fundamentalistische Mentalität nun nicht anzunehmen bereit sei, sagt der Sozialethiker St. Pfürtner (1991), sei die »Bereitschaft zum offenen Leben aus Vertrauen« (ebd., S. 188). Hier aber kämen wir schließlich zur Erörterung grundsätzlich prägender Faktoren wie der schon in der frühen Kindheit erworbene Grad von »Urvertrauen« (*basic trust*) im Sinne von E. Erikson (1953, S. 11ff.), das sich in einem Grundgespür für die Verlässlichkeit der Lebensfundamente äußert. Ähnliches meint auch O. Bollnow (1956) mit der Äußerung, dass jeder Glaube »letztlich der Glaube an die Zuverlässigkeit und Unerschütterlichkeit tragender Lebensbezüge« sei (ebd., S. 121).

Auf die innere Dynamik, die dann eine fundamentalistische Einstellung in Richtung des Fanatischen treiben kann, werden wir noch gesondert eingehen (vgl. Kap. VI.). Jedenfalls kann hierbei auch gerade ein solches Defizit an Urvertrauen eine untergründige Rolle spielen. Dies trifft erfahrungsgemäß umso mehr zu, je »härtere« Konturen der Fundamentalismus zeigt und je deutlicher bereits aggressive Elemente in ihm spürbar werden. – Nicht nur an diesem Punkt, sondern generell besteht, wie sich aus der häufigen Verwechslung oder verschwommenen Verwendung der beiden Begriffe »Fundamentalismus« und »Fanatismus« in den Medien und der öffentlichen Diskussion ersehen lässt, starker Klärungsbedarf hinsichtlich der jeweiligen charakteristischen Elemente. Gleichzeitig machen es die vielerlei Gemeinsamkeiten und Überschneidungen der einzelnen Merkmale, sowohl nach Inhalt als auch nach Persönlichkeitsstruktur und -Dynamik, nicht leicht, klarere Konturen für die Phänomene selbst zu gewinnen. Erst recht öffnet sich die – keineswegs immer, aber oft – zu beobachtende sekundäre fanatische Radikalisierung fundamentalistisch fixierter Menschen in Form einer persönlichen Entwicklung in ihrem Bedingungsgefüge oft nur schwer unserem wirklichen Verstehen.

Der »Drang zum Extrem« behält viele seiner Geheimnisse. Ohne sich aber der typischen Merkmale, der persönlichen Bedürfnisse und der psychodynamischen Hintergründe fundamentalistischer Einstellungen zu vergewissern, gelingt es kaum, die fanatische Wesensart und deren Besonderheiten einigermaßen zu verstehen, vor allem auch zu sehen, worin eben der Unterschied zwischen beiden liegt. Zentral bleibt aber jedenfalls die Aussage, dass der Fundamentalismus weithin den Ideenkern und die ideologischen Fixierungen liefert, die dann in der fanatischen Energetik, Psychodynamik und konsequenten Zielverfolgung ihre so verhängnisvolle Rolle entfalten.

b) Einstieg in die Wesensbestimmung des Fanatismus

1) Vereinfachte Merkmalsbeschreibung

Auch mit dem Vorbehalt, dass der Fanatismus als historische und individuelle Erscheinung ein überaus komplexes Phänomen bleibt und dass er mit all seinen menschlichen Hintergründen und Abgründen nie befriedigend aufhellbar sein wird: Im Interesse der Sache, aus der Notwendigkeit besseren Verstehenkönnens und besseren Umgehenkönnens mit ihm ist es unverzichtbar, dass wir uns seinem Wesen anzunähern versuchen. Es geht um die Kernfrage, die jeden beschäftigt, der sich mit dem Phänomen befasst: Was ist hier in der menschlichen Psyche eigentlich los?

Die meisten heutigen Bestimmungen von »Fanatismus« enthalten eine Kombination von rein beschreibenden, also deskriptiven Merkmalen mit solchen Elementen, die, teils schon interpretativ, etwas über seinen Kern aussagen sollen. Ein solches Vorgehen legt sich nahe, will man das Wichtige auch nur einigermaßen erfassen. Der Psychoanalytiker J. Rudin (1975) vermeidet durchgehend begriffsbestimmende Aussagen, weil es nicht angängig sei, die Vielschichtigkeit der Problematik »auf eine einzige Formel« zu reduzieren; doch liegt sein Sichtschwerpunkt deutlich auf der »innigen Verbindung von fanatischer Intensität des Verhaltens mit einem oftmals sehr bedeutsamen

Werterleben und dem radikalen Wertrealisierungsdrang« (ebd., S. 8 u. 193). Dies ist ein Gesichtspunkt, der auch für unsere Auffassung und Darstellung sehr maßgeblich geworden ist. Ph. Lersch (1962) stellt vorrangig die Intensität und die Nachhaltigkeit der entsprechenden »Strebungen« heraus und betont, dass beim Fanatismus die beiden Eigenschaften, die an sich getrennt zu betrachten seien, zusammen in besonderer Stärke vorkommen (ebd., S. 215).

K. Thomas (1987) beschreibt in seinem lexikalischen Beitrag den Fanatismus als »die enge, leidenschaftliche, streitsüchtige Geisteshaltung«, mit der eine »kompromißlose, meist egozentrische und zugleich zentrifugale überwertige Idee« von psychopathischen Sonderlingen und/oder von Opfern einer wirksamen Propaganda verbreitet werde; er betont ferner die »mit rücksichtsloser Starrheit in geschlossener, röhrenförmiger Sicht ohne echte Diskussionsbereitschaft und mit blindem Eifer« vertretenen Gedankengänge (ebd., Sp. 580). Hier scheinen vor allem die Hinweise auf die Merkmale Leidenschaftlichkeit und blinder Eifer sowie auf »überwertige Idee«, Kompromisslosigkeit und Starrheit treffend, hingegen kann von Streitsüchtigkeit und psychopathischen Sonderlingen (vgl. Kap. IV.) sicher nur bei einem Teil der fanatischen Persönlichkeiten gesprochen werden.

In der definitorischen Kurzfassung von F. Dorsch (1976) wiederum wird der Fanatismus als »eine zumeist eifernd und sehr nachhaltig wirksame, vom Träger (z. B. einem Wahrheitsfanatiker) überwiegend positiv motivierte, ideologisch begründete, dennoch oft aus Neid und Haß gesteuerte Form von Aggression« bezeichnet (ebd., S. 184). Letzteres kann ebenfalls nur für einen Teil der Fanatiker-Persönlichkeiten zutreffen, erst recht in Verbindung mit Neid und Hass; wichtig scheint uns andererseits auch hier der Hinweis auf das »eifernde« Element sowie auf die positive Motivation zu sein.

Die definitorische Formulierung von L. Bolterauer (1989), Psychologe und Psychoanalytiker, kommt unseren eigenen Aussagenintentionen mit am nächsten. Er kennzeichnet den Fanatismus als »eine überstiegen leidenschaftliche, alle Kräfte, Fähigkeiten, Interessen eines Menschen total aktivierende und kaptivierende ›monomane‹ Hingabe an eine sittliche Gemeinschaftsaufgabe, wobei im Bestreben, dieses Ziel uneingeschränkt (›radikal‹) zu verwirklichen, keine Rücksicht auf andere Pflichten genommen wird und zur Bekämpfung der Gegner bei subjektiv gutem Gewissen alle Kampfmittel, auch sittlich verwerfliche, rücksichtslos eingesetzt werden« (ebd., S. 43f.). Hier sind die bezeichnenden Elemente deutlich enthalten, allerdings deckt diese Bestimmung zwar den expansiven Fanatismus sehr gut, hingegen den »stillen« Fanatismus kaum ab.

Aus religionspsychologischer Sicht akzentuiert sich für B. Grom (1992) der Fanatismus als der »rücksichtslose Kampf für eine heilige Sache«, dessen

Kern die »Überidentifikation mit einer Überzeugung und einem Ideal religiösen und philosophischen Inhalts« ist; im Unterschied zum schlichten Gläubigen fühle sich der Betreffende im fanatischen Einsatz grandios als kämpfender Held und zu uneinfühlsamem, intolerantem Vorgehen gegen die Gegner der Wahrheit und der heiligen Sache berechtigt (ebd., S. 194). Mit dem Element der Überidentifikation als quantitativer Aussage sowie dem Hinweis auf die daraus resultierende Legitimation intoleranten Verhaltens schließt er sich somit den von Bolterauer herausgestellten Merkmalen an.

Aus psychoanalytischer Sicht bestimmen A. Haynal u. a. (1983) den Fanatismus als »a megalomanic condition«; die Struktur dieser Megalomanie wird für sie aus einem Phänomen der Kinderpsychologie verstehbar, nämlich der »fiction of omnipotence«, diese dann freilich oft als »a pathological omnipotence which most often marks feelings of impotence and despair« (ebd., S. 38). Diese psychodynamische Sicht wird uns im Zusammenhang mit der spezifischen Persönlichkeitsstruktur von Fanatikern noch ausführlich beschäftigen (vgl. Kap. IV.).

Die Bestimmungsversuche seitens der klassischen Psychiatrie standen bisher so gut wie ganz unter dem Leitbegriff der abnormen Persönlichkeiten bzw. dem Psychopathie-Konzept. Fanatische Persönlichkeiten sind hier Teilrubrik einer bewusst unsystematischen Einteilung von Menschen mit psychischen Normabweichungen überhaupt. Wir werden auf diese sich an K. Schneider und K. Jaspers orientierende Zuordnung bei der Besprechung der Persönlichkeitsmodelle sowie unter dem Thema Abnormität und Krankheit noch ausführlicher zu sprechen kommen (vgl. Kap. IV. und VI.). Für die Annäherung an eine mögliche Allgemeinkonzeption von Fanatismus und für die Herausarbeitung der Verbindung typischer Merkmale bringt diese rein deskriptive Vorgehensweise nur gewisse Teilerkenntnisse bei. Vor allem kann sie solche für das Verständnis und das Wesen des Fanatismus wichtigen Phänomene wie Begeisterung, Identifikation mit Werten oder auch fundamentalistische Einengung in diesen Bezugsrahmen nicht einbinden, und noch weniger die gesellschaftlich so bedeutsame Möglichkeit der fanatischen Induzierbarkeit vieler »Durchschnittsmenschen« ohne erkennbare primäre Normabweichung. So fehlt bezeichnenderweise das Stichwort »Fanatismus« in vielen, auch bedeutenden psychiatrischen Lehrbüchern völlig.

Wenn jetzt im Folgenden eine eigene definitorische Umgrenzung für das Phänomen Fanatismus versucht wird, so – es sei nochmals betont – aus der Notwendigkeit inhaltlicher und formaler Verständigung zur Sache, trotz aller bestehender Unklarheiten und offenbleibender komplexer Dynamik. Wie beim Fundamentalismus (s. o.), so soll die definitorische Beschreibung auch hier in Form von drei grundlegenden Elementen geschehen, worüber auch wiederum ein gewisser Basiskonsens besteht.

Fanatismus lässt sich demnach bestimmen als

- eine durch die Persönlichkeitsstruktur mitbedingte, auf *eingeengte Werte und Inhalte* bezogene persönliche *Überzeugung* von hohem Identifizierungsgrad,
- die *Durchsetzung* dieser Überzeugung mit großer Intensität, Nachhaltigkeit und Konsequenz, unter hohem Energieaufwand (*»fanatische Energie«*), wobei Dialog- und Kompromissunfähigkeit besteht,
- die *Bekämpfung von Außenfeinden* mit allen, auch rigorosen, aggressiven, vernichtenden Mitteln, unter gleichzeitiger positiver Gewissenskonformität *(»gutes Gewissen«).*

Das erste der genannten Merkmale deckt sich weithin mit der Definition des Fundamentalismus. Hiervon aber setzt sich deutlich das eigentliche Spezifikum des Fanatismus ab, das zusätzliche Element der »fanatischen Energie« mit allen psychischen Implikationen und den resultierenden Konsequenzen im äußeren Verhalten. Will man vor diesem Hintergrund den Unterschied zwischen Fundamentalismus und Fanatismus, der markanten Heraushebung wegen, auf eine noch einfachere Formel bringen, kann man lapidar sagen:

- Der *Fundamentalismus begründet* die Lehre oder Bewegung und stellt ihre *Verbindlichkeit* her.
- Der *Fanatismus kämpft* für diese Verbindlichkeit und versucht sie mit hohem energetischem Einsatz *durchzusetzen.*

Die hier dargelegten definitorischen Formulierungen enthalten nach meiner Einschätzung die wesentlichen Elemente des Phänomens, zumindest in seinem Kernbereich. Die weiteren Darlegungen stellen in großen Teilen eine Entfaltung, Erläuterung und dynamische Durchdringung dieser Grobdefinition dar. Dass es fließende Übergänge in die verschiedensten nicht-fanatischen normalen Lebensbereiche hinein, ebenso auch in den pathologischen Bereich hinein gibt – wie schon erwähnt –, lässt sich mit einer solchen Kerndefinition naturgemäß nicht einfangen; dies bleibt besonderen Ausführungen überlassen (vgl. Kap. VI.).

2) Historische Entwicklung des Begriffs

Es ist bezeichnend, dass Wortstamm und primäre Wortbedeutung aus dem religiösen Bereich herrühren. Der lateinische Stamm »fas« oder »fes« steht für religiöse Handlung, das »fanum« war der heilige Ort, speziell der Tempel. Als »fanaticus« wurde derjenige bezeichnet, der am heiligen Ort »umherraste« (von »fanari« = umherrasen), womit wohl eine Form von Tempelekstase gemeint war. Aus römischer Sicht galten die Bezeichnungen ursprünglich dem

Kult außerrömischer Götter, aus christlicher Sicht wurden dann alle heidnischen Priester und Kultdiener zu »fanatici«. Diese inhaltliche Bedeutung blieb bis ins 16. Jahrhundert so erhalten. Im Zeitalter der Reformation wandelte sich die Bezeichnung dann in einen innerchristlichen und interkonfessionellen Kampfbegriff um, indem die Reformatoren zunächst die religiösen »Schwärmer« und Sektierer als »fanatici« bezeichneten, schließlich die alte Kirche selbst (Melanchthon). Von der katholischen Polemik aus wurde dann umgekehrt der gesamte Protestantismus mit diesem Begriff abgewertet. Um eine religiöse Bewegung zu disqualifizieren, galt schließlich ab 1700 als bestes Mittel, sie des Fanatismus zu bezichtigen (nach Spaemann, 1972, Sp. 904 f.).

Im Zeitalter der Aufklärung wurde weithin alles unter den Fanatismus-Aspekt gestellt, was der »Vernunft«, aus Sicht des Zeitgeistes durch Festhalten an »irrationalen Glaubenspositionen«, widersprach. Häufig findet sich auch eine Ineinssetzung mit Aberglauben und Enthusiasmus. Im Laufe der Französischen Revolution kam es jedoch zu einem Umschlag des Begriffs. Diese hatte sich ja ursprünglich gerade als Vernichtung des Fanatismus verstanden, zeigte jedoch unter der Herrschaft Robespierres und des Jakobinertums selbst immer mehr fanatische Züge, was polemisch gegen sie verwendet wurde. Die Restaurationszeit dehnte den Fanatismus-Vorwurf dann auf das Gesamtphänomen der Revolution aus (ebd., Sp. 905f.).

Ab hier datiert die universelle Verwendung des Begriffs Fanatismus, also die Anwendung auch auf entsprechende politische Erscheinungen. Damit war aber eine grundsätzliche Abkoppelung von der inhaltlichen Ausrichtung der jeweiligen Position eingeleitet, und es bedurfte folgerichtig für die Zukunft primär formaler Gesichtspunkte und Kriterien zur Bezeichnung einer Person oder Bewegung als »fanatisch«. Schon im Laufe des 19. Jahrhunderts bildete sich ein Sprachgebrauch in dieser Richtung heraus, der auf die innere Verfassung und auf die Art und Weise der Vertretung der Meinung nach außen abhob. D. h. die Persönlichkeit und deren Verhalten, und nicht das Thema und der Inhalt wurden zum Maßstab der Einstufung. Alle folgenden Auseinandersetzungen mit dem Gegenstand bewegen sich auf der Ebene der Einzelbestimmung von bezeichnenden Merkmalen oder setzen einfach ein Grundverständnis des Fanatischen im personalen Sinn voraus.

3) Formen und Einteilungsmöglichkeiten: Überblick

Zunächst gilt einmal: Fanatiker ist nicht gleich Fanatiker. Und wir sind es in unseren Beurteilungen den Betreffenden allemal schuldig, ihnen nicht Strukturen, Motive und Gesinnungen anzulasten, die sie so nicht haben. Einem Menschen gerecht zu werden, ist etwas vom Schwierigsten, und wenn wir bestimmte Eigenschaften scharf herausheben, übersehen wir zwangsläufig andere, die ebenfalls die seinen sind. Typologien fangen somit notgedrungen immer nur einen Teil der Realität eines Menschen ein.

Fanatismus meint immer eine bestimmte Art und Weise, wie Menschen mit Ideen, Überzeugungen und Glaubensinhalten umgehen. Fanatisch ist also nicht etwa eine Idee oder ein System an sich – Ideen können noch so einseitig, überzogen oder absurd sein, fanatisch werden nur Menschen, die sich in solch typischer Weise mit diesen identifizieren. Das Geheimnis und das Problem der fanatischen Ausuferung wird somit zum Geheimnis und zum Problem jener Menschen, die den Drang zum Extrem in sich tragen und sich so in dieses Extrem hineinreißen lassen.

An dieser Stelle soll zunächst nur ein Überblick über wichtige mögliche Unterscheidungen gegeben werden. In der späteren Darlegung folgt dann die eigentliche Erläuterung und Differenzierung, besonders auch im Hinblick auf die bestimmenden Faktoren und Voraussetzungen der Entwicklung in fanatische Richtungen. Der Überblick soll vor allem auch die erwähnte Vielschichtigkeit und Breite des Phänomens perspektivisch aufzeigen und Denkanstöße für weiterführende Sichtweisen bieten.

Die wohl wichtigste Differenzierung, sowohl was die individuelle psychische Situation als auch was die gesellschaftlichen Vorgänge betrifft, ist die nach der Art der Verankerung und der Entstehung fanatischer Verhaltensweisen in der Persönlichkeit selbst. Demnach muss unterschieden werden zwischen einem

- *»essentiellen«* Fanatismus (auch als »klassischer«, »originärer« oder »struktureller« Fanatismus bezeichnet), und einem
- *»induzierten«* Fanatismus (auch als »infizierter« oder »Ansteckungs-Fanatismus« bzw. »Teilfanatismus« benennbar).

Der *essentielle* Fanatiker stellt, wie eingangs schon erwähnt, jenen Typus Mensch dar, zu dessen Persönlichkeitsstruktur das fanatische Element vom Wesen her (= essentiell) deutlich dazugehört, der also primär den Drang entwickelt, überzeugende Ideen welcher Art auch immer fanatisch zu verfolgen. Er verkörpert vom Innern her den benannten »Drang zum Extrem«. Hier wird es wichtig sein, auch an typischen Beispielen aufgezeigt, die entsprechenden innerseelischen Motive und psychodynamischen Vorgänge herauszuarbeiten und zu beleuchten, die gerade diesen Kerntypus im Spektrum der Fanatiker kennzeichnen.

Der *induzierte* Fanatiker hingegen rekrutiert sich aus zunächst unauffälligen, psychisch durchschnittlich strukturierten und sozial angepassten Menschengruppen, er lässt sich aber durch essentielle Fanatiker und fanatische Bewegungen in deren Richtung mitreißen, also ein fanatisches Mitmachen in sich sekundär erzeugen (= induzieren). Bei diesen – bei weitem in der Mehrzahl befindlichen – »angesteckten« Fanatikern stoßen wir auf das sozialpsychologisch so wichtige und zugleich so beklemmende Thema der Gruppen- und Massenbeeinflussbarkeit bzw. der ideologischen Verführbarkeit des Menschen (wofür es ja ebenfalls heiße Beispiele in genügender Zahl gibt).

Aus dieser Unterscheidung wiederum erwächst unmittelbar eine weitere, nämlich die zwischen sog. *»Einzelfanatismus«* und *»Massenfanatismus«*. Gerade letzterer Ausdruck erscheint öfters in Literatur und Diskussion. Beide sind jedoch nicht einfach mit essentiellem bzw. induziertem Fanatismus gleichzusetzen. Denn ein essentieller Fanatiker kann sich ja durchaus einer schon bestehenden fanatischen Massenbewegung anschließen, wenn auch dann mit weit stärkerer Identität und Intensität. Ob der essentielle Fanatiker seinerseits eine massenfanatische Bewegung (z. B. religiöser oder politischer Art) überhaupt anstoßen kann oder will, hängt von seiner Ideenwelt und seinen Persönlichkeitseigenschaften ab. Völlig auf sich bezogene, »stille« Fanatiker (s. u.) brauchen keine Anhängerschaft.

Damit ist bereits eine weitere Ebene in der möglichen Aufgliederung der Erscheinungswelt des Fanatismus betreten, nämlich die nach der Vielfalt des äußeren Erscheinungsbildes und Verhaltens fanatischer Einzelpersonen. Bei dieser Verhaltens-Typologie geht es nicht um Motive und Psychodynamik, sondern um ein Zuordnungsraster beschreibender Art. Es soll der Transparenz und der Verständigung, aber auch, wo nötig, der Abschätzung des möglichen Verhaltensmusters dienen. Die folgende Einteilung geht vom deskriptiven Grundraster K. Schneiders aus (vgl. Kap. IV.), an dem jedoch eine Erweiterung der Typen und eine nähere begriffliche Charakterisierung vollzogen wurde. Demnach lassen sich unterscheiden:

- expansive, stoßkräftige Ideen-Fanatiker,
- aktive, persönliche Interessen-Fanatiker,
- stille, introvertierte Überzeugungs-Fanatiker,
- konforme, abhängige Mitläufer-Fanatiker,
- dumpf-emotionale Gruppen-Fanatiker,
- Mischtypen.

Bei den ersten drei Gruppen handelt es sich um persönlich selbständige, bei den anderen um abhängige Fanatiker-Typen. Was für den jeweiligen Typus bezeichnend ist, wird noch im Detail und anhand von Beispielen ausgeführt werden (vgl. Kap. IV.). Einschließlich der Mischformen kann eine ziemliche Vielfalt an individuellen Bildern entstehen. Hierzu kommen die sonstigen charakterologischen Akzentuierungen und Profilierungen der jeweiligen

Persönlichkeiten. Jeder fanatische Mensch ist im Feinprofil auf seine individuelle Weise fanatisch – umso auffälliger erscheinen daher die oft so enorm starken kollektiven Gleichschaltungs- und Uniformierungszwänge im Erscheinungsbild, bis ins Detail der Sprache und der Gebärden.

Andere Unterscheidungsversuche des fanatischen Wesens machen sich an bestimmten inneren Ausrichtungen und Strukturelementen der betreffenden Person fest. So beschreibt J. Rudin (1975) den Fanatismus u. a. als »Problem der Werthaltung« und grenzt verschiedene »Typen fanatischer Werthaltung« voneinander ab. Fassbar sind für ihn einmal Typen formalistischer Werthaltung, die »kein echtes inneres Verhältnis zu einem konkreten, ganz bestimmten Wertgehalt« haben; er zählt hierunter Landsknechtsnaturen, befehlsabhängige SS-Männer oder bloße vielgeschäftige fieberhafte Aktivisten (ebd., S. 86f.). Von diesen grenzt er die Typen formaler Werthaltung ab, bei denen durchaus eine »innere, seelisch-verwurzelte Einstellung« zu einem ganz bestimmten Wert vorliege, der jedoch nur in der »Form« bestehe; hierzu zählt er »Formfanatiker« im Bereich der Kunst, sodann »Fanatiker der ethischen Form«, bei denen es nur um die äußere Übereinstimmung des Handelns mit einem Gesetz geht (ethische Perfektionisten, Pflichtfanatiker, Pharisäer), ferner »Formfanatiker« im Bereich des Sozialen (Sozial-Utopisten, Gerechtigkeitsfanatiker, Querulanten) (ebd., S. 93ff.). Die »Typen des inneren Wert-Gehaltes« unter den Fanatikern schließlich zeichnen sich für ihn durch ein »echtes, inneres und gar schöpferisches Verhältnis zu einem bestimmten Wert-Gehalt« aus; zu ihnen zählt er die großen revolutionären Sozial-Reformer (z. B. Marx oder Lenin) und die entsprechenden religiösen Reformer (z. B. Calvin oder Savonarola, aber auch Maler und Bildhauer mit schöpferischer Gestaltungskraft, vgl. ebd., S. 116ff.).

Zweifellos ist hier Rudin eine psychologische Durchdringung des Fanatismus-Problems auf einer sehr entscheidenden Ebene gelungen. Aber so sehr eine Differenzierung nach der Art des inneren Wertbezugs auch richtig und angemessen ist, für eine Merkmals- und Verhaltens-Typologie, die auch eine äußere Verständigung über die Erscheinungen ermöglicht, scheinen uns diese Werthaltungstypen zu interpretativ; d. h. die entsprechende Zuordnung setzt eine genauere Kenntnis von Biographie, Struktur und Psychodynamik dieser Menschen voraus, von der aus dann eine Einschätzung erst möglich wird. In der von uns oben vorgestellten phänomenologischen und Verhaltens-Typologie erscheint andererseits die Bezugsebene von Rudin teilweise integriert. Im konformen, abhängigen Mitläufer-Fanatiker ist die formalistische Werthaltung, im stoßkräftigen, expansiven, meist essentiellen Ideen-Fanatiker die innere Werthaltung schwerpunktmäßig vertreten; Elemente der formalen Werthaltung finden sich vorzugsweise bei den

Fanatikern eines persönlichen Interesses, z. B. bei Gerechtigkeitsfanatikern (vgl. Kap. V.).

Mit der schon aufgeworfenen Frage, ob eine Unterscheidung von »hartem« und »weichem« Fanatismus in Anlehnung an die entsprechende Gruppierung des Fundamentalismus durch Chr. Türcke (s. o.), sinnvoll ist und ihre Entsprechung in der Breite fanatischer Erscheinungen findet, ist eine weitere Dimension möglicher Differenzierung eröffnet. Auf den ersten Blick scheinen die typischen Wesensmerkmale des Fanatismus, speziell der hohe Identifizierungsgrad und die Kompromissunfähigkeit, eine »weiche« Zone überhaupt nicht zuzulassen, d. h. wenn es eine solche gäbe, wäre die fanatische Einstellung bereits verlassen. Doch dies ist theoretisch gedacht. In der Praxis und im Alltag der religiösen, politischen und persönlichen Lebensvollzüge gibt es natürlich z. T. große Bereiche, die aus dem fanatischen Sichtfeld und der fanatischen Einstellung ausgegrenzt sind, manchmal auch bewusst ausgeblendet werden. Die konkreten Biographien religiöser Fanatiker, ob Heilige oder Sektengründer, ebenso auch die von politischen Fanatikern und Extremisten, geben ein reiches Anschauungsfeld hierfür ab.

»Weiche« Bereiche sind dort möglich, wo die verbleibenden nicht-fanatischen Lebensbereiche und Lebensvollzüge beginnen, also andere Wertbindungen mit eine Rolle spielen. Hier Zugeständnisse an sich und Andere zu machen, führt beim Fanatiker ebensowenig zu dem Bewusstsein, die Sache selbst auch nur im geringsten preiszugeben, wie es auch beim typischen »weichen« Fundamentalisten nicht der Fall ist. Es lässt sich freilich kein allgemeines Kriterium dafür nennen, wo der »weiche« Fanatismus aufhört und wo der »harte« beginnt. Die Zulassung »weicher« Bereiche nimmt beim induzierten Fanatiker erfahrungsgemäß einen größeren Raum ein als beim essentiellen Fanatiker. Dies hat seine Bedeutung vor allem für die Frage der Umgangsweise mit fanatischen Menschen (vgl. Kap. VII.), und auch von dieser Perspektive her kann die Unterscheidung von »hartem« und »weichem« Fanatismus sinnvoll sein.

Die Einteilung der verschiedenen Arten von Fanatismus nach rein inhaltlichen Gesichtspunkten soll hier nur kurz angeführt werden, weil diesen noch z. T. ausführlichere Darstellungen vorbehalten sind. Die inhaltliche Differenzierung orientiert sich konkret an der Ideenwelt und den Lebens bereichen, die Gegenstand der fanatischen Einstellung und Zielsetzung sind, und sie ist wegen ihrer anschaulichen Fassbarkeit vor allem in der öffentlichen Diskussion am verbreitetsten. Formale und strukturelle Unterscheidungen, obwohl vom Thema her die wichtigeren, eignen sich weniger hierfür. Allerdings herrscht im Rahmen der inhaltlichen Darstellungen oft eine bemerkenswerte Willkür oder Unkenntnis hinsichtlich der Grenzziehung zwischen fanatischer Haltung einerseits und Glaubens- und Überzeugungsformen von zwar starker und enthusiastischer, aber dennoch nicht-fanatischer Ausprägung andererseits. Dies zeigt, wie gerechtfertigt es ist, trotz der Vielfalt fanatischer Phänomene dennoch handhabbare Kriterien für das typisch Fanatische zu benennen.

Zu den inhaltlichen Gebieten selbst, die Gegenstand der fanatischen Bemächtigung sein können, zählen überhaupt alle Lebensbereiche, die einer persönlichen Identifikation und Hochschätzung und einem intensiven Engagement zugänglich sind. Die beiden vom Ausmaß und von den Auswirkungen her wichtigsten sind der religiöse und der politische Bereich. Als häufigste lassen sich, auch nach dem üblichen Sprachgebrauch, folgende inhaltliche Fanatismus-Arten nennen, unabhängig von den jeweiligen Fanatiker-Typen:

- Religiöser Fanatismus,
- Politischer Fanatismus,
- Gerechtigkeits-Fanatismus,
- Rassen-Fanatismus,
- Wahrheits-Fanatismus,
- Ethischer Fanatismus,
- Pflicht-Fanatismus,
- Pädagogischer Fanatismus,
- Kunst-Fanatismus,
- Sport-Fanatismus,
- Gesundheits- (Ernährungs-) Fanatismus.

Die Aufzählung soll nicht vollständig sein, vielmehr das Spektrum in seinem möglichen Umfang aufzeigen. Anzumerken ist freilich, dass die Bezeichnung Fanatismus im Volksmund wesentlich breiter verwendet wird als es dem definierten Begriff in unserem Sinn entspricht. So ist z. B., bereits mit einem belustigenden Unterton, vom »Frischluftfanatiker« oder vom »Reinheitsfanatiker« die Rede. Selbstverständlich gibt es auch Mischformen verschiedenster Art zwischen den genannten Bereichen.

Nicht aufgeführt sind außerdem und bewusst solche Formen, bei denen es von der Sache und von der Erfahrung her fraglich ist, ob man eine Zuordnung zum Fanatismus noch als gerechtfertigt ansehen kann. So findet sich nicht selten die Bezeichnung »Liebesfanatiker«. Wir haben Bedenken, eine solche Einbeziehung zu akzeptieren, weil sie die Konturen des Fanatismus-Begriffs sprengen würde. Denn wir gehen von der Erfahrung und der psychologischen Überlegung aus – und werden noch ausführlicher darauf zurückkommen (vgl.

Kap. VII.) –, dass die Liebe, im Sinn einer echten inneren Haltung und stimmigen Emotion, mit einer fanatischen Einstellung unvereinbar ist.

c) Wesentliche Grundarten fanatischer Persönlichkeiten

1) Essentielle Fanatiker: Der primäre Drang zum Extrem

Hier stehen wir vor dem eigentlichen Kern und der typischen Wesensart des Fanatischen. Was charakterisiert diese Persönlichkeiten, die vom einfachen Aufnehmen einer Idee, vom ersten Entstehen einer Überzeugung oder eines Glaubens immer mehr in eine verhängnisvolle Ausschließlichkeit und Verabsolutierung hineingeraten, bis hin zu deren extremer Durchsetzung um jeden Preis? Und das nicht etwa dadurch, dass sie von anderen fanatischen Persönlichkeiten oder schon bestehenden fanatischen Bewegungen angesteckt und mitgerissen werden – das wäre ja dann der »induzierte«, der »Ansteckungs«-Fanatismus (s. u.). Der »essentielle«, hier gemeinte Fanatismus entsteht vielmehr aus sich heraus, d. h. er erwächst aus bestimmten, hierzu disponierenden Anteilen in der Psyche des Betreffenden selbst, begünstigt und gebahnt natürlich durch die entsprechende äußere, persönliche und soziale Situation.

Schon im Untertitel zum Gesamtthema ist der kennzeichnende »Drang zum Extrem« angesprochen, und damit soll verdeutlicht werden, dass hier eine enorme innere Dynamik am Werk ist – erschreckend, beklemmend und fremdartig einerseits, aber auch aufrüttelnd und faszinierend andererseits. Wenn wir vom »primären« Drang sprechen, dann ist damit eben dieser innere, originäre Prozess gemeint, durch den der Betreffende, aus sich heraus, in die fanatische Erlebens- und Handlungsweise hineingetrieben wird. Keineswegs jeder Mensch hat derartige Neigungen zum Fanatismus in sich. Gerade bei den »eigentlichen«, den »essentiellen« Fanatikern handelt es sich nur um eine sehr kleine Gruppe von Menschen – freilich eine Gruppe in unserer Welt, die stets eine enorme Wirkung erzielt hat und weiterhin erzielen wird.

Die Bezeichnung *»essentieller«* Fanatismus scheint mir unter den sonst hierfür angebotenen Begriffen die geeignetste und zutreffendste zu sein, weil sie vom Wortsinn her hervorhebt, dass wir es hier mit einem Wesenselement (essentia = das Wesen) der betreffenden Menschen zu tun haben. Die von L. Bolterauer bevorzugte Benennung »originärer« Fanatismus (Bolterauer, 1989, S. 5, 37 u. 40) trifft zwar ebenfalls das Ursprüngliche dieses Elements, könnte jedoch teilweise auch für die fanatisierbaren Anteile in der großen Gruppe der induzierten Fanatiker (s. u.) gelten. Andere Bezeichnungen für das, was mit »essentiellem« Fanatismus gemeint ist, sind, wie schon eingangs angeführt, »struktureller« Fanatismus (weil zur Struktur der Persönlichkeit gehörend) und »klassischer« Fanatismus (weil sich in dieser Gruppe die typischen, exemplarischen Fanatiker-Persönlichkeiten der Weltgeschichte und der Gegenwart finden).

In den weiteren Darlegungen zum Thema sollen die psychischen Elemente und vor allem die dynamischen Prozesse, die hier bestimmend sind, ausführlich entfaltet werden. Wichtig scheint jedoch zunächst die Herausstellung derjenigen Elemente, die zwar einen ausgeprägten Fanatismus durchweg kennzeichnen und die auch teilweise schon in der allgemeinen Wesensbestimmung (s. o.) benannt wurden, aber am Beispiel des essentiellen Fanatismus mit besonders deutlichen Konturen aufzeigbar sind.

Als erstes drängt sich die Frage auf, woher die so auffällige und oft abnorme *Intensität* kommt, mit der der Fanatiker seine Ziele verfolgt und ohne die ja auch der beschriebene Drang zum Extrem nicht denkbar wäre. Wir haben es hier mit einer Entbindung von Energie, einem psychoenergetischen Vorgang besonderer Art zu tun, der uns an die Frage nach den Wurzeln von seelischer Energie überhaupt führt. Schon die erwähnte religiöse Herkunft des Begriffs »fanatisch«, speziell der Erscheinung des »fanaticus« als eines von Tempelekstase ergriffenen Menschen (s. o.), weist auf die Koppelung des energetischen Elements mit jeweils bedeutenden Anliegen hin. Wir sprechen bis heute von »Ergriffenheit« und verwenden diese Bezeichnung, die nach dem Religionswissenschaftler E. Benz (1972) zu den »Urformen der religiösen Erfahrung« gehört (ebd., S. 125), auch für Gefühle, die das Ergriffensein durch ein Musikstück, ein Gedicht oder eine bestimmte menschliche Situation bezeichnen. Dem in allen seinen Kräften mobilisierten Fanatiker spüren wir ja ebenfalls das totale Ausgeliefertsein an diese seine Idee und seinen Glauben deutlich ab. Er »macht« das alles nicht mit sich, es »geschieht« weitgehend mit ihm und in ihm. Dies halten wir für eine sehr wichtige Feststellung. Auch die für so viele Fanatismus-Formen bezeichnende *»Begeisterung«* – von der noch eigens die Rede sein wird (s. u. und Kap. VIII.) – trägt in sich diesen Kern der Ergriffenheit durch eine besondere, wichtige Sache, die dann total zur eigenen Sache wird.

Die genannte Intensität und Nachhaltigkeit der fanatischen Ausrichtung lässt sich wohl am treffendsten und auch mit entsprechender inhaltlicher Berechtigung als *»fanatische Energie«* kennzeichnen und mit diesem Begriff verdeutlichen. Sie stellt ein Wesensmerkmal eigener Art dar, das auch auf dieser Ebene eine Abgrenzung gegen die vielerlei Formen sonstiger, durchaus tiefgreifender und erfüllender, aber nicht fanatischer Überzeugungen ermöglicht (vgl. Kap. IV.). Man kann diese fanatische Energie in Analogie zu dem setzen, was die Kriminologie als »kriminelle Energie« bezeichnet: die

Intensität, Hartnäckigkeit und aufgewendete Ausdauer nämlich, mit der jemand zielstrebig ein Verbrechen plant und durchführt. Es gibt ebenso auch positive Analogien: die »schöpferische Energie« z. B., mit der kreativ tätige Menschen, wie Künstler oder Schriftsteller, in oft atemberaubend kurzer Zeitspanne ein bedeutendes Werk vollenden können. Auch hier darf man von »Ergriffenheit« reden. J. Rudin (1975) spricht bei solchen Höchstgraden der Erregung direkt von einem »fanatischen Schaffensrausch« und nennt hierfür viele Beispiele, so u. a. Flaubert, Balzac, Nolde, Kokoschka, Kafka oder van Gogh; er betont freilich, und das ist von Wichtigkeit, dass hier zwar unverkennbar ein »fanatischer Einschlag« vorliege, man jedoch nicht schlechthin von Fanatikern sprechen dürfe (ebd., S. 37f.). Die Analogie, um die es an dieser Stelle geht, ist ja auch nur das typische, außergewöhnliche energetische Phänomen, die genannte Intensität also. Nach Ideenwelt und Persönlichkeitsstruktur bestehen zwischen solchen künstlerisch-kreativen Menschen – von denen noch viele auf den verschiedensten Gebieten zu nennen wären – und dem Typus des essentiellen Fanatikers meist unübersehbare, grundlegende Unterschiede.

Wie nun schon bei der Besprechung des Fundamentalismus ein charakteristischer Hintergrund an Bedürfnissen aufgezeigt werden konnte (s. o.), so lassen sich auch beim Fanatismus sehr bezeichnende, typische Bedürfnisse erkennen, die aus dem psychischen Hintergrund und Untergrund das fanatische Verhalten mit Nachdruck bestimmen. Sie sind bei den essentiellen Fanatikern am deutlichsten wirksam, spielen aber auch beim Großteil induziert-fanatischer Menschen (s. u.) eine wichtige Rolle. Wo sie greifbar werden, machen sie auch die fanatische Innenwelt meist um einiges verständlicher. Es sollen hier vor allem vier typische Elemente genannt werden, die – mit den bereits besprochenen allgemeinen Merkmalen – Ausdruck der besonderen fanatischen Dynamik sind:

- das Bedürfnis nach *Selbstbestätigung*, also nach Stützung des eigenen Selbstwerts oder nach dem Erleben der eigenen besonderen Größe,
- das Bedürfnis nach absoluter *Gültigkeit* der vertretenen Idee und Position, und damit nach Eliminierung aller abweichenden Denk- und Glaubensformen,
- das Bedürfnis nach aggressiver *Durchsetzung*, aus dem dann evtl. der Einsatz von Machtmitteln gegen Andersdenkende folgt,
- das Bedürfnis nach *Konsequenz*, d. h. nach striktem Durchhalten der eigenen Linie und der Ablehnung jeglicher Kompromissbildung.

Aus einer vorgegebenen fundamentalistischen Grundeinstellung heraus können schließlich noch die für diese typischen Bedürfnisse, wie sie dort schon beschrieben wurden, mit einfließen – also die nach Sicherheit, Verankerung,

Autorität, Identifikation, Perfektion und Einfachheit (s. o.). In solcher Komplettierung entsteht dann die Extremform des Fanatikers, an den kein Kommunikationsversuch mehr heranreicht und der seine gesamte Umwelt nur noch unter einem schroffen Freund-Feind-Schema erlebt.

Selbstverständlich haben alle die genannten markanten Bedürfnisse und Ausrichtungen ihrerseits ganz elementare Gründe in der individuellen psychischen Verfassung des Betreffenden. Die schon einleitend aufgeworfene und präzisierte Frage nach den psychischen Wurzeln dieses Drangs zum Extrem findet daher durch die phänomenologische Beschreibung von Einzelmerkmalen nur partiell befriedigende Antworten. Die im engeren Sinn untergründigen Vorgänge, besonders auch typische psychogenetische und psychodynamische Abläufe im neurosenpsychologischen Sinn – u. a. der Vorgang der Überkompensation individueller Mängel, die Bedeutung narzisstischer Persönlichkeitsanteile oder die Rolle des eigenen Zweifels – werden uns noch ausführlich beschäftigen (vgl. Kap. IV. und VI.).

2) Induzierte Fanatiker: Der Mitnahmeeffekt in Gruppe und Masse

Dass es eine »Ansteckung« zum Fanatismus gibt, dass bisher – scheinbar – unauffällige und angepasste Menschen durch fanatische Persönlichkeiten und fanatische Bewegungen selbst in den Sog fanatischen Denkens und Verhaltens hineingezogen werden können: diese Tatsache macht, so meine ich, das eigentlich Beklemmende, Brisante und Erschreckende, und natürlich auch das besonders Folgenträchtige am Phänomen Fanatismus aus. Und vor allem: Diese Möglichkeit geht uns alle an – niemand kann sich von vornherein von solcher Ansteckungsgefahr auf irgendeinem fanatisch anfälligen Lebensgebiet lossprechen. Wer sich tatsächlich für »immun« halten möchte, darf zu diesem Schluss nur kommen nach überaus sorgfältiger Selbstprüfung, und er muss sich umgekehrt fragen lassen, was ihn dann überhaupt in seinem Herzen zu bewegen und zu begeistern vermag. Wir stehen alle, zumindest zunächst einmal, unter den massiv wirkenden archaischen Gesetzen des Gruppen-, Herden- und Massenverhaltens, die den Menschen ebenso bestimmen wie sein individuell erlerntes Sozialverhalten und seine erworbene Wertwelt.

Nicht also die wenigen einzelnen »essentiellen« Fanatiker mit ihrem charakteristischen Psychogramm machen den Fanatismus zum Weltproblem. Stünden sie isoliert da, und würden ihre Ideen und Parolen nicht faszinieren und in vielen Menschen zünden, so wären sie wirkungslos. Kein Führer ohne Gefolgschaft. Was also geht in einer Mehrzahl von Menschen vor, die sich, unter dem Eindruck von scheinbar überzeugenden Ideen und Idealen, zur Gefolgschaft, zum vollen Gehorsam, zum Mitstreitertum bereitfinden? Und dies »bis zum letzten Blutstropfen«, wie die altbekannte, offenbar bis heute nicht ausrottbare extreme Formel heißt? Und nochmals, zur schon einleitend getroffenen Klarstellung: Nicht von denjenigen Menschen ist hier die Rede, die im Rahmen solcher fanatischer Bewegungen ihre bereits vorbestehenden Neigungen zur Machtausübung, zur Gewalt, zu sadistischen Grausamkeiten ausleben. Gemeint ist auch nicht der Typus des rein opportunistischen »Mitläufers«, der sich zur Erlangung persönlicher Vorteile, oder auch nur zur Nachteilvermeidung, ohne besonderes inneres Engagement einer solchen Richtung anschließt. Die Rede ist hier vielmehr von der überzeugten und mitgerissenen Anhängerschaft.

Die Bezeichnung »induzierter« Fanatismus für diesen Mitnahmeeffekt in Gruppe und Masse trifft, wie schon ausgeführt (s. o.), die gemeinte Sache am besten: nämlich dass bei sozial zunächst unauffälligen und psychisch durchschnittlich strukturierten Menschen durch die erlebte Aktivität von Fanatikern oder fanatischen Bewegungen ein fanatisches Mitmachen sekundär erzeugt (= induziert) wird. Die anderen Begriffe wie »Ansteckungs«-Fanatismus oder »infizierter« Fanatismus drücken im Prinzip dasselbe aus, ausgehend von dem Bild eines den Organismus befallenden »Erregers«. Einen anderen Aspekt betont der Begriff des »Teilfanatismus«, nämlich dass es sich um bestimmte Persönlichkeitsbereiche oder Lebensgebiete handelt, in denen das fanatische Element virulent wird, ohne dass dieses die gesamte Existenz des Menschen in das fanatische Erleben und Verhalten hineinreißt. So kann dann z. B. jemand durchaus in seinem familiären und beruflichen Rahmen wie bisher relativ unauffällig weiterleben und doch in einem religiösen Zirkel oder in einer politischen Partei typische fanatische Denk- und Verhaltensmuster entwickeln.

Es ist an dieser Stelle nicht möglich, auf die heutige Vielfalt an einschlägigen Beobachtungen und Erkenntnissen zur Gruppen- und Massenpsychologie angemessen einzugehen. Das Phänomen hat viele Forscher intensiv beschäftigt. Schon G. Le Bon (1911/1982) und S. Freud (1921) hatten dabei auf Bedeutung und Einfluss des Unbewussten in der Verarbeitung von Ideen und zur Erklärung derer enormer gefühlsmäßiger Wirkung hingewiesen. Letzterer betont vor allem die im Massenverhalten auftretende »Regression der seelischen Tätigkeit auf eine frühere Stufe« (ebd., S. 129), speziell durch die Identifikation mit einer Führergestalt, die eine »gegenseitige Bindung der Massenindividuen« zur Folge hat (ebd., S. 118). Anknüpfend an die von Le Bon entworfene psychologische Charakteristik der »Massenseele« redet Freud von dem »Wunder«, dass dabei die Individualität des Einzelnen spurlos, wenn auch nur zeitweilig, untergeht, und er möchte dieses Wunder so verstehen, »daß der Einzelne sein Ichideal aufgibt und es gegen das im Führer verkörperte Massenideal vertauscht« (ebd., S. 144). Wesentliche innerseelische Mechanismen sind hier in ihren Grundzügen bereits erkannt.

Der Psychoanalytiker F. Hacker (1992) weist auf die neuere Forschung hin, wonach heute die primären Sozialisationsprozesse vielfach anders verlaufen und zu »Individuen mit verschwommenen Persönlichkeitsgrenzen« führen; diese würden deswegen »zur regressiven und projektiven Größenidentifikation« neigen, mit einer entsprechenden »Unterwerfungsfreude«, die von faschistischen Systemen ausgebeutet wird (ebd., S. 94 u. 96). E. Canetti (1960/1980) geht in seinen faszinierenden Darstellungen u. a. auf die psychologische Rolle des *Befehls* ein. Die Gewöhnung an Befehle »von klein auf« im Rahmen der Erziehung, das Durchsetztsein des ganzen erwachsenen Lebens durch sie, lasse den Befehl so unentbehrlich scheinen, dass man sich kaum frage, ob er außer dem Erwarteten nicht auch »andere, tiefere, vielleicht sogar feindliche Spuren im Menschen zurückläßt, der ihm gehorcht« (ebd., S. 335). Besonders der Befehl an viele habe einen ganz eigenen Charakter. »Er bezweckt, aus den vielen eine Masse zu machen«; und durch seine in diesem Sinn unentbehrlichen Schlagworte erzeuge der Redner die Masse und halte sie durch einen übergeordneten Befehl am Leben (ebd., S. 345). – In ähnlicher Weise beschreibt E. Hoffer (1999) die Wirksamkeit einer entstehenden Massenbewegung, indem sie »Zuflucht bietet vor den Ängsten, der Unfruchtbarkeit und Bedeutungslosigkeit der individuellen Existenz« und sie ihn befreit »von seinem unfähigen Ich, indem sie ihn aufsaugt in eine geschlossene, begeisterte Körperschaft« (ebd., S. 56).

Wir stehen bei der sich hier auftuenden Perspektive sicher vor einer der Kernfragen der fanatischen Infizierbarkeit. Angestoßen durch den Veränderungsdruck aus einer oft unbefriedigenden persönlichen oder sozialen Situation heraus, und ergriffen durch eine entsprechende idealistische Begeisterung und Zielsetzung (s. u.), wirkt sich das auf hoher Wert- und Normebene festgemachte Befehl-Gehorsam-System als enormer Handlungsimpuls nach vorne aus. Alle großen religiösen und politischen Bewegungen, und ebenso auch alle kleinen, umgrenzten zielorientierten Gruppenbildungen, beziehen aus diesem dynamischen Zusammenhang einen Großteil ihrer Kraft und Wirksamkeit. Welche psychologische Rolle der Gehorsam und die Gehorsamsforderung als Wert hierbei überhaupt spielt – nicht etwa nur in der alltäglichen Kindererziehung, sondern gerade auch auf hoher Ebene, als Gehorsamsforderung gegen Gott mit allen ihren Konsequenzen – steht von daher als äußerst beklemmende Frage vor uns. Denn der Drang zum Extrem im Fanatismus hat mithin eine seiner Wurzeln dort, wo extremer Gehorsam auf hoher ethischer Ebene gefordert und anerzogen wird. Diese Frage wird uns daher noch näher beschäftigen, sowohl im Zusammenhang mit

Über-Ich-Funktion und Gewissen (s. u.) als auch mit möglichen Gegenbewegungen gegen die Gefahr des Fanatischen (vgl. Kap. VII.).

In direkter Entsprechung zu den genannten regressiven Tendenzen des einzelnen in der Masse, also zum Zurücksinken auf frühere infantile Stufen, steht die Persönlichkeitsstruktur, die man als *»autoritären Charakter«* bezeichnet hat. Gemeint ist damit ein Mensch, der aufgrund seiner Erziehung und psychischen Entwicklung in seinen Entscheidungen ganz auf frühere oder jetzige Vorgaben durch entsprechende Autoritäten (Eltern, sonstige konkrete Bezugspersonen, religiöse Instanzen) ausgerichtet ist. Die Attraktivität, die von politischen Führergestalten oder von autoritären religiösen Sekten ausgeht, und der Zulauf, den sie finden (s. dazu später), ist von daher psychologisch durchaus verständlich. So beschreibt E. Fromm (1966) in diesem Zusammenhang sehr markant die Tendenz, »die Unabhängigkeit des eigenen Selbst aufzugeben und es mit jemand oder etwas Außenstehendem zu verschmelzen«, als »Flucht aus der Freiheit«. Die Einstellung des autoritären Charakters zum Leben, seine ganze Weltanschauung, sei von seiner Veranlagung bestimmt. »Er liebt Verhältnisse, die die menschliche Freiheit beschränken, liebt es, sich dem ›Schicksal‹ zu unterwerfen« (ebd., S. 142 u. 169).

Th. Adorno (1973) und seine Arbeitsgruppe hatten schon früher diese Zusammenhänge untersucht. In dem sog. »autoritären Syndrom« nimmt demnach die Haltung gegenüber der Autorität einen irrationalen Zug an, und das Individuum kann die eigene soziale Anpassung nur vollbringen, »wenn es an Gehorsam und Unterordnung Gefallen findet«; in der Psychodynamik wird die frühere Aggressivität z. T. absorbiert und schlägt in Masochismus um, oder sie sucht sich als Sadismus gegenüber einer Fremdgruppe ein Ventil (ebd., S. 323). F. Hacker (1992) aus derselben Arbeitsgruppe fasst die Ergebnisse dahingehend zusammen, dass es den »autoritären Charakteren« an Einsicht, Reflexion, Spekulation und Phantasie mangele, dass sie sich »mächtige Führer« wünschen und Gehorsam und Respekt gegenüber Autoritäten zeigen; als charakteristische Elemente dieser Persönlichkeitsstruktur nennt er u. a. Konventionalismus, autoritäre Unterwürfigkeit, Machtstreben, Robustheit, Destruktivität und Projektivität« (ebd., S. 17). St. Pfürtner (1991) spricht bei der fundamentalistischen Mentalität von der sog. »Autoritätsmentalität«: Die »Aufblickenden«, die »Geführten«, die »Ergebenen« leben alle von der Erwartung, die sie auf die überlegene Autorität setzen, und sie erhoffen sich von ihr die Rettung aus der eigenen Ohnmacht sowie Sicherung und Vergewisserung (ebd., S. 169). Für die amerikanische Bevölkerung hat C. Goldberg (2003) ebenfalls analoge Zusammenhänge eruiert. Bei der Frage nach der Entstehung von »collective violence in which fanatic hatred is the central operative dynamic« stieß er auf die besondere Bedeutung, die hierbei typischen »›Authoritarian-oriented‹ family systems« zukommt (ebd., S. 9 u. 12); deutlich seien vor allem Opferrolle, Angsterfahrungen und Selbsthass bei Menschen mit derartigem »authoritarian background«, mit Entwicklung einer »negative personal identity« als »violent fanatic-to-be«, und man müsse daher erkennen, »that fanatic violence is an attempt to seek social justice« (ebd., S. 14f.).

An mancherlei Elementen innerhalb dieser komplexen Thematik ließe sich verdeutlichen, wie intensiv überhaupt Menschen von Gruppenprozessen abhängig sind. Wir können hier freilich nicht näher auf die Unterscheidung z. B. zwischen »Gruppe«, »Masse« und »Menge« eingehen, die von E. Canetti (1980) noch um den Begriff der »Meute« erweitert wurden (ebd., S. 101ff.). Als wichtig für unsere Betrachtung erweist sich vor allem das durch R. Battegay (1971) beschriebene »Wir-Erlebnis«, das die Gruppe vermittelt, insbesondere aber die sogenannte »Verstärkerwirkung« der Gruppe, durch die die Emotionen oft eine hohe Intensität erlangen; gerade dieses Phänomen aber könne auch gefährliche Folgen haben und zur Entartung der rollendifferenzierten Gruppe zur »gleichgeschalteten Masse im Kleinen« führen (Bd. II, S. 19f. u. 31f.).

Um es mit einer physikalischen Analogie zu formulieren: So wie zunächst ungeordnet verteilte Eisenfeilspäne sich in einem Magnetfeld prompt nach eben diesem Feld ausrichten, so fügen sich offensichtlich ganz bestimmte fanatismusanfällige Strukturanteile in eine vorgegebene Richtung und entfalten gebündelt, also stoßkräftig, ihre besondere Energie. Welcher Art aber sind diese Strukturanteile? Welche psychische Ebene ist hier im Spiel? Außer den bereits beschriebenen psychologischen Wirkmechanismen lässt sich dazu vor allem noch das Element des »Gruppennarzissmus« nennen, wie es von E. Fromm (1977) so plastisch herausgestellt wurde. In diesem Fall ist nicht der Einzelne selbst, sondern die Gruppe, der er angehört, Gegenstand seiner Libido und seiner Größenphantasien, durch die er dann selbst erhöht wird. Die Behauptung, dass sein Vaterland, seine Nation oder seine Religion »am wunderbarsten, kultiviertesten, mächtigsten, friedliebendsten usw.« sei, klinge dann durchaus nicht verrückt, sondern, im Gegenteil, »es klingt nach Patriotismus, Glaube und Loyalität«. So könne gerade das armseligste Mitglied einer Gruppe durch dieses Gefühl entschädigt werden, »ein Teil der wundervollsten Gruppe der Welt« zu sein; »Fanatismus ist eine charakteristische Eigenschaft des Gruppennarzißmus« (ebd., S. 228f.).

Bei alledem, was am induzierten Fanatismus aus dem Dargelegten psychologisch verständlich wird – es bleibt ein Rest, der es noch nicht erkennbar macht, wo gerade die Absolutheit des Mitgerissenwerdens und die Totalität des Einsatzes mit allen destruktiven Folgen herrührt. Es muss in einer gewiss nicht kleinen Zahl von Menschen eine besondere Neigung, eine Bereitschaft, eine Disposition vorhanden sein, auf ein dazu passendes thematisches Signal so nachhaltig zu reagieren. J. Rudin (1975) hat diesen Vorgang die »Übertragung einer fanatischen Erregung auf große Massen« genannt; und er fügt hinzu, dass es bis heute trotz aller massenpsychologischer Untersuchungen noch nicht gelungen sei, eine solche Ansteckung zu verhindern (ebd., S. 40). Gerade darin aber liegt ja mit das Beklemmende und Erschreckende an diesem Phänomen. – In den folgenden Kapiteln werden wir eben dieser Frage weiter nachzugehen versuchen, was die psychischen Elemente der individuellen Fanatismusneigung im besonderen ausmacht, was also die so einseitige Identifikation und den Drang zum Extrem begünstigt.

d) Die Rolle der Ideen und ihre Verarbeitung

1) Überzeugungsbildung und Suggestion

Dass die Bildung von Meinungen, Positionen und Überzeugungen keineswegs nur ein Produkt kritisch-logischer Denkvorgänge ist, sondern weithin aus einer Vielfalt von innerseelischen und äußeren Beeinflussungsvorgängen resultiert, darf als anerkannte Erfahrung und Wahrheit gelten. Dies trifft zumindest auf all das zu, was uns persönlich angeht, zur Stellungnahme herausfordert, Richtungsentscheidungen notwendig macht und Konsequenzen für unser eigenes Leben beinhaltet. Sobald wir als lebendiger Mensch »be-teiligt« sind, im besonderen bei den komplexen Abläufen unseres Seelenlebens, und konkrete Interessen haben (lat. Interesse = Dazwischensein), kommen nicht nur unsere eingefahrenen Einstellungen und unsere schon bisher einseitigen Sichtweisen zum Tragen, sondern sogleich die mächtigen Beeinflussungsmechanismen aus unserem Unbewussten.

Die extrem eingeengte, selektive Weltsicht fanatischer Menschen stellt ja nun das Paradebeispiel einer ganzen Reihe von Auswahlvorgängen aus der großen Vielfalt, der Pluralität möglicher Denk- und Sichtweisen dar. Hierbei kann nicht einfach der Vorgang eine Rolle spielen, dass ein Mensch sich eben nach seinem wohlverstandenen Vorteil orientiert und in seinen Denkmodellen und Argumentationen von ihm her bestimmt ist. Viele fanatische Menschen verhalten sich völlig entgegen ihrem bewussten und verstehbaren persönlichen Vorteil. Es müssen ganz andere Kräfte bei diesen Menschen mit am Werk sein.

Nun geht ein auf allen Lebensgebieten aufzeigbarer, hochwirksamer Einfluss auf unsere Interessens- und Überzeugungsbildung von *Suggestionen* aus. Gerade damit kommt die Ebene unbewusster, vorbewusster oder zumindest halbbewusster seelischer Wirk- und Beeinflussungsvorgänge besonders ins Spiel. Das Wesen suggestiver Vorgänge liegt ja eben in der Umgehung oder Unterlaufung der klaren, vom bewussten Ich kontrollierten Urteils- und Entscheidungsbildungen – dies meist mit der gleichzeitig erhaltenen Illusion, dass das Ergebnis doch aufgrund einer bewussten Eigenentscheidung zustande gekommen sei. Andererseits muss, um die Kriterien einer Suggestion zu erfüllen, für den Empfänger »zumindest virtuell die Möglichkeit bestehen, anders zu reagieren als in der suggerierten Weise« (Krause, 2001, S. 101).

Es gibt verschiedene Theorien und Schwerpunktsetzungen hinsichtlich des Wirkmechanismus von Suggestionen (Näheres s. Jovanovic, 1988, S. 109ff.; Gheorghin, 1990, S. 65ff.). Auf der einen Seite werden die besonderen sozialpsychologischen und kommunikativen Aspekte betont, besonders die schon erwähnte »Wir-Bildung«, also die Entstehung einer Art kollektiven Ichs, in das der Einzelne unwillkürlich einbezogen wird. Auf der anderen Seite steht die primäre Bereitschaft des Menschen, sich in Richtung seiner geheimen eigenen Wünsche, unerfüllten Strebungen und anstehenden Problemlösungen zu bewegen, sich diese von außen »unterschieben« (lat.: suggerere) zu lassen. Wichtig ist jedenfalls, dass dies unter Umgehung der bewussten Eigenentscheidung im Sinne einer psychisch freien Alternative geschieht, auch wenn der äußere Anschein dieses so vermittelt.

Mit die deutlichsten und der Erfahrung eines jeden zugänglichen Wirkungen von Suggestionen im Alltagsleben stellen die Methoden und Effekte der *Werbung* dar. Diese zielt bekanntlich darauf ab, die verschiedensten Wahlmöglichkeiten, die ja de facto existieren, auf ein bestimmtes Produkt hin einzuengen, indem sowohl die Bedürfnisgefühle als auch die kognitiven Abwägungen in diese eine Richtung konvergieren. Dabei werden in gekonnter, für das Zielsubjekt oft nicht durchschaubarer Weise die wissenschaftlichen Erkenntnisse der Trancetechniken, des neurolinguistischen Programmierens (NLP), der direkten und indirekten Hypnoseverfahren zielgerecht eingesetzt. Die Illusion der freien Entscheidung (s. o.) soll dabei durchgehend erhalten bleiben. Um ein solches Vorgehen der Werbung menschlich und ethisch angemessen beurteilen zu können, gilt es freilich zu bedenken, dass von jeder Art von Kommunikation, verbal oder averbal, gewollt oder nicht gewollt suggestive Wirkungen ausgehen. Sie gehören unmittelbar zum Leben.

Auf den Spezialfall im Gesamtspektrum suggestiver Beeinflussungsabläufe, nämlich die *Hypnose* bzw. Trance, soll hier allerdings noch näher eingegangen werden. Dies einmal deswegen, weil sowohl in Trancezuständen als auch in fanatischen Einstellungen gleichermaßen enorme und tiefgreifende Einengungen auf kognitiver und affektiver Ebene stattfinden; dies aber auch zum anderen, weil gerade im Zusammenhang mit fanatischen Induktionsvorgängen und dem beschriebenen Ansteckungs- und Mitnahmeeffekt in Gruppe und Masse immer wieder die Vermutung oder Behauptung zusätzlicher, hypnosetechnischer Indoktrinationen, etwa im Sinn von »Gehirnwäsche«, laut wird. Vor allem das Phänomen der fanatischen Suizid-Attentäter, auf das wir noch ausführlich psychologisch eingehen werden (vgl. Kap. V.), hat solchen Vermutungen besonderen Raum gegeben. Einzelberichte hierüber vermitteln ein widersprüchliches Bild, wie weit Techniken der »mentalen Programmierung« oder sogenannter »posthypnotischer Befehle« tatsächlich angewendet werden (s. Kucklick u. a., 2001, S. 116 u. 123ff.). Jedenfalls scheinen selbst in diesem Extrembeispiel fanatischer Aktivitäten, wie es die Suizid-Attentate darstellen, die beschriebenen Rekrutierungs-, Trainings- und Einstimmungsmethoden auf die eingeengte religiös-politische Ideologie bei den meisten weithin auszureichen, um die fanatische Trias von Überzeugung, Begeisterung und Hass in eine entsprechend eingeengte Handlungsrichtung zu lenken. Die so entstehende »regressiv getönte Identifikation« (ebd., S. 122) findet sich ja auch im manipulativen und emotional aufgeheizten Sektenmilieu, ebenso wie in enthusiastischen fanatischen Massenbewegungen der verschiedensten Art. So spricht auch H.-J. Wirth (2002) im Zusammenhang mit der frühen Rekrutierung von Kindern und Jugendlichen zur Vorbereitung auf Suizid-Attentate von »methodischer Indoktrination«, durch die Fanatiker herangezogen würden, »die Teil einer Sekte sind, aus der sie weder aussteigen wollen noch können«; als Ausweg aus diesen extremen Belastungen biete sich nur »die vorbehaltlose Identifizierung mit der Gruppe, dem Führer und der Gruppen-Ideologie« an (ebd., S. 378).

Die große Macht der Suggestivwirkung solcher Bewegungen und der Identifikation mit ihnen, z. T. ja bis in den Opfer- und Märtyrertod hinein (vgl. Kap. V.), braucht also kaum zusätzliche spezifische Hypnosetechniken von außen. Auch wenn die wirksamen Elemente in diesem Verfahren, die Kombination von Konzentration, Suggestion, Dissoziation und Regression, einen tiefgreifenden Effekt in der Psyche entfalten, gerade auch in therapeutischer Hinsicht (zum Überblick s. Hole, 1997), bedarf es stets einer vorausgehenden Zustimmung zu Ziel und Inhalt der Trance. Das Unbewusste eines Menschen lässt sich noch weniger überrumpeln und manipulieren als das Bewusste. Dieser Erfahrung entspricht auch die Auffassung der meisten Experten, dass es in der Regel nicht gelingt, in der Hypnose einen Menschen zu Handlungen zu bringen, die seinem eigenen Wertsystem widersprechen (s. Peter und Revenstorf, 2001, S. 136ff.). So lässt sich abschließend zu diesem Themenkreis sagen, dass zwar der Suggestion eine enorme und breite Wirkung in der Überzeugungsbildung, der fanatischen Induktion und der Aufrechterhaltung fanatischer Haltungen zukommt, dass aber die klassische

Hypnose als spezifisches, gelenktes Tranceverfahren keine geeignete Ebene zur Beeinflussung etwa von religiösen oder politischen fanatischen Einstellungen darstellt. Dies gilt zumindest prinzipiell, auch wenn es immer wieder Versuche gibt, auch die klassische Hetero-Hypnose (Fremd-Hypnose) in dieser Weise manipulativ zu missbrauchen oder sie als Ausgangsstadium für weiterführende Auto-Hypnosen (Selbst-Hypnosen) mit fanatischer Zielrichtung einzusetzen.

Wie sehr suggestive Einflüsse mit den schon beschriebenen gruppen- und massenpsychologischen Vorgängen in der Erzeugung extremer Phänomene zusammenwirken können, zeigt die Entstehung der sog. *»psychischen Epidemien«*. In der Geschichte und bis heute findet sich eine Vielfalt derartiger Erscheinungen, die meist hochabnorm und für den Außenstehenden kaum oder gar nicht verständlich sind. Sie stellen Paradebeispiele »psychischer Ansteckung« dar, bei denen wie bei einer Infektionskrankheit immer weitere empfängliche Individuen in einen kollektiven Ausnahmezustand hineingerissen werden, wobei es dann zusätzlich noch zur gegenseitigen Verstärkung kommt. In der Auslösung spielen außer den seelischen Dispositionen der Betreffenden meist besondere schicksalhafte Ereignisse, soziale und psychische Notlagen, politische oder religiöse Bewegungen und kollektive Ängste eine Rolle.

Besonders eindrucksvoll waren die Geißlerumzüge, das Flagellantentum, das seit Mitte des 13. Jahrhunderts in Italien, im 14. Jahrhundert auch in Deutschland immer wieder entflammte. An diesen Bewegungen lässt sich nun auch besonders gut der spontane Beginn, die explosionsartige Ausbreitung und ebenso die mögliche nachfolgende rituelle Eingrenzung zur Bewältigung aufzeigen. Einigermaßen verstehen aber kann man diese mit nägelbesetzten Riemen auf den nackten Oberkörper unter dem Singen von Bußliedern vollzogenen Selbstkasteiungen nur, wenn man sich die vitale Bedrohung vergegenwärtigt, aus der sie entstanden sind: das Erleben der schrecklichen Pestepidemien in jener Zeit, die als Strafe und »Geißel Gottes« gedeutet wurden und denen man durch eine derartig extrem gesteigerte Bußbereitschaft zu begegnen versuchte (Hole, 1980, S. 1086f.). Das Selbsterlösungselement, das diese Bewegung beinhaltete, bedeutete eine zusätzliche Steigerung, wobei, wie A. Borst (1965) ausführt, Tausende sofort der plötzlichen Eingebung folgten, auch weil, wer sich selbst geißelte, keine Buße mehr brauchte (ebd., S. 181). Dass solche Geißlerumzüge manchmal auch von Judenprogromen begleitet waren, gehört zu den zusätzlich erschreckenden, nur von den bereitliegenden antisemitischen »Sündenbock«-Projektionen her zu verstehenden Auswüchsen.

Analogien im Zusammenhang mit emotionsgeladenen Massenbewegungen in der Neuzeit sind augenfällig. Selbstgeißelungen oder blutige selbstverwundende Handlungen anderer Art als Buß- und Sühneleistung stellen offenbar ein übergreifendes Muster dar, das sich als Gruppenphänomen, aber auch als Einzelakt durch die Geschichte zieht. Abgesehen davon, dass dieses Muster auch aus dem pathologischen Bereich wohlbekannt ist, z. B. bei schizophrenen Psychosen, treten seine Elemente häufig gerade im Rahmen einer gruppenfanatischen Dynamik mit religiösem Kern auf. Ein jüngstes Beispiel stellt die Wiederaufnahme der Wallfahrt schiitischer Moslems nach Karbala, dem Begräbnisort des als Heiliger verehrten Iman Hussain, am Ende des Irak-Krieges 2003 dar: Die Pilger brachten sich mit Schwertern starke Verletzungen am Kopf bei, wobei das Blut sichtbar über den ganzen Körper strömen sollte. Die Handlung symbolisiert die Buße der Gläubigen für das Versagen ihrer Vorfahren im Kampf für Hussain, was damals zu dessen Tod führte. Die gruppenfanatischen Anteile im Gesamtverlauf lassen sich deutlich markieren, bis hin zum nicht hinterfragbaren, hoch emotionsgeladenen Vollzug eines jahrhundertealten extremen rituellen Musters, dessen gleichzeitiger außenaggressiver Charakter (auf ein Feindbild hin) ebenfalls unverkennbar ist. Von der spontanen Entstehung und dem Spontanverlauf klassischer psychischer Epidemien unterscheidet sich diese Wallfahrt freilich durch eben dieses rituelle Element. Man könnte hier also von einer Art »fanatischem Ritual« sprechen.

Insgesamt gibt es, wie schon gesagt, vielerlei Beispiele für psychische Epidemien in Geschichte und Gegenwart, die psychologisch fast immer nach demselben Muster ablaufen: begünstigende soziale Situation, innere Bereitschaft und Disposition bestimmter Menschen, und dann der emotional fortreißende Ansteckungseffekt in die Konformität und extreme Ausprägung der Bewegung hinein. Aus der Geschichte sind an weiteren bekannten psychischen Epidemien z. B. die sogenannte »Tanzwut« anzuführen, auch die Kinderkreuzzüge des 13. Jahrhunderts (vgl. Habermann, 1965, S. 185ff), ebenso die verschiedenen sogenannten »Klosterepidemien« und sonstigen archaisch-ekstatischen Massenbewegungen. Auch das episodenartige Auftreten von Hexenverfolgungen ist in bestimmten gruppen- und massenpsychologischen Zusammenhängen diesem Bereich zuzuordnen, wobei ein fanatischer Anteil freilich nicht immer mitbedingend sein musste. Hexenglaube und Hexenverfolgung als Gesamtphänomen stellt vorwiegend eine makabre Mischung aus Aberglaube, Sondertheologie, sexuellen Phantasien, Neid, Sadismus und Sündenbock-Projektionen dar; immer dann, wenn ein fanatisches Element stärker mitbeteiligt war – mit der emotionsgeladenen hohen Idee, die Welt, die Kirche, das eigene Dorf mit allen Mitteln von solcher Teufelsbrut zu reinigen –, erfuhr die Bewegung eine Steigerung ihrer Irrationalität und Grausamkeit (Näheres s. B. König, 1966).

Die mitreißende Kraft suggestiv wirkender Menschen und Situationen lässt sich jederzeit auch dort beobachten, wo kein klarer Zusammenhang mit bestimmten Ideen oder Überzeugungsbildungen besteht. Das ekstatische Mitgerissenwerden junger Menschen in modernen Jazz- oder Rock'n'Roll-Konzerten, die nach Fußballveranstaltungen auftretenden maximalen Erregungen, die in aggressive Attacken gegen Gegenstände oder andere Menschen einmünden können, sind Beispiele hierfür (vgl. Kap. V.). Auch die emotionsgeladenen, exzessiven Trauerreaktionen der Volksmassen beim Tod »großer« Führergestalten, mögen diese auch noch so Schreckliches vollbracht haben – man denke an Stalin, Mao Tse Tung, Ayatollah Khomeini, Kim Il Sung – stellen solche epidemischen Ansteckungsphänomene dar, wenn auch nur kurzdauernde. Für länger anhaltende Wirkungen bedarf es offenbar doch der zeitlich übergreifenden Existenz einer überzeugenden Idee.

Schließlich ist im Zusammenhang mit der Beschreibung des Wesens und der Macht von Suggestionen auch noch die bekannte *Suggestivwirkung von Suiziden* hervorzuheben. Es ist seit langem bestätigte psychiatrische Erfahrung, dass der Suizid eines Menschen in seinem näheren Umkreis, z. B. in der Bekanntschaft oder auf einer Klinikstation, andere, latent oder offen suizidgefährdete Menschen zu einer eigenen suizidalen Handlung anstoßen kann, im Sinn eines suggestiven Mitnahmeeffekts. Und es sind auch aus Geschichte und Gegenwart regelrechte Suizid-Epidemien bekannt, die ebenfalls auf diesem Effekt beruhen. Typische, recht beklemmende Beispiele sind z. B. die Suizid-Serie nach Erscheinen von Goethes »Die Leiden des jungen Werther« (1770) oder neuerdings nach der Ausstrahlung des Fernseh-Films »Tod eines Schülers« (1981, 1982 und 1995); einen Überblick über die Gesamtthematik geben H. Häfner und A. Schmidtke (1991).

Von solchen typischen epidemischen Ansteckungs- und Nachahmungs-Suiziden sind jedoch die zahlreichen historischen und heutigen Massensuizide zu unterscheiden, weil hier z. T. andere psychologische Mechanismen oder gar äußere Zwänge eine zusätzliche Rolle spielen. Dies gilt vom kollektiven Suizid der jüdischen Besatzung der antiken Festung Massada über die Suizidserien am Ende des Zweiten Weltkriegs bis hin zum Massensuizid von Sektenmitgliedern (Näheres vgl. Kap. V.). Auch U. Singer (1980) hebt in seiner Monographie über den Massensuizid die psychodynamischen Unterschiede hervor, beim epidemischen Nachahmen die freie Suggestionswirkung, beim Massensuizid hingegen die »Kollektiv-Regression« und den häufigen massiven Zwang durch einen Führer (ebd., S. 17). Für den Einfluss von Suggestionsvorgängen in Richtung fanatischer Verhaltensweisen sind aber zweifellos die letzteren, also die massensuizidalen Phänomene, aufschlussreich. Hier schlägt sich psychologisch der Bogen hin zum bekannten fanatischen Durchhalten als Selbstopfer, zum schon genannten militanten Kampf »bis zum letzten Blutstropfen«. – Auf die gegenwärtige neue Variante von überindividuell angelegten Suizidhandlungen, den »terroristischen Suizid«, werden wir wegen seiner Aktualität und Brisanz gesondert eingehen (vgl. Kap. V.).

Vor dem Hintergrund solcher Bewegungen wird eher verständlich, nach welchem Muster induzierte fanatische Überzeugungsbildungen ablaufen können. Die Kontinuität einer solchen Bewegung hängt freilich, wie schon gesagt, sehr stark von der Kontinuität und Stärke einer entsprechenden Leitidee oder Ideologie ab, sei diese politischer, religiöser oder sonstiger Art. Enorm verstärkt aber wird die suggestive Kraft dieser Idee durch eine persönliche und unanfechtbare Autorität, eine Führergestalt, einen Guru mit charismatischer Ausstrahlung, eben weil persönliche Abhängigkeit psychisch wirksamer bindet als rein ideologische Abhängigkeit.

2) Die Identifikation mit dem Ideellen

Immer wieder stoßen wir bei den Fragestellungen zum Wesen des Fanatischen auf diesen typischen Punkt: Die Menschen, die fanatisch ergriffen werden, haben hohe Werte und Ideale auf ihre Fahnen geschrieben. Sie sind überzeugt, hinter einer großen Sache zu stehen, den wahren Fortschritt voranzutreiben, an der Schaffung einer besseren Zukunft und an der Beglückung der Menschheit mitzuwirken. Gerade bei den Formen des religiösen und des politischen Fanatismus ist diese schon einleitend angesprochene Mobilisierung höchster Wertererlebnisse das Zentrum der inneren Bewegung, und diese Verpflichtung mit ihrer energetischen Aufladung vermag auch die Opferbereitschaft bis ins Extrem zu steigern. Das unterscheidet auch den opportunistischen oder halbherzigen Mitläufer, oder den, der nur seine macht- und triebbezogenen Interessen befriedigt, vom echten Fanatiker. Ein Verständnis dieser Vorgänge erschließt sich nur dann, wenn die wirklich tragende und zündende Kraft vorbestehender fundamentalistischer Einstellungen und Überzeugungen, wie wir sie ausführlich beschrieben haben (s. o.), ernst genommen wird. Ohne diese Identifikation mit bestimmten Ideen oder »Fundamenten« ist Fanatismus nicht denkbar. Wir sprechen in diesem Zusammenhang auch bewusst von »Ideen« und nicht von »Ideologien«, um nicht von vornherein, gewissermaßen unterschwellig abwertend, der jeweiligen Idee etwas von ihrer subjektiven Ernsthaftigkeit, begeisternden Ausstrahlung und existentiellen Absolutheit zu nehmen.

Was läuft also in denjenigen ab, die sich durch heilige Symbole, durch intensive religiöse Ausrichtung auf »Gottes Willen« oder Ergebung in »Allahs Willen«, zum Kampf für eine bestimmte, als richtig geglaubte Ausformung dieses Willens aktivieren lassen? Was geht, noch konkreter, in denjenigen vor, die sich durch die uns allen bekannten, mit Inbrunst und Sehnsucht geladenen Zündworte wie »Ehre«, »Vaterland« und »Treue«, ebenso auch »Gerechtigkeit«, »Freiheit« und »Brüderlichkeit« oder »Konsequenz«, »Opferbereitschaft« und »Hingabe« so intensiv mitziehen lassen? Was hat das Ideal an sich, dass es derartig totale Identifizierungen und Selbstverschreibungen, eine derartige Hingabe auszulösen in der Lage ist? Dazu bei nicht wenigen mit allen äußeren Konsequenzen, von den verschiedensten persönlichen Nachteilen oder Ächtungen bis zum religiösen Märtyrer, zum todesbereiten Revolutionär oder zu dem, der sich als Fanal seiner Überzeugung im sog. altruistischen Suizid, für andere also, in Brand setzt, oder der als selbstmörderischer Terrorist andere gezielt und gewollt mit in den Tod reißt (vgl. Kap. V.). Der Großteil von uns wird sich niemals, wenn es irgendwelche Nachteile bringen kann, einer exponierten religiösen oder politischen Bewegung verschreiben. Schon ein stärkeres Maß an persönlichem Mut, oder die Bereitschaft zu einem höheren Grad von Aktivität für eine »gute Sache«, ist äußerst unterschiedlich verteilt. Damit eine intensivere innere Bindung, eine Identifikation mit dem jeweiligen Vorbild und Ideal entsteht, bedarf es spezieller Vorgänge eben im engeren psychischen Bereich der jeweiligen Person.

Als ein ganz wesentliches Element dieser idealistischen Bindungsvorgänge ist zunächst an die schon besprochene Dynamik zu erinnern, die von den *narzisstischen Ergänzungsbedürfnissen* der Persönlichkeit ausgeht. Speziell am übergreifenden Phänomen des Gruppennarzissmus (s. o. und Kap. IV.) ließ sich verdeutlichen, wie die Überhöhung der Einzelpsyche in der Massenpsyche zu einer grandiosen Steigerung des Selbstgefühls führt. Die Identifikation mit dem Ideellen wird so gerade dann gefördert, wenn innerseelisch ein Ausbruch und ein Aufbruch aus unbefriedigender persönlicher und sozialer Enge und aus als zu gering erlebtem Selbstwertgefühl ansteht. Auch Begeisterung allgemein (s. u.) vermag aus einem solchen überhöhenden emotionalen Akt der Identifikation zu erwachsen.. Die Überhöhung der Einzelpsyche kann andererseits aber auch aus pychischen Tiefenschichten stammen, aus dem Bereich *archetypischer* Muster im Sinn von C. G. Jung. So nennt V. Kast (2003) hierfür als hinter dem Fanatismus wirkende mythologische Bilder z. B. das des »Drachentöters«, als Symbol des heiligen Kämpfers gegen das Böse, aus dem dann die überhöhende unbewusste Identifikation erwächst; archetypische Vorstellungen wirken somit auch »in den Idealen, die die Fanatiker ergreifen« (S. 198f.). Auch hierin kann natürlich ein kompensatorischer oder überkompensatorischer Akt liegen, einfach durch den Zuwachs an psychischer Stärke aus der archetypischen Dynamik.

Die bedenkliche Entwicklung und die eskalierende Neigung in Richtung fanatischer Haltungen fängt jedenfalls dann an, wenn aus einer an sich sinnvollen und flexiblen Kompensation eine starre Überkompensation wird, in der sich der gesamte Lebensinhalt und Lebenssinn ungesteuert auf eine bestimmte Idee, auf ein Ideal hin fixiert: So entsteht Ideologie, d. h. ein Überzeugungsgefüge, das sich nicht mehr selbstkritisch hinterfragen lässt, weil seine Relativierung oder sein Verlust – wie wir es schon beim Fundamentalismus kennengelernt haben – das Ich in seiner Basis selbst bedroht. W. Huth (1984), der sich gleichzeitig kritisch mit den verschiedenen heutigen Verwendungen des Narzissmus-Begriffs auseinandersetzt, spricht in diesem Sinn direkt davon, dass »ideologische Persönlichkeiten hintergründige Narzißten sind« (ebd., S. 228).

Gleichwohl bleibt die Frage weiter bestehen, welcher enorme Drang hinter einer so starren Überkompensation steht, wodurch also das intensive Bedürfnis nach der Identifikation mit dem Ideellen energetisch angetrieben wird. Narzisstische Ergänzungsbedürfnisse einer Persönlichkeit sind ubiquitär, wir alle stillen diese unsere Bedürfnisse ein Leben lang auf die verschiedenste Weise. Die fixierte idealistische Überkompensation jedoch, das Sichverschanzen in der »Lichtseite« der Existenz, wirft psychodynamisch die Frage nach der Stärke des Gegenpols dieser »Lichtseite«, nach der »Schattenseite« auf, also der Triebmacht mit all ihren beschriebenen Anteilen an aggressiven Gewalt-, Macht-, Hass- und destruktiven Potentialen Es entspricht vieler neurosenpsychologischer Erfahrung, die sich in dem klassischen Konzept der sogenannten *»Reaktionsbildung«* als Abwehrmechanismus niedergeschlagen hat, dass durch die »Ersetzung des gefürchteten Triebimpulses durch sein Gegenteil« eben ein Schutz vor diesem bedrohlichen Impuls aufgebaut werden kann (s. Studt, 1995, S. 177). Ein Teil der so auffällig starken »fanatischen Energie« und Beharrlichkeit ließe sich durch diesen kontinuierlichen Aufwand an Gegenbesetzungsenergie erklären.

An dem konkreten, ebenfalls klassischen Beispiel des »Gerechtigkeits-Fanatikers« Michael Kohlhaas hat der Psychoanalytiker L. Bolterauer (1975, S. 301f.) eine solche Reaktionsbildung analytisch aufgezeigt und in dessen »Charaktereigenschaft der überstrengen Rechtlichkeit gleichsam einen Schutzwall zur Unterstützung der Verdrängung« beschrieben; er spricht auch von der »idealisierenden Maskierung« niedergehaltener Triebbefriedigungen (Näheres vgl. Kap. V.). Allgemein kann das Vorliegen einer solchen Reaktionsbildung freilich nicht einfach behauptet, es muss im Konkreten psychodynamisch bzw. psychogenetisch belegt oder zumindest wahrscheinlich gemacht werden. Dies ist beim Großteil fanatischer Menschen ohne nähere Kenntnis deren psychischer Struktur nun einfach nicht möglich. Und ohnehin gehört ja die gelebte Identifikation mit der »Lichtseite« der eigenen Natur und mit den anerkannten positiven ethischen Normen der Gesellschaft, die weithin ebenso auf solcher Reaktionsbildung beruht, mit zu den Grundpfeilern humaner Kultur. Dass sie auch relativ durchschnittlich, »normal«, »nichtfanatisch« gelingen kann, darf durch die Kulturentwicklung ebenso als belegt gelten.

Es ist freilich sehr beunruhigend, wie durchlässig sich der Übergangsbereich zwischen konstruktiver, lebensoffener Identifizierung mit ethisch wertvollen Idealen einerseits und dem überkompensatorischen starren Verfallensein an eben dieselben Ideale andererseits darbietet. Es handelt sich ja, wie dargelegt, um dieselben psychodynamischen Grundvorgänge. Im großen gesellschaftlichen Rahmen liegt der genannten Identifikation wohl noch ein weiterer Vorgang zugrunde: nämlich die elementare Neigung, den eingangs beschriebenen Verlust verbindlicher Normen durch starre Ineinssetzung mit bestimmten Idealen in neue Sicherheit überzuführen. Diese neue »Setzung« von unanfechtbarer Verbindlichkeit, z. B. welche Art von »Gerechtigkeit« zu herrschen hat oder welche Form von »Glück für alle« anzustreben ist, bedeutet neue Allmacht. Die neurotische Psychodynamik, die diesem Vorgange zugrunde liegt, hat H.-E. Richter (1979) als den »Ohnmacht-Allmacht-Komplex« oder den »Gotteskomplex« bezeichnet (ebd., S. 31); und er erinnert eben daran, dass diese Identifizierung mit der göttlichen Allmacht viele Züge des Reaktionsmusters zeigt, das die Psychoanalyse als »Flucht aus narzißtischer Ohnmacht in die narzißtische Omnipotenz« beschrieben hat (ebd., S. 23). Solche Omnipotenz, also das Gefühl, alle Macht und Zuständigkeit für die Weltabläufe souverän in sich zu vereinen, kann sich gerade dann verheerend destruktiv auswirken, wenn sie durch fanatische Intensität, Einengung und Ausschließlichkeit unangreifbar geworden ist.

3) Die Erweckung spezifischer Emotionen durch Ideen

– Religiöse Erregung und Fanatismus

Beispiel: Der Sturm auf die Moschee von Ayodhya

Das Wort »Erregung« ist hier ganz bewusst gewählt, auch im Hinblick darauf, was es im allgemeinen Sprachgebrauch bedeutet. Für die Bezeichnung religiöser Emotionen sind in der Religionspsychologie meist andere Begriffe geläufig, und sie geben eine Vielfalt von inneren Vorgängen in differenzierter Weise wieder. Doch in unserem Fall geht es darum, das zu benennen, was sich im affektiven Vorfeld fanatischer Bewegungen oder Eruptionen bei den Mitgliedern einer bestimmten Gruppe bereits handlungsgeneigt und zielgerichtet abspielt. Erregung drängt ihrer Art nach zur Abfuhr und Entladung. Zwar können auch bei den Formen des religiösen »Bewegtseins« und »Angerührtseins«, beim »Ergriffensein« und »Überwältigtsein« bis hin zur »-Ekstase«, durchaus zielgerichtete und zugleich gruppenabhängige Impulse auftreten. Dennoch haben solche Erlebnisweisen vorwiegend individuell gebundenen, oft sogar singulären oder gar isolierenden Charakter. Dies wird am deutlichsten beim mystischen Erleben, den verschiedenen Formen der »Versenkung« und »Erleuchtung«, die primär ganz auf die religiöse Innenwelt bezogen sind.

Akut erregenden und zugleich »bewegenden« Charakter zeigen hingegen vorwiegend diejenigen religiösen Erlebnisformen, bei denen sich der Betreffende von einem Glaubensinhalt, einer Glaubens-»Idee«, oder, personal, von Gott oder dem »Heiligen« als »Mysterium tremendum et fascinans« (nach R. Otto, 1924, S. 12 u. 38) in der Weise ergriffen fühlt, dass er dabei gleichzeitig einen Handlungs- oder Wandlungsimpuls erfährt. Als klassische Beispiele hierfür dürfen die bekannten prophetischen Berufungssituationen gelten, bei denen dieses Ereignis unerwartet und unvorbereitet den bisherigen alltäglichen Ablauf und Lebenslauf durchbricht. So ist das Theophanie-Erlebnis des Jesaja mit einem sofortigen Sendungsauftrag verbunden (Jes. 6, 1–11), und die Berufung Jeremias geschieht ebenso unmittelbar, und auch gegen dessen Bedenken ob seiner Tauglichkeit (Jer. 1, 4–10). Der Religionspsychologe W. Pöll (1965) reiht diese religiösen Erlebnisweisen zutreffend und anschaulich unter die Bezeichnung »Widerfahrniserleben« ein, entweder als »das große religiöse Störerleben« oder als »Widerfahrnis in Förderungsform« (ebd., S. 396ff.). Bei vielen großen religiösen Gestalten bis hin zu mancherlei Sektengründern und sonstigen religiösen oder religiös-politischen Akteuren steht ein solcher Impuls am Anfang, und die mit ihm einhergehende Erregung kann durchaus ein fanatisches Bild vermitteln.

Sehr mit Absicht wird nun hier als erstes, ausführlich geschildertes Beispiel eines kollektiven fanatischen Ausbruchs ein Vorgang aus einem anderen Kontinent dargestellt, zudem aus einem religiösen und ethnischen Raum, der in seiner religiösen Pluralität bisher als Vorbild toleranter Einstellung galt. Dies traf besonders auf die hinduistische Frömmigkeit zu. Deshalb blicke die westliche Welt gespannt auf die neue radikal-religiöse Gruppierung des Hinduismus, die als fundamentalistisch eingestuft werde, sagt K. Kienzler (2002, S. 11). Die religiös-politische Tradition im alten Geist, wofür auch die Ära Gandhi und Nehru stand, ist in den letzten sechs Jahrzehnten mehr und mehr zusammengebrochen. Vor allem der religiös-soziale Konflikt zwischen Moslems und Hindus, die jahrhundertelang im Lande friedlich zusammenlebten, auch in der Provinzstadt Ayodhya, hat im gesamten Land ein an Explosivität zunehmendes Spannungsfeld geschaffen. Es handelt sich, wie es G. Venzky (1993) formuliert, bei den Vorgängen um Ayodhya nicht nur um die »Fanale eines Religionsstreits zwischen Hindus und Moslems«, sondern um das gleichzeitige Erstarken der Kräfte eines »neuen Hindu-Faschismus«, als Ausdruck der zunehmenden wirtschaftlichen Misere des Landes und eines unerbittlichen Verteilungskampfes in diesem übervölkerten Raum (ebd., S. 8). Vor allem die zunehmende Agitation der extremistischen Gruppierungen und Parteien (BJP und VHP) heizte das feindselige Klima an. Beide riefen denn auch gemeinsam 1992 zu dem Marsch nach Ayodhya auf, dem 200.000 bis 300.000 entsprechend angeheizte, »erregte« Hindus folgten (E. Pulsfort, 1993, S. 101–111).

Ayodhya ist wichtiges Heiligtum sowohl für die Hindus als auch für die Moslems – der Konflikt war vorprogrammiert. Die dortige Babri-Moschee galt für die extremen Hindus in zunehmendem Maß eher als moslemisches Siegesdenkmal denn als Moschee. Die religiöse Erregung wird jedoch vor allem durch die vehement vertretene Überlieferung der Hindu-Seite gefördert, dass diese Moschee auf und mit den Trümmern eines damals durch die Moslems zerstörten Tempels des Gottes Rama, seiner Geburtsstätte, errichtet worden sei. Der Bau eines neuen Rama-Tempels an dieser heiligen Stätte in Ayodhya wird daher als erklärtes nationalreligiöses Ziel seitens BJP und VHP in heftigster Form vertreten, ja als Beginn eines neuen »Hindu Ray«, eines indischen Großreiches verkündigt. Auch die so infizierten einfachen und ärmsten hinduistischen Bevölkerungsteile, einschließlich der aus dem Kastenwesen ausgeschlossenen Schichten, glauben zunehmend an das Wiederkommen eines »goldenen Hindu-Zeitalters«, wenn dieser Tempelbau realisiert wird.

Am 6. Dezember 1992 setzte sich eine Tausende zählende, erregte Menschenmenge aus der Masse der landesweit Herangereisten auf die Moschee in Ayodhya in Bewegung. Die »Gotteskrieger« wurden durch die Anführer angestachelt und angetrieben, die Moschee total zu zerstören. Sie überrannten die aufgestellten Barrieren der Polizei, und diese zog sich daraufhin zurück. Die fanatisierten Hindus machten sich in rasendem Eifer mit primitiven Werkzeugen – Pickel, Brecheisen, Hämmer – sowie mit Dynamit und auch den bloßen Händen über das Bauwerk her. Zwischen 11.50 Uhr und 18.00 Uhr wurde die Babri-Moschee so bis auf die Grundmauern niedergerissen. In der Mitte der Trümmerstätte errichteten die Anhänger der Bewegung sogleich einen Schrein, gedacht als Grundstein des zukünftig zu errichtenden Rama-Tempels.

Der brüskierende Zerstörungsakt führte in Ayodhya sowie danach an verschiedenen weiteren Brennpunkten des Landes sofort zu blutigen

Auseinandersetzungen und gegenseitigen Racheakten zwischen Moslems und Hindus. Die Welle der Gewalt forderte allein in Ayodhya über 1200 Tote, anschließend sogleich in Bombay über 1000 und in ganz Indien um 4000 bis 5000 Tote, und die Massaker setzten sich auch noch über den Dezember 1992 und den Januar 1993 mit weiteren Opfern fort. Etwa 200 Hindu-Tempel und Moscheen wurden zerstört. Das – zu späte – Einschreiten der Armee und die Verhaftung der Anführer wegen »Anstiftung zum Religionshass« konnte nur das offene Fortschreiten der Übergriffe reduzieren, kaum aber die Wogen der beidseitigen Erregung und schon gar nicht die ihr zugrunde liegende emotionale Bereitschaft zur Vergeltung und zum Glaubenskampf zurückdrängen. Seither schwelt der Konflikt im Untergrund weiter, und die Frage des umstrittenen Neubaus eines hinduistischen Rama-Tempels in Ayodhya ist bis in die Hände des Obersten Gerichtshofs in Indien gelangt (s. Kämpchen, 2003, S. 39). Religionspsychologisch und religionssoziologisch jedenfalls scheint der Konflikt vorerst nicht beilegbar.

Wir haben uns zu fragen, was hier psychologisch geschehen ist. Die schon erwähnten, weithin unüberbrückbaren kulturellen, sozialen und ökonomischen Gegensätze, die mit den Hintergrund der Ereignisse abgeben, sind offensichtlich, jedoch bilden sie nicht den Gegenstand unseres eigentlichen Themas. Die Vorgänge können aber als Paradebeispiel dafür gelten, wie sehr in einer Komplexität von religiöser und sozialer Situation eine – wenn auch gesteuerte – religiöse Erregung die fanatische Bereitschaft am intensivsten zu entfachen vermag. Dass das Geschehen von den Anführern geplant und inszeniert war, spricht also keineswegs gegen die momentan fortschreitende fanatische Ansteckung und Eskalation. Es sei an das erinnert, was über den Mitnahmeeffekt und über die Verstärkerwirkung in der Gruppe und der Masse gesagt wurde. Analoge Beispiele gibt es auf der ganzen Welt: Die Initiatoren folgen einem, wenn auch radikalen, Kalkül, die Gefolgschaft hingegen wird in einem fanatischen Ausbruch mitgerissen. Die Identifikation mit dem Anliegen des »Göttlichen«, mit dem »Heiligen« jedenfalls aktiviert die narzisstischen Größenideen am vollkommensten. Das bekannte »Gott mit uns« macht so jede noch so »menschliche« Sache zur absoluten »göttlichen« Sache, und absolut muss dann auch der Einsatz sein.

Wenn E. Pulsfort (1993) als profunder Indienkenner die geschilderten Ausschreitungen ein »schreckliches Zeichen des eskalierten Religionshasses« nennt (ebd., S. 104), dann muss freilich die obige Frage nach der früheren sprichwörtlichen religiösen Toleranz in diesem Subkontinent erst recht neu und kritisch gestellt werden. Jedenfalls kann seine andere Feststellung nicht mehr stimmen, nämlich dass »eine Religion ohne Dogmen wie der Hinduismus« keine religiösen Fanatiker hervorbringe (ebd., S. 119) – sie bringt sie ebenfalls hervor, nur eben auf anderem Gebiet, hier auf dem Gebiet des Lebensstils, der Gesellschaftsform und ihrer Abgrenzung, der religiös-sozialen Gruppenzugehörigkeit. Die Merkmale der fixierten fanatischen Einstellung und Durchsetzungs-Intensität sind dabei deutlich nachweisbar, andererseits aber nicht als »rein« religiös auszumachen, was vielfach irritiert (Näheres zum Hintergrund der Vorgänge s. S. Kakar, 1997, S. 237ff.).

Die Identifikation mit einem zentralen religiösen Anliegen, die Abhängigkeit des »Heils« – in welcher Form auch immer – von dieser Verankerung, vor allem aber die tiefe Angst vor Verlust dieses Fundaments, entbindet enorme, heftige Emotionen. Die religiöse Erregung, die deren Ausdruck ist, drängt vehement nach Aktion, und die Menschen folgen dabei bereitwillig den jeweiligen Akteuren. In diesem Ablauf mischt sie sich leicht mit anderen, wenn nur gleichgerichteten Motiven. Nicht jede religiöse Erregung natürlich geht in Fanatismus über, und nicht jeder religiöse Fanatismus beruht auf solcher Erregung. Dennoch lässt sich der beschriebene Zusammenhang weltweit häufig belegen, und er ist vor allem ein Kennzeichen des induzierten religiösen Massenfanatismus.

– Politische Begeisterung und Fanatismus

Beispiel: Die Anfälligkeit des Volkes im Nationalsozialismus

Wir alle haben ein Grundverständnis und einen Konsens darüber, was »Begeisterung« ist. Das Wort spielt eine selbstverständliche Rolle im alltäglichen Sprachgebrauch, und vor allem: Es ist mit durchgehend positiven Gefühlen und Wertungen besetzt. Begeistert zu sein, sich begeistern zu lassen, überhaupt Begeisterungsfähigkeit oder Enthusiasmus zu besitzen: dies weist einen Menschen aus als in seiner Emotionalität intakt, anregbar, schwingungsfähig, es zeigt, dass er »Herz« hat, eben »menschlich« ist. Wo Begeisterungsfähigkeit fehlt, herrscht Phlegma, reiner Verstand oder gar Starre und Leblosigkeit.

Man kann nun das Spannungsfeld zwischen dem Beziehungspaar »Begeisterung« und »Fanatismus« in eine einfache Formulierung fassen: Begeisterung ist etwas Positives, Fanatismus etwas Negatives. Wenn beide also aufgrund der historischen und gegenwärtigen Erfahrung einen elementaren – und gleichzeitig erschreckenden – Bezug zueinander haben, wenn Begeisterung in Fanatismus einmünden kann, dann bedarf gerade dieser Zusammenhang einer besonderen Herausstellung und Bearbeitung. Schon in der Einleitung wurde deutlich betont, dass das Ergriffensein und die Begeisterung von hohen ethischen Werten oft das Kernmotiv des Fanatismus ausmachten, und dass der Sturz von solch hohen Wertidentifikationen und

Beglückungsphantasien in tiefe Inhumanität und Tyrannei mit unserem Selbstbild schwer verträglich sei.

Es geht zunächst einmal darum, die Betroffenheit auszuhalten, sich der Sache also echt zu stellen. Zusammenhänge, die wir nicht wahrhaben wollen, fallen leicht der Verdrängung anheim, oder sie werden bewusst weggeschoben und ignoriert. Die Wahrheit, um die es geht, ist die schon einleitend erwähnte lapidare Formulierung W. Schmidbauers (1980) von der möglichen »Destruktivität der Ideale«. Deshalb muss auch die Begeisterung selbst einer ständigen Kontrolle unterzogen werden. D. h. wir können und wir dürfen uns eine Naivität im Umgang mit diesem Gefühl ohne eine kritische Instanz – in uns oder außerhalb von uns – nicht leisten. Zu viele Motive sonstiger Art, zu viele Ausblendungen an Realität, zu viele Verkennungen der Bedürfnisse anderer Menschen spielen hier mit eine Rolle.

Es ist an dieser Stelle, wie schon in der Überschrift thematisiert, bewusst von der politischen Begeisterung die Rede. Nicht von der Erfinder-, Natur- oder Kunst-Begeisterung, auch nicht von der religiösen Begeisterung und Ergriffenheit. Politische Begeisterung trägt freilich im psychologischen Sinn umso mehr Elemente einer religiösen Begeisterung in sich, je stärker sie sich in Richtung ideeller, allgemeiner Zielsetzungen der Weltverbesserung bewegt, je mehr sie Heils- und Erlösungscharakter für die Menschen bekommt. Die mögliche Einmündung der politischen Begeisterung in politischen Fanatismus, und dann wiederum die strukturelle Nähe dieses Fanatismus zum Faschismus ist es nun auch, die U. Aeschbacher (1992) in seiner Zusammenhangsanalyse von Faschismus und Begeisterung von einem »Jahrhunderttrauma« (Untertitel) reden lässt. Er spricht direkt von der »faschistischen Begeisterung«, und dass deren Ernstnehmen bedeute, u. a. auch den Selbstverwirklichungsaspekt dieser Begeisterung ins Auge zu fassen (ebd., S. 27).

Um Missverständnissen vorzubeugen, ist zunächst jedoch festzuhalten, dass Fanatismus und Faschismus zwei verschiedene Dinge sind. Sie liegen je auf einer eigenen Ebene. Fanatismus beinhaltet eine Aussage über psychische Strukturen und Entwicklungen mit den bereits ausführlich besprochenen Merkmalen. Der Faschismus ist primär eine Form der politischen Einstellung, mit seinen bekannten Zielsetzungen, Ideologien und der entsprechenden rigorosen Durchsetzung. Er kann, aber er muss nicht gleichzeitig auch in fanatischer Weise vertreten werden. Vor diesem Hintergrund wird aber noch deutlicher, welche verhängnisvolle Rolle die Begeisterung tatsächlich spielen kann, wenn sie in fanatische Einstellungen einmündet. Sie macht dann blind für das real Destruktive und Inhumane innerhalb einer solchen Bewegung.

Eine derartige Bewegung, der *Nationalsozialismus*, soll hier als markantes Beispiel für eine solch verhängnisvolle Rolle der Begeisterung dienen.

Dies nicht nur, weil es unsere eigene jüngste politische Geschichte betrifft, und nicht nur, weil die Folgen so katastrophal waren; vielmehr, und vor allem, weil die Aufarbeitung dieser Rolle der Begeisterung, das freie Zugeben, ihr so verfallen gewesen zu sein, offenbar so schwer zu leisten ist; nicht zuletzt aber, weil sich ähnliche Anzeichen fanatischer Begeisterung für dieselbe Ideenwelt heute wieder in erschreckender Weise zeigen. Es ist wohl nicht allein das so schwere Eingestehenkönnen eigener Schuld und die von A. und M. Mitscherlich (1968) als »Unfähigkeit zum Trauern« bezeichnete psychische Situation, dass »nur mehr biologisch vorbereitete Selbstschutzmechanismen« Erleichterung von der bestehenden Schuldlast bringen können (ebd., S. 58); viel mehr noch trifft uns im Kern die eigene Scham darüber, in dieser Begeisterung für Ideelles so blind und so naiv geworden zu sein. Denn es muss ja nicht bloß eine Fehleinschätzung, sondern eine höchst persönliche Fehlidentifikation verkraftet werden.

Im besonderen die Begeisterungsfähigkeit der Jugend und die noch nicht durch Erfahrung und besonnene Abwägung relativierte Aneignung ideeller Werte war eine Quelle zur Heranbildung überzeugter, dann oft auch fanatisierter Anhänger der nationalsozialistischen Ideologie. Auch ich, der Autor, bei Kriegsende 17 Jahre alt, habe genau dies erfahren. Die Begeisterung für das Soldatentum und Heldentum, für die Parolen der Abhärtung, der »moralischen Sauberkeit« und der »Reinhaltung der Rasse«, die ungetrübte Überzeugung von der Notwendigkeit und Berechtigung des »großdeutschen Freiheitskampfes«, notfalls bis »zum letzten Blutstropfen«, die ebenso ungetrübte Begeisterung für den »Führer« und seine »historische Mission« für das deutsche Volk – dies waren unfragliche, von großem Ernst getragene, geradezu existentielle Leitgefühle. Auch die dazu vermittelten Begleitüberzeugungen, so die negativen, dass die Bolschewisten Untermenschen und die Juden unser Unglück seien, oder die positiven, dass Gemeinnutz vor Eigennutz geht und dass die germanische Rasse zur Herrschaft berufen sei, hatten für mich dieselbe emotionale Anbindung.

H.-U. Thamer (1986) schildert in seiner Monographie »Verführung und Gewalt« eingehend und realitätsgerecht, wie das nationalsozialistische Regime es verstand, die »Sehnsucht nach Erneuerung und Utopie« aufzunehmen und »immer wieder jugendliche Begeisterungsfähigkeit und Aggressivität freizusetzen und diese gleichzeitig zu disziplinieren und zu manipulieren« (ebd., S. 400). Er macht verständlich, wie in der »Gläubigkeit und Opferbereitschaft« der Hitlerjungen »vor allem unerfüllte Sehnsüchte nach nationaler Gemeinschaft und elementare Bedürfnisse nach Identifikation und Überhöhung« zum Ausdruck kamen (ebd., S. 417). Genau dies entspricht der bereits beschriebenen Identifikation mit dem Ideellen.

Dass hierbei noch die totale Ausrichtung auf den »Führer« als Vorbild die entsprechende personale Konkretisierung lieferte, etablierte neben den abstrakten ideologischen Anteilen noch die zusätzlich wirksamen Beziehungsanteile. Es hätte letztlich nicht der förmlichen Verpflichtung, des feierlichen Gelöbnisses auf den »Führer« gebraucht (Wortlaut s. H.-J. Gamm, 1990, S. 335); die Psyche der entsprechend begeisterten Jugendlichen lieferte die Verlässlichkeit weithin aus sich heraus. Gewiss haben viele diese Worte einfach ohne besondere innere Beteiligung hergesagt, als Lippenbekenntnis, das eben verlangt war und dem sich zu entziehen Nachteile gebracht hätte. Aber für nicht wenige andere war dies eine mit tiefer emotionaler Bewegtheit, mit einem »Heiligen Schauer« und großem innerem Ernst vollzogene Verpflichtung, ja Verschreibung des Lebens an den »Führer«.

Mit dem gängigen Erklärungsmuster vom Missbrauch der Begeisterungsfähigkeit der Jugend lässt sich nun freilich die überwältigende Zahl Erwachsener kaum begründen, die dem Nationalsozialismus nicht nur zu Beginn, sondern bis weit in die Kriegszeit hinein mit Begeisterung und Faszination anhingen. Die Schuld- und vor allem Schamgefühle, die später hieraus entstanden, wurden schon angesprochen. Dass so gut wie ein ganzes Volk dieser Bewegung erlegen ist, darf als eine der vielen eindrucksvollen historischen Bestätigungen für das gelten, was wir bereits oben über die Macht der Suggestion auf die Überzeugungsbildung sowie über die untergründigen Autoritätsbedürfnisse und den Konformitätsdruck in der Masse ausgeführt haben. Wie weit dazu selbstverständlich auch die politische Vorgeschichte und die sozialen Verhältnisse (Versailler Vertrag, Weimarer Republik, Arbeitslosigkeit u. a.) beigetragen haben, wurde schon vielfach untersucht und ist nicht Gegenstand dieser Darstellung, Hier geht es um die psychologische Seite der Sache. Und in besonderer Weise um den Punkt, dass durch die Begeisterung um Hitler und den Aufstieg der nationalsozialistischen Ideologie die eigenen narzisstischen Größenbedürfnisse – neben den sozialen Bedürfnissen – gestillt worden sind. Besonnenheit, Selbstkritik und Kompromissfähigkeit wurden so weitgehend blockiert.

Schließlich: Dass der deutsche Widerstand, die Männer des 20. Juli und die mancherlei anderen kleinen, bis zum Einsatz des Lebens mutigen Kreise im Volk selbst so gut wie keinen Rückhalt fanden, hat in dieser allgemeinen Gläubigkeit an die nationalsozialistische Bewegung und Zielsetzung mit ihren Grund. Dies ist belegbar und wurde auch immer wieder deutlich artikuliert. »Die Bevölkerung reagierte auf die Nachricht vom Attentat mit Bestürzung und Empörung – ein nachträglicher Beleg dafür, wie isoliert der Widerstand gegen Hitler tatsächlich gewesen war«, schreibt H.-U. Thamer (1986, S. 746). Es sei sogar »ein merklicher Loyalitätsgewinn Hitlers« zu verzeichnen gewesen, und alle Beobachter hätten darin übereingestimmt, dass durch das Attentat »der Glaube an die geschichtliche Sendung des Führers nur noch verstärkt worden« sei (ebd., S. 746).

Die Rolle und die Bedeutung der Begeisterung hat Thomas Mann in einem Tagebucheintrag vom 17. Juli 1944 in folgender Weise auf den Punkt gebracht: »Man soll nicht vergessen und sich nicht ausreden lassen, dass der Nationalsozialismus eine enthusiastische, funkensprühende Revolution, eine deutsche Volksbewegung mit einer ungeheueren seelischen Investierung von Glauben und Begeisterung war« (zit. n. Aeschbacher, 1992, S. 10). Dass selbstverständlich die schon genannten situativen Momente und die als Fortschritt erlebten sozialen Veränderungen in der Komplexität der Motive mit eine Rolle spielten, ist augenfällig. Sie erzeugten die Begeisterung mit, sind aber nicht deren einfache Erklärung. S. Haffner (1978) spricht von der »dankbaren Verblüffung, mit der die Deutschen auf das »Wunder« der Beseitigung der Arbeitslosigkeit und der entstandenen Wirtschaftsblüte reagiert hätten, ebenso aber auch auf die Entstehung von Zuversicht und Selbstvertrauen; man könne sich diese Verblüffung gar nicht groß genug vorstellen; sie habe 1936 bis 1938 die »deutsche Massenstimmung« absolut beherrscht (ebd., S. 4).

Die Begeisterung und das Ergriffensein von den miterlebten Erfolgen und von den propagandistisch deklarierten Zielsetzungen des Nationalsozialismus hat selbst den Großteil der Mitglieder beider christlicher Kirchen in den Bann geschlagen; dies trotz Wissens oder zumindest Ahnung um die tiefen Unverträglichkeiten zwischen christlichem Glauben und der neuen Ideologie. Die Spannung, die zwischen dem frühen Widerstand z. B. der »Bekennenden Kirche« auf evangelischer Seite, gipfelnd in der Barmer theologischen Erklärung von 1934 und ebenso auch den Protesten gegen das Euthanasieprogramm 1940/1941 einerseits, und dem weitgehenden politischen und auch religiös-emotionalen Mitschwimmen der großen Mehrzahl der Gläubigen andererseits bestand, war enorm. Ähnliches trifft auch für die katholische Seite zu; die z. T. heftige Abwehr gegen glaubensfremde Einflüsse in der Zeit vor der Machtergreifung, fußend auf der stärkeren kirchlichen und dogmatischen Gebundenheit, war nach Abschluss des Reichskonkordats 1933 weithin neutralisiert. Die Dokumentensammlung von H. Müller (1963) gibt ein beredtes Bild dieses Spannungsfeldes ab.

Es bedarf wohl, bei aller bewussten Deutlichkeit dieser Darstellungen, keiner besonderen Beteuerung, dass es hier nicht etwa um späte Anklage oder gar besserwisserische Verurteilung geht. Nicht nur, dass ich durch den obigen Hinweis auf meine eigene ideologische Infizierung hierin mit eingeschlossen wäre – dies würde gerade dem besonderen Ernst der psychologischen Vorgänge nicht gerecht werden und diese auf eine bloß ethisch-moralische

Ebene verweisen. Es geht vielmehr um die erschreckende Erkenntnis, was hier an unvorstellbarem Unheil, Leid und Verhängnis aus anerkannten hohen Idealen und Gefühlen, aus Faszination, Optimismus, Gläubigkeit und Begeisterung erwachsen ist. Eben das macht die Abgründigkeit und das Schauerliche an dem Phänomen aus.

4) Das Gewissen unter fanatischem Druck

Wie also kommt es, dass solche fanatischen Einstellungen – der Ausdruck klingt hier vergleichsweise milde – die bisherige Welt der Werte, Normen und humanen Bindungen eines Menschen, alles, was ihm bisher etwas gegolten hat, so bedenklich beeinträchtigen oder gar total aushebeln kann, so dass aus einem bis dahin sozial angepassten, in seinem Umfeld geschätzten Mitbürger jemand wird, der in Durchsetzung seiner neuen Überzeugung unbeirrt und ohne Skrupel an der Verfolgung, Deportation und Tötung anderer mitwirkt oder durch Denunziation und gesinnungsmäßige Unterstützung dies mit ermöglicht? Wie vermag es eine bestimmte Ideologie, die höchsten Wert-Instanzen in uns zu manipulieren, also die Funktion des bisherigen Gewissens außer Kraft zu setzen?

Wir waren schon mehrfach bei dieser Frage angelangt. Und nochmals sei betont, dass es hier nicht etwa um die Entbindung grausamer Instinkte, um Neid und Rachebedürfnisse, um Besitz- und Machtstreben geht. Dies alles gibt es ja, schrecklich genug, auch ohne jegliche Ideologie und ohne fanatische Ausrichtung. Es geht um die Manipulation der bisherigen Einstellung gerade zu den höchsten individuellen und kollektiven Errungenschaften auf der Gesinnungsebene, also um die Gefährdung unserer humanen Welt nicht etwa »von unten«, sondern »von oben« her (s. Kap. I). Die direkte fanatische Bemächtigung der eigenen Wertwelt beim essentiellen Fanatiker und die hereinbrechende fanatische Infizierung der Wertwelt beim induzierten Fanatiker: Sie sind es, die den Fanatikern das »gute Gewissen« verschaffen, oder die verhindern, dass Gewissensregungen aus dem bisherigen menschlichen Verhaltenskodex heraus bei der Durchsetzung der Ziele als störend erlebt werden. In der Theologie wurde dieses Problem u. a. in den Begriff des »irrigen Gewissens« gefasst (s. J. Gründel, 1990, S. 100f.).

Über das, was wir »Gewissen« nennen, gibt es freilich nicht nur eine unüberschaubare Fülle von Literatur seit alters, sondern auch die unterschiedlichsten individuellen Positionen mit Aussagen zu seiner Bedeutung und Funktion. Es kann hier nicht der Ort sein, um grundsätzlich auf das Thema einzugehen. Unser Anliegen ist, die fanatische Anfälligkeit des Gewissens aufzuzeigen und ihre Bedingungen zu untersuchen. Wir können und müssen hierbei zunächst von einem allgemeinen Grundkonsens über das, was »Gewissen« heißt, ausgehen; hierzu soll das in Bezug gesetzt werden, was unter »Über-Ich«, dessen Entstehung und Funktion als Instanz, zu verstehen ist.

Mit »Über-Ich« wird im psychoanalytischen und psychodynamischen Denken seit Freud (1923) derjenige innerseelische Bereich benannt, in dem die durch die Erziehung vermittelten Normen, Gebote und Verbote verankert sind und von dem aus sie auch als Instanz gegenüber dem »Ich« wirksam werden. Während bei ihm »Über-Ich« und »Ich-Ideal« oft noch synonym verstanden werden und auch »Über-Ich« und »Gewissen« zumindest anfänglich ziemlich identisch gebraucht werden (s. ebd., S. 256 u. 265), hat sich bis heute eine differenziertere Sicht dieser Instanzen herausgebildet. Diese werden von vielen Autoren in einem dynamischen Entwicklungsverhältnis und in deutlicher Unterscheidbarkeit voneinander gesehen, speziell auch, was die eigentliche Funktion des »Gewissens« betrifft (s. Kuiper, 1968, S. 47ff.; Frankl, 1970, S. 155 u. 175).

A. Mitscherlich (1963) behält zwar den Begriff »Gewissen« im doppelten Sinn bei, verdeutlicht aber, dass in der seelischen Entwicklung die Bildung des Gewissens »nicht die letzte Reifungsstufe« sei; »kritische Einsicht kann noch einmal den Spruch des erworbenen Gewissens bedenken«; »... erst eine seelische Instanz, die sich auch des Gewissens in kritischer Weise vergewissern kann, schafft so etwas wie eine seelisch organisierte Kulturaneignung« (ebd., S. 181).

In das Verständnis von »Gewissen« nun, wie es im Sinne des angesprochenen Grundkonsens verwendet wird, ist somit all das gefasst, was sich im Menschen in seiner individuellen Entwicklung als ethische Entscheidungsbasis und akzeptierte Wertwelt herausgebildet hat. Es stellt wertend und fordernd Ansprüche an seine Gesinnung und sein Handeln, die keinesfalls den gängigen Normen entsprechen müssen, sondern sich über diese erheben können und einer persönlichen Einstellung verpflichtet sind. Eine derartige Gewissensentscheidung wäre z. B. die Kriegsdienstverweigerung (vgl. Kap. V.), die den absoluten Wert des Nichttötens gegen die übliche normative Verpflichtung zur Kriegsdienstleistung stellt. Das Gewissen in diesem Sinn kann sich ja dann gerade auch gegen die als Ergebnis von Erziehung und Sozialisation entstandene Instanz des Über-Ich wenden oder diese überhöhen. Denn die Formung des Über-Ich im Laufe der individuellen Entwicklung ist zwar für die Gewissensbildung eine unverzichtbare formale und inhaltliche Voraussetzung; doch enthält es, als sogenannte Introjekte, außer den sinnvollen Normen aus den Forderungen der Erziehungspersonen auch deren einengende, tyrannische und neurotische Komponenten. Deshalb ist das Über-Ich seiner Art nach eher unfrei, und erst seine

Aufhebung in der individuellen Gewissensbildung lässt eine freiere, dann aber dem Selbst gegenüber verpflichtendere Neuformung von Wertorientierungen mit voller Identifizierung zu.

Stellen wir vor dem Hintergrund dieser Differenzierungen die Frage, was ideologisch oder ideologisch-fanatisch leichter manipulierbar ist: das Über-Ich oder das Gewissen im reiferen Sinn, so erweist sich das Über-Ich wohl deutlich als das Anfälligere. Es ist weniger autonom, und dies bedeutet, dass damit auch alle jene Menschen anfälliger sind, die in ihrer Entwicklung nicht oder nur wenig über die früheren Introjekte, also die unveränderten Vorgaben aus der eigenen Erziehung, hinauskommen konnten. Sie sind damit zu wenig echter Gewissensbildung und ethischer Entwicklung – aus welchen Gründen auch immer – in der Lage, stehen also nach wie vor unter dem Diktat der früheren Autoritäten mit dem ihnen entsprechenden Gehorsamsdruck. Das noch »kindliche Gewissen« ist, wie es A. Mitscherlich (1963) ausdrückt, »ein System von Vorurteilen, die wir übernommen haben«, mit einem »hohen Grad der Abhängigkeit dieser Instanz von der kollektiven Werthierarchie« (ebd., S. 182 f.).

Damit aber ist der Bogen geschlagen zu dem, was wir schon ausführlich, im Zusammenhang mit dem induzierten Fanatismus (s. o.), zum Phänomen des »autoritären Charakters« gesagt haben. Solche Menschen brauchen und wünschen sich wiederum Autoritäten. Und eben dann, wenn es einer Autorität, einem »Führer«, einer Massenbewegung mit Autoritätsanspruch gelingt, die Gehorsamsbereitschaft in die gewünschte eigene Richtung zu lenken, wird und ist das Über-Ich bereits manipuliert. Es wird durch Ideologie ersetzt, d. h. die zur Erfüllung dort bereitliegenden Pflichten und Verpflichtungen – man denke wieder an die hohen Werte und Worte wie »Treue«, »Gerechtigkeit«, »Mut«, »Demut«, »Hingabe«, »Wahrhaftigkeit«, »Vaterlandsliebe«, »Konsequentsein« – werden unversehens in neuem Rahmen voll aktiviert. Man darf von solcher Erfahrung her wohl die Hypothese wagen, dass die Psyche des auf vollen Gehorsam, unkritische Gläubigkeit und unbedingte Nachfolge hin religiös erzogenen Menschen in ihrem Untergrund offenbar kaum mehr zu unterscheiden vermag zwischen dem gebotenen Gehorsam gegenüber Gott und dem gegenüber dem »Führer«. Gerade das muss dann die beschriebenen verheerenden Konsequenzen haben.

Es ist zu bedauern, dass immer noch viele Autoren einen solchen Unterschied zwischen Über-Ich und Gewissen nicht machen oder ihn zumindest nicht hinreichend deutlich werden lassen. L. Bolterauer (1989) spricht einmal, in seiner zitierten Fanatismusdefinition, vom Einsatz aller Kampfmittel »bei subjektiv gutem Gewissen«, ebenso vom »Abbau des bisherigen individuellen Gewissens, an dessen Stelle zumindest überragend das

›Führergewissen‹ tritt« (ebd., S. 44 u. 83); dann aber verweist er wiederum, und das ist voll zu unterstreichen, auf die »rätselhafte ›*Über-Ich-Anomalie*‹, die seltsame Verknüpfung von subjektiv lauterer, idealistischer Gesinnung und objektiv sittlich anstößiger Mittelwahl, dieses bedenkenlose und gewissenlose selbst ›Böse-Werden‹ im Kampf gegen das vermeintlich oder faktisch Böse« (ebd., S. 44). An anderer Stelle hebt Bolterauer (1975) hinsichtlich weiterer psychodynamischer Hintergründe der »Gewissensanomalie«, die ihm »an der Fanatikerpersönlichkeit fast am rätselhaftesten und aufklärungsbedürftigsten« zu sein scheint, die *»idealisierende Maskierung«* eigener aggressiver Triebbedürfnisse hervor (vgl. seine Charakterisierung des Michael Kohlhaas, Kap. V.); das »schweigende Gewissen« beruhe auch auf einer verzerrten Realitätsbeurteilung, vor allem aber ermögliche es, über die Verdrängung des eigenen Hanges zur hemmungslosen Aggressivität, »insgeheim dennoch ein Stück seiner reaktiv niedergehaltenen Hassgeladenheit in idealistischer Maskierung auszuleben« (ebd., S. 299 u. 301). Das hiermit ebenfalls zusammenhängende Konzept der »Reaktionsbildung« im neurosenpsychologischen Sinn, aus der die so intensive Identifizierung mit hohen Idealen überhaupt, als im Dienste der Triebbeherrschung stehend, verständlicher wird, wurde schon dargestellt und kommt im jeweiligen Kontext erneut zur Sprache (vgl. Kap. V. und VI.). Einen anderen, ebenfalls berechtigten Aspekt benennt F. Hacker (1992), indem er von einem »externalisierten Gewissen« spricht, das in der höchsten Autorität des Führers bestehe; der erwünschte »blinde Gehorsam« geschehe nicht aufgrund der Beachtung der »inneren Stimme«, sondern eben »unter deren Ausschaltung durch eine direkte Beziehung zum externalisierten Gewissen« (ebd., S. 88).

Nun darf aber auch kein Zweifel darüber bestehen, dass unter zunehmendem fanatischem Druck auch ein zur selbstkritischen Positionsbestimmung fähiges, »reifes« Gewissen nachgeben kann – »nachgeben« nicht etwa im weichen, moralisch anfälligen Sinn, sondern weil es zur untergründigen Aktivierung und Infizierung gerade seiner Bereitschaft zur ethischen Größe kommt. Seine Gefährdung liegt in der Gefährlichkeit des Ideals selbst und seiner Möglichkeit der destruktiven Entartung (s. o. und Kap. VI.). Die unbemerkte Aktivierung der eigenen Größenideen – verkörpert in der Großartigkeit politischer Ziele, der Beseitigung historisch erlittener »Schmach«, des »völkischen Aufbruchs«, des »großdeutschen Freiheitskampfes«, der »rassischen Reinheit«, der Identifikation mit dem »Heiligen« und dem »Vollkommenen« auf welcher Ebene auch immer –, das ist es, was die Anfälligkeit des Gewissens gerade hier ausmacht. A. u. M. Mitscherlich (1968) haben diese Vorgänge besonders deutlich formuliert und den eigentlichen psychodynamischen Vorgang des auftretenden Gewissenskonflikts herausgestellt:

Die »ausschweifende eigene Phantasie« und die Versprechungen des Massenführers gingen eine Verschmelzung ein; der Führer verlange nun geradezu, »daß das alte Gewissen der neuen, faszinierenden Aufgabe geopfert wird«; im Streit zwischen diesem alten Gewissen und dem »fetischhaft geschmeichelten Ich-Ideal« unterliege das Gewissen (ebd., S. 72). – Nur aus diesem psychischen Zusammenhang heraus sind auch so schreckliche Vorgänge wie im Dritten Reich die millionenfache Ermordung der Juden in Auschwitz und anderswo, als sogenannte »Endlösung« der Judenfrage, von der Planung bis zur »gewissenhaften« Durchführung durch viele Beteiligte, möglich und verstehbar.

Wir kommen so an der beklemmenden Wahrheit nicht vorbei, dass auch das Gewissen korrumpierbar ist, dass es auch für diese Instanz keine Sicherheit und keine Immunität gibt. Ein zunehmender fanatischer Druck, die unmerkliche, auf einer untergründigen Psychodynamik beruhende fanatische Infizierbarkeit stellt eine reale psychische Macht und Wirklichkeit dar. Dies ist deutlich zu betonen vor allem auch gegenüber bestimmten theologischen Positionen, die das Gewissen wie eine direkte und unbezweifelbare »Stimme Gottes« oder wenigstens als ein unmissverständliches Wissen um den Willen Gottes und dessen Gebote ansehen möchten. Diese Form von Sicherheit und Zuverlässigkeit kann es im Psychischen nun einmal nicht geben; auch subjektive Gewissens-Gewissheit schützt nicht vor Verirrung (s. o., das »irrige Gewissen«).

Nun lässt sich freilich – und es ist mir sehr wichtig, dies festzuhalten – auch der umgekehrte Prozess belegen: dass nämlich das Gewissen eines Menschen gerade unter zunehmender Fanatisierung seiner Umgebung, und mit zunehmender Ahnung und Wahrnehmung der schlimmen Folgen, hellhöriger und wacher wird; und dass es dann als unüberhörbare Instanz die Abkehr vom allgemeinen Trend und Meinungszwang anmahnt und sich schließlich gegen diesen stellt. Der innere Vorgang, der hier abläuft, der Mut und die Opferbereitschaft, die zu einem solchen Umkehren und Widerstehen gehören, können aus den verschiedensten Traditionen und psychischen Vorbedingungen gespeist werden. Voraussetzung ist aber wohl immer, dass es zu einer vorherigen Herausbildung eines mündigen, die ganze Wertwelt der Persönlichkeit vertretenden Gewissens kommt. Und dieser Prozess kann ein schmerzhafter und langwieriger sein.

Mit der Nennung eines solchen Aktes der Umkehr und des Widerstehens ist wiederum das Wort »Widerstand« assoziiert, das für uns durch den Widerstand im Dritten Reich eine so konkrete und mahnende Bedeutung gewonnen hat. Aber gerade an den Männern des 20. Juli (s. o.) lässt sich der genannte schmerzhafte und langwierige Weg und seine Voraussetzungen deutlich machen: Aus einem ursprünglich oft vorangegangenen, wie auch immer gearteten »Mitmachen« heraus, bei dem soldatische Traditionen, Vaterlandsliebe und Aufbruchsbegeisterung eine identifikationsfähige Mischung eingegangen waren, kam es zu einer zunehmenden Kollision mit den Zielsetzungen und real erlebten Auswüchsen des nationalsozialistischen Regimes. Für Mitglieder mit anderen Traditionen und Verankerungen, vor allem auch gläubige Christen und überzeugte Kommunisten, galt dasselbe. Es wurden aus einem individuell und als mündige Instanz funktionierenden Gewissen diejenigen Werte wirksam und abrufbar, gegen die das Regime und seine Ideologie zunehmend verstoßen hat. Dennoch war es für nicht wenige ein großes Problem auch eben dieses Gewissens, dass sie einen Eid auf Hitler geleistet hatten, diesen Eid somit brechen mussten, wo er doch als feierliches ernsthaftes Gelöbnis der Treue bis zum Tod als Wert so hoch rangiert. Dies sind Zeugnisse eines besonderen Gewissensmutes, der bis zur Bereitschaft zum Martyrium ging (vgl. auch Kap. V.).

So findet denn auch die oben formulierte psychodynamische Hypothese, dass die intensive Erziehung auf religiösen Gehorsam hin in der Über-Ich-Struktur auch eine allgemeine Gehorsamsbereitschaft gegenüber einem anderen »Führer« bewirke, in solchen Vorgängen ihre Begrenzung. Die offenbare Möglichkeit der Entwicklung eines »Gegen-Gehorsams«, aus eben dieser psychischen Konstellation heraus, ist hoch erfreulich, ermutigend und für die mögliche Entwicklung antifanatischer Kräfte bedeutsam. Freilich lässt sich in diesen Fällen nur individuell prüfen, welche Art von »Gegen-Gehorsam« wiederum nur einer auf Über-Ich-Ebene fixierten, autoritären Frömmigkeit entspringt und welche, im Gegensatz hierzu, einer mündigen, selbstkritischen und freien Gewissensentscheidung aus einer in die Person integrierten religiösen Überzeugung. »Man muss Gott mehr gehorchen als den Menschen« (Apostelgesch. 5, 29) – dieser Leitsatz war zu allen Zeiten für nicht wenige Menschen hilfreich, sowohl in alltäglichen Entscheidungsfragen als auch in grundsätzlichen politisch-religiösen Gewissenskonflikten. Er kann, antifanatisch wirksam, zweifellos zum Widerstand befreien und den Betreffenden stützen. Er kann aber auch, umgekehrt, fanatisch wirksam werden – auf ihn haben sich unzählige religiöse Fanatiker in ihrer Kompromisslosigkeit, Gesetzeshärte und Intoleranz berufen. Auch »Gegen-Gehorsam« schützt also nicht vor fanatischer Entartung.

Es sollte deutlich geworden sein: Auch das Gewissen ist fanatisch anfällig. Zunehmender fanatischer Druck von außen kann es gerade auf der Ebene höchster Werte manipulieren, und zunehmender fanatischer Druck aus dem eigenen Innern kann zu einer starren, kompromisslosen Fixierung im eigenen System führen. Je reifer, mündiger und selbstkritischer es geworden ist, je mehr alte, einengende Über-Ich-Strukturen dabei überwunden wurden, umso mehr kann das Gewissen eine einigermaßen verlässliche – aber nie absolut sichere! – Leitschnur sein. Unkritische, naive Gewissensberufungen sind heute nicht mehr möglich. Wenn Luther vor dem Reichstag zu Worms 1521 noch überzeugt sagen konnte, dass es »gefährlich« sei, »gegen das Gewissen zu handeln« (zit. n. Fischer-Fabian, 1987, S. 7), so müssen wir heute die Gegenaussage dazusetzen: Ebenso kann es auch gefährlich sein, *nach* dem Gewissen zu handeln.

IV. Typologie und Psychodynamik des Fanatikers

a) Erscheinungsformen und Verhaltensmerkmale

Dass es immer konkrete Menschen sind, die fanatisch werden und sich fanatisch verhalten, und nicht etwa Ideen oder Weltanschauungen, auch nicht Organisationen, wurde schon verdeutlicht. »Drang« zum Extrem, »Intensität« des Antriebs, gesteigerte »Aktivität«, »Identifizierung« mit Idealen, »Konsequenz« bis zum Selbstopfer – dies sind Eigenschaften und Merkmale von lebenden Personen. Und gerade der Fanatiker vermittelt eine ganz besondere und auffällige Art von »Leben« und »Lebendigkeit«. Wo Lebendigkeit aus sich heraus da ist, gibt es aber auch prinzipiell Individualität. Diese freilich kann wieder in einer gewissen Gleichförmigkeit der fanatischen Ausdrucks- und Verhaltensformen aufgehen. In dem schon ausführlich beschriebenen Massenverhalten zeigt sich eine solche Tendenz zur Gleichförmigkeit, zu einem »klassischen« Typus besonders deutlich.

Wenn wir also hier von unterschiedlichen fanatischen Existenzformen sprechen, so sind diese immer vor dem Hintergrund der schon genannten Vorbehalte zu sehen. Wir treffen im Folgenden auch bewusst keine durchlaufende Unterscheidung zwischen »essentiellen« und »induzierten« Fanatikern (vgl. Kap. III.). Denn auch der durch andere induzierte, inhaltlich »angesteckte« Fanatiker kann z. B. zu einem in sich stoßkräftigen Ideen-Fanatiker werden, sobald diese fanatischen Elemente in ihm angestoßen sind und selbst wirksam werden. Der erreichte und erreichbare Grad der fanatischen »Eigenständigkeit« zeigt sich nicht einfach abhängig von der Art der Entstehung, sondern von verschiedenen anderen Struktureigenschaften dieser jeweiligen Person. Die hier dargestellte Typologie ist auch zunächst rein beschreibend, also phänomenologisch gedacht, d. h. sie versucht die Vielfalt der äußeren Erscheinungsbilder, des persönlichen Verhaltens und der inhaltlichen Ausrichtung nach verschiedenen typischen Gruppen zu ordnen. Entstehungsgang, Motive, Persönlichkeitsstruktur und Psychodynamik in der Komplexität ihres Zusammenwirkens bleiben hierbei zunächst ausgeklammert. Die Funktion einer solchen Typologie soll und muss es ja eben sein, des Durchblicks wegen eine bewusste Reduzierung der individuellen Vielfalt des Fanatischen vorzunehmen.

Eine durchgehende Systematik der fanatischen Persönlichkeiten, also eine mehr oder weniger umfassende Einteilung nach den markanten Ausprägungsformen, ist bemerkenswerterweise bisher nie erstellt worden. Am bekanntesten, und vor allem auch in der psychiatrischen Literatur am häufigsten verwendet, wurde die Unterscheidung von K. Schneider (1973) zwischen »aktiven, expansiven« und »matten« Fanatikern, wobei er bei der ersteren Gruppe weiter zwischen dem »persönlichen Fanatiker« und dem »Ideenfanatiker« differenziert hat (ebd., S. 25). Die Zuordnung der Gesamtgruppe als »fanatische Psychopathen« zu den sog. psychopathischen Persönlichkeiten muss jedoch als sehr problematisch gelten. Dies zunächst wegen des ohnehin umstrittenen »Psychopathie«-Begriffs überhaupt; dieser sollte ja nur die Extremvarianten abnormer Persönlichkeiten bezeichnen, hier speziell diejenigen, unter deren Abnormität die Gesellschaft leidet (ebd., S. 17). Schon H.-J. Weitbrecht (1973) hat auf die bestehenden diagnostischen Unstimmigkeiten bei einer derartigen Zuordnung hingewiesen (ebd., S. 95f.).

Viel problematischer wirkt sich jedoch bei dieser Systematik die Ausklammerung all derjenigen Formen von Fanatismus aus, für die weder die klassische Definition von »Psychopathie«, noch die der »abnormen Persönlichkeiten« überhaupt zutrifft: in erster Linie ein Großteil der beschriebenen »induzierten« Fanatiker. Hierzu gehört ja das Heer von Mitgerissenen in massenfanatischen Bewegungen, wie die Teilnehmer an dem beschriebenen Sturm auf die Babri-Moschee in Ayodhya, die auf den nationalsozialistischen Fanatismus hin indoktrinierten Mitläufer, die Vielzahl von fanatisierten Sektenmitgliedern, die Angehörigen rechtsextremistischer Gruppierungen mit fanatischer Ausrichtung (s. u.).

Wir nehmen aus diesen Gründen im Folgenden zwar die inhaltlichen Unterscheidungen von K. Schneider mit auf, weil sie sich phänomenologisch bewährt haben, jedoch ausdrücklich ohne deren Einbettung in sein Gesamtsystem. – Klassische Darstellungen der Erscheinungsform fanatischer Persönlichkeiten finden sich schon bei E. Kretschmer (1951), speziell mit markanten Beschreibungen historischer Führer- und Heldengestalten. Der vorherrschende Gesichtspunkt dieser Ausführungen ist jedoch die Temperamentenlehre und die damit verbundene Charakterologie, worauf wir noch zurückkommen werden (s. u.); an eine breitere Systematik des Fanatismus war in diesem speziellen Zusammenhang wohl nicht gedacht. Sehr bemerkenswerte Beiträge wiederum lieferte auch N. Petrilowitsch (1964), besonders zur inneren Beziehung zwischen fanatischen und sog. paranoiden Persönlichkeiten (s. u.). Doch auch bei ihm bilden den Gesamtrahmen die »abnormen Persönlichkeiten« (ebd., S. 3); eine umfassendere Darstellung gibt er ebenfalls nicht. Zum Unterscheidungsansatz von J. Rudin (1975) haben wir schon oben ausführlich Stellung genommen (vgl. Kap. III.).

Die folgende eigene Einteilung nach Existenzformen und Verhaltensmerkmalen, wie sie schon in der Übersicht kurz skizziert wurde (vgl. Kap.

III.), steht, wie gesagt, unter dem Vorbehalt der bisher geäußerten kritischen Gedanken. Es handelt sich um phänomenologische Schwerpunktbeschreibungen mit bewusster Vereinfachung, deren Zweck die Verdeutlichung sein soll. In diesem Sinn sind zu unterscheiden:

1) Expansive, stoßkräftige Ideen-Fanatiker

Diese Menschen sind fanatisch von einer Idee (politische oder religiöse Überzeugung) besetzt, für die sie mit großer Intensität kämpfen (Stoßkräftigkeit) und die sie mit allen Mitteln zu verbreiten versuchen (Expansivität). Handelt es sich um hohe Ideale, so steht hinter dem Kampf der anspornende Glaube, auch allen Andersdenkenden, notfalls mit Gewalt, das geglaubte Glück bringen zu sollen oder die Widerstrebenden aus dem Weg räumen zu müssen. Die dieses Verhalten durchdringende Idee kann in wenige Grundsätze gefasst sein oder aber in einer ausgebauten, theoretisch durchkonstruierten Ideologie bestehen (z. B. religiös-dogmatisches Bekenntnis oder politisches Programm). Die Intensität der primär vorhandenen Durchsetzungsenergie kann noch gesteigert sein durch weitere Persönlichkeitseigenschaften, wie z. B. sogenannte Hyperthymie (erhöhter Antriebspegel mit Aktivitätsbedürfnis), Geltungssucht oder Machtdrang.

2) Aktive, persönliche Interessen-Fanatiker

Hier handelt es sich ebenfalls um eine mit Aktionismus vertretene fanatische Einstellung, jedoch ausgehend von einer ganz persönlichen Interessenlage. Daher sind Ausbreitung einer Idee, Verbesserung der Welt oder Beglückung der Menschheit hier nicht primäres Motiv. Ausgangslage stellt oft eine unverkraftete persönliche Kränkung oder Beeinträchtigung dar; betroffen sind meist Menschen mit einem mangelhaften Selbstwertgefühl, die über erlittenes oder vermeintliches Unrecht nicht hinwegkommen können. Dieser Stachel heizt die bereitliegenden fanatischen Elemente an, und so kommt es zum überkompensatorischen aktiven Kampf, z. B. für die Wiederherstellung der verletzten persönlichen Gerechtigkeit (»Gerechtigkeitsfanatiker«), die Deklaration der vollen Wahrheit (»Wahrheitsfanatiker«) oder die Anerkennung der eigenen Kunstrichtung (»Kunstfanatiker«). Typisch ist, dass die verwendeten Kampfmittel dann schließlich alle Verhältnismäßigkeit völlig sprengen (Klassisches Beispiel: Gestalt des Michael Kohlhaas, vgl. Kap. V.).

3) Stille, introvertierte Überzeugungs-Fanatiker

Fanatiker von diesem Typ sind, wie die Bezeichnung schon ausdrückt, meist nach außen still, eher mit sich selbst beschäftigt, in sich gekehrt (»introvertiert«, s. u.). K. Schneider (1973) hat sie, wie schon erwähnt, als »matte« Fanatiker bezeichnet; Rudin (1975) spricht, dasselbe meinend, von »blassen« Fanatikern (ebd., S. 48f.). Sie hängen aber mit großer Intensität und oft lebenslanger Hartnäckigkeit einer unerschütterlichen Überzeugung an und sind auch bereit, diese »bis zum Tod« zu vertreten. Diese Gruppe ist oft schwer von rein fundamentalistischen Einstellungen zu unterscheiden, und sie muss als eigener Typus, als Grenzfall, auch kritisch hinterfragt werden, solange nicht das aggressive Selbstbehauptungselement deutlicher wird (Näheres vgl. Kap. V.). Man kann diese Menschen auch als »stille Ideenfanatiker« bezeichnen. Sie brauchen meist keine Anhängerschaft. In der harmloseren, weniger konfliktträchtigen Form haben wir es dabei z. B. mit sogenannten »Ernährungsfanatikern« zu tun (ebd.) oder mit fanatischen Impfgegnern u. ä. Es sind aber unlösbare Konflikte dann vorprogrammiert, wenn dieses individuelle Überzeugungssystem auf ein anderes, total forderndes System stößt, z. B. bei fanatischen Kriegsdienstverweigerern (wozu natürlich nur ein Teil der Kriegsdienstverweigerer gehört! Näheres ebd.); dieselbe Unbeugsamkeit kann bei – zunächst »stillen« – fanatischen Sektenangehörigen zum absoluten Konflikt bis zur Todesbereitschaft oder gar zum Suizid führen (ebd.).

4) Konforme, abhängige Mitläufer-Fanatiker

Das Merkmal dieser Art von fanatischen bzw. fanatisierten Persönlichkeiten ist die permanente Bezogenheit auf eine vorgegebene »Linie«, sei es einer religiösen, einer politischen oder sonstigen Ausrichtung. Sie verhalten sich zu dieser Vorgabe durchgehend konform, also angepasst, und sind nicht in der Lage, auch nur in Details eigene Teilgedanken – auch fanatischer Art – zu entwickeln. Dieser Typus, der ja gut der Beobachtung zugänglich ist, wurde bisher nicht gesondert beschrieben. Dem Vorgang nach handelt es sich hier klar um eine Form des induzierten Fanatismus, wobei sich der Betreffende, was ein zusätzliches Schwerpunktmerkmal darstellt, als außergewöhnlich stark autoritätsabhängig erweist. Man denke an den beschriebenen »autoritären Charakter« im Sinne von Adorno und Fromm (vgl. Kap. III.). Ein Großteil von fanatisierten »Mitläufern« und Anhängern in religiösen oder politischen fanatischen Bewegungen entspricht psychologisch diesem Fanatiker-Typus.

5) Dumpf-emotionale Gruppen-Fanatiker

Es handelt sich hier um Erscheinungsbilder des Fanatischen, die in den systematischen Beschreibungen und wissenschaftlichen Darstellungen zum Thema Fanatismus bisher ebenfalls nirgends erscheinen. Ob sie in heutiger Zeit häufiger auftreten oder in ihrer Besonderheit nur deutlicher markierbar sind, lässt sich schwer sagen. Typisch für sie ist, dass keine klaren Konturen einer vertretenen Idee, schon gar nicht ideologische oder dogmatische Ausformungen religiöser oder politischer Art, auszumachen sind. Die Beziehung zu allfälligen Zielbestimmungen bleibt, wie ausgedrückt, »dumpf«, »verschwommen«, unklar, und sie wird von den Betreffenden nicht weiter durchdacht. Gleichwohl herrscht eine starke emotionale Identifikation mit der Gruppe, mit intensiver Entladungsbereitschaft, unter allen sonstigen Anzeichen von fanatischer Einengung. Hervorstechend ist vor allem die Tendenz zur Aggressionsabfuhr aufgrund einfacher plakativer Schlagworte, die die Rolle der eigentlichen Überzeugungsbildung übernommen haben. Bezeichnenderweise zeigen heute vor allem fanatische Anhänger rechtsextremer Gruppierungen ein solches psychisches Profil (vgl. Kap. V.). Sie brauchen die Gruppe als unverzichtbare Quelle und als Stabilisator ihrer Einstellung, dies natürlich auch aus anderen wichtigen sozialpsychologischen Gründen. Dieser dumpfe Fanatismus kann also im Unterschied zu den bisher besprochenen Formen ideenmäßig bei den Einzelnen für sich allein nicht existieren.

6) Mischtypen

Der Vollständigkeit wegen, und um nochmals dem Missverständnis entgegenzutreten, dass es hier immer klare, schubladenartige Abgrenzungsmöglichkeiten geben könnte, ist diese Gruppe angefügt. Es handelt sich naturgemäß um keinen weiteren Typus, sondern um die Kombination verschiedener Anteile der bisher beschriebenen Typen. Auch im zeitlichen Verlauf lassen sich Verschiebungen beobachten, im Sinn einer Art »fanatischer Entwicklung«. So kann z. B. ein bisher still-introvertierter Fanatiker unerwartet zur aktiven oder gar expansiven und militanten Vertretung seiner Ideen neigen, oder ein bisher völlig konformer Mitläufer-Fanatiker eigene fanatisch vertretene persönliche Interessen einbringen. Die inneren Vorgänge hierbei deutlicher zu erfassen, wäre freilich nur über eine differenzierte Einzeluntersuchung und Beurteilung des Betreffenden möglich.

b) Typische Eigenschaften und Wesenszüge fanatischer Persönlichkeiten

Wichtige, aber keinesfalls alle der psychischen Merkmale, die fanatische Menschen kennzeichnen, sind in den bisherigen Darlegungen bereits zur Sprache gekommen. Wenn hier nun von »typischen« Eigenschaften und Wesenszügen die Rede ist, so treffen diese in erster Linie und besonders markant auf den »essentiellen« Fanatiker zu, wie wir ihn beschrieben haben, auf Menschen also, bei denen das Fanatische den Mittelpunkt ihrer Existenz bildet. Für die »induzierten« Fanatiker oder »Teilfanatiker« gilt das Gesagte zwar grundsätzlich auch, doch je nach Einzelfall in sehr unterschiedlicher Ausprägung. Hier spielen andere, nichtfanatische Wesenszüge eine viel stärkere und damit eine ausgleichende Rolle. – Auf drei verschiedenen Ebenen der mentalen und psychischen Abläufe soll hier die Verdeutlichung typischer Eigenschaften und Wesenszüge bei Fanatikern geschehen:

1) Art des Denkens und der Weltsicht (kognitive Ebene)

Gemeint ist damit das »Weltbild«, das der Betreffende gewonnen hat, überhaupt die Art, wie seine persönlichen Erkenntnisse (Kognitionen) zustande kommen. Auch dabei äußern sich natürlich bestimmte subjektive Bedürfnisse, die wiederum emotional unterlagert sind. Alle unsere Erkenntnisakte, so objektiv sie uns scheinen mögen, werden ja durch dieses Filter unserer Subjektivität verändert. Jeder »strukturiert« und »schafft« so seine eigene Welt. Erlebnisse mit früheren Bezugspersonen bestimmen gefühlsmäßig unser heutiges Erleben mit jetzigen Personen (»Übertragung«) und unsere eigenen Erwartungen, Befürchtungen und Vorurteile färben unser Sichtbild von anderen Menschen spezifisch ein (»Projektion«). Dies sind elementare psychische Vorgänge in jedem Menschen.

Weil das Fanatische aber über diese allgemeinen Subjektivismen meist in enorm übersteigerter Weise hinausgeht, stehen wir so oft mit Kopfschütteln vor den Einseitigkeiten und Extremismen in der jeweiligen Weltsicht fanatischer Menschen. So darf – um ein besonders auffälliges Element als erstes zu nennen – nichts für sie existieren, was ihre Geradlinigkeit und die für sie so typische *Kompromisslosigkeit* gefährden könnte. Das schon früher hervorgehobene Bedürfnis nach *absoluter Gültigkeit* der vertretenen Idee und Position (vgl. Kap. III.) kommt hier zur vollen Wirkung. Dies deutet auf ein tiefliegendes Interesse daran hin, unangefochten Recht haben und Recht behalten zu müssen, weil nur dann auch die eigene Person unangefochten bleiben und in ihrem Wert nicht in Frage gestellt werden kann. Darin zeigt sich aber meist schon die Auswirkung der eigenen psychischen Vergangenheit mit den entsprechenden Kompensationsbedürfnissen (s. u.). Der Fanatiker kennt nur die Möglichkeit schroffer Abgrenzung und der Entweder-Oder-Einstellung, weswegen sich die Welt auch klar nach einein Freund-Feind-Schema in »gut« und »böse« einteilt. Im Zuge der fanatischen Intensität und Durchsetzung wird daraus dann – wiederum »konsequent« – die Ausrottung des »Bösen«.

Ein weiteres Element, das die Denkmuster und Sichtweisen des typischen Fanatikers prägt, ist der Zug zur übermäßigen *Einfachheit* und Vereinfachung von Zusammenhangen. Dies hängt zwar mit den Ausblendungsbedürfnissen entgegenstehender Tatsachen zusammen, scheint aber bei vielen doch noch tiefer in der Wesensstruktur verankert zu sein. Dieser Zug ist ja auch, wie besprochen, für den Fundamentalismus typisch (vgl. Kap. III.). Es handelt sich hierbei nicht etwa um ein Intelligenzproblem – gerade Ideenfanatiker sind ja oft hoch intelligent. Sie stellen vielmehr den Prototyp der »terribles simplificateurs« im Leben und in der Weltgeschichte dar. Differenzierte Sichtweisen werden von vornherein nicht zugelassen; sie lenken von der »Zielgeraden« und dem Konsequenzbedürfnis ab.

Aus den beschriebenen Merkmalen folgt auch, dass sich der Fanatiker stets von einer Welt von »Feinden« umgeben fühlen muss. Dies gilt vor allem für den expansiven Ideenfanatiker, u. a. auch, weil dieser sich ja durch sein Verhalten die Gegner auch direkt und real schafft. Ähnliches trifft für den aktiven Interessenfanatiker zu, sobald dessen Interessen abgewehrt werden. Doch auch der stille Überzeugungsfanatiker wird, sobald er Widerspruch bekommt oder gar Widerstand spürt, dies als feindlich und gegen seine Person gerichtet ansehen. Dies hängt u. a. auch mit den engen strukturellen Beziehungen zwischen fanatischen und sogenannten *paranoischen* Persönlichkeiten zusammen, auf die N. Petrilowitsch (1964), wie schon erwähnt, im Besonderen hingewiesen hat (ebd., S. 117). In der ICD-10 erscheint die »fanatisch expansiv paranoide Persönlichkeit« sogar unter dem Oberbegriff der »paranoiden Persönlichkeitsstörung« (F60.0; 1991, S. 213), was mir freilich so nicht gerechtfertigt erscheint. Gemeint mit dem »paranoischen« oder »paranoiden« Wesenszug ist ein abnorm starkes Misstrauen gegenüber anderen Menschen, d. h. der Betreffende befürchtet stets, dass etwas gegen ihn im Gang sein könnte, und er deutet selbst harmlose Zufälligkeiten als gewollt und feindlich gegen ihn gerichtet. Dies kann bis ins Wahnhafte gehen (vgl. Kap. VI.). – Insgesamt lässt sich sagen, dass dem fanatischen Menschen die unbefangene Sicht und die Offenheit in der Wahrnehmung des Lebens in seiner vollen Breite fehlt, dass seine Denkabläufe und Denkmuster enorm eingeengt sind und dass sein Weltbild total von der fanatischen Idee dominiert wird.

2) Art des Fühlens und der Beziehungen (affektive Ebene)

In diesem Bereich zeigt sich mit besonderer Deutlichkeit die persönliche Einseitigkeit des typischen Fanatikers. Die Art des Verhaltens auf der Beziehungs- und Affektebene kann ja insgesamt als Hinweis auf die Ausgewogenheit einer Person zwischen Verstandeswelt und Gefühlswelt, zwischen Rationalität und Emotionalität gelten. Gerade nun mit dem Zulassen von natürlichen zwischenmenschlichen *Gefühlen* haben diese Menschen ihre Schwierigkeiten. Von vielen Autoren wird die »auffällige Affektstörung« des Fanatikers betont (Rudin, 1975, S. 147), vor allem im Zusammenhang mit den verschiedenen Psychopathie- oder Neuroseformen (s. u.). Uns scheint jedoch der Hinweis auf eine besondere Art von Diskrepanz wichtig: derjenigen zwischen dem Defizit an der genannten natürlichen zwischenmenschlichen Emotionalität einerseits und der starken Affektbesetztheit aller Dinge und Situationen, die mit der fanatischen Zielsetzung selbst zu tun haben, andererseits. Es sei an die ausführlich besprochene Rolle der religiösen Erregung und der politischen Begeisterung erinnert (vgl. Kap. III.) sowie an das verbale Eifern, die oftmals so wilde fanatische Gebärdensprache, und nicht zuletzt an die Ausbrüche fanatischer Gewalt unter hohem Affektdruck.

Im zwischenmenschlichen Alltag und dessen normalen emotionalen Anforderungen jedoch versagen diese Menschen oft in charakteristischer Weise. Dies gilt vor allem wieder für den essentiellen Fanatiker. Einfach und deutlich ausgedrückt: Diese Menschen lassen die Fähigkeit vermissen, echt zu lieben. Sie lieben Ideen mehr als Menschen; die Hingabe an Ideen zeigt sich abnorm stark, die Hingabe an Menschen jedoch eigenartig blockiert oder gebrochen (vgl. auch Kap. VII.). Dies hat z. T. mit dem beschriebenen paranoiden Wesensanteil zu tun. Aber im Kern liegt dieses Defizit tiefer begründet. Es darf auch nicht mit der Art der Triebstruktur und ihrer Stärke verwechselt werden. Im Gegenteil, Mangel an echter Liebesfähigkeit, die ja die Hochschätzung des Partners und anderer Menschen einschließt, kann gerade Triebregungen oft erst recht ungebremst zur Wirkung kommen lassen. Man denke an die vielfachen Ausbrüche sadistisch motivierter Übergriffe bei denen, die an fanatisch angeheizten Aktionen beteiligt sind (Folter, Vergewaltigungen, Prügeleien, Scheinhinrichtungen, aber auch subtilere Formen von Grausamkeit, besonders psychischer Art).

Man kann wohl allgemein sagen, dass typische Fanatiker eine gebrochene emotionale Beziehung zur Breite der Kultur und zur Fülle des Lebens überhaupt haben. Dies liegt an der fanatischen Gesamteinengung. Blühendes, lachendes, spielerisches Leben ist ihnen verdächtig, es entzieht sich der fanatischen Ausschließlichkeit in der Zielsetzung. Sie können nicht mitschwingen, eben wegen ihrer Erstarrung und Rigidität im affektiven Bereich. Dies trifft schwerpunktmäßig vor allem auf die schizoide und zwanghafte Persönlichkeitsstruktur zu (s. u.). Hinzu kommt – und dies ist ein wichtiges und folgenreiches Element – häufig eine *gestörte Beziehung zum eigenen Körper*, mit dem ebenfalls nicht liebevoll umgegangen werden kann. Dem entspricht geradlinig die in allen fanatischen Systemen – religiösen oder politischen – so typisch ausgeprägte Körperfeindlichkeit, unabhängig von ihrer jeweiligen Begründung, und trotz der Ideologie der »körperlichen Ertüchtigung«; denn letztere dient ja gerade der schon erwähnten »Abhärtung«, also der Härte gegen sich selbst auf allen Gebieten, die dann auch Härte gegen Andere ermöglicht. Und so ist es auch verständlich, dass gerade die Sexualität, als höchster Ausdruck individueller Körperlichkeit und momentanen Lusterlebens, in besonderer Weise der Unterdrückung unterliegt und als besonderer Feind der fanatischen Anstrengung und Zielausrichtung gilt.

Schließlich, als weitere Folge der fehlenden Schwingungsfähigkeit auf der affektiven Ebene: Fanatische Menschen dieser Struktur können sich schwer oder gar nicht in andere Menschen hineinversetzen, es fehlt ihnen die Fähigkeit zur *Empathie*, also zur Einfühlung. Empathie braucht Sympathie, ja sie setzt prinzipiell Liebesfähigkeit, Offenheit, ein An-Sich-Heranlassen anderer Menschen voraus. So können Fanatiker auch nicht mit- und nachempfinden, wie andere Menschen unter ihrem fanatischen Verhalten und dessen Folgen leiden. Ungerührt ist es ihnen daher möglich, Leid und Schmerz zuzufügen oder in Kauf zu nehmen, was durch die Beglückungsideologie des fanatischen Systems selbst ethisch gerechtfertigt und sogar geboten wird.

Aus all dem Dargelegten wird auch die Tatsache verständlich, dass die Zahl fanatischer *Männer* wesentlich höher ist als die Zahl fanatischer *Frauen*; dies trifft vor allem auf den essentiellen Fanatismus zu. Die ganzheitlichere Emotionalität der Frauen, ihr realitätsnäheres Augenmaß sowie ihre natürlichere Beziehung zum eigenen Körper verhindern eher das Hineingerissenwerden in abstrakt-extreme Ideologien oder in absolute fanatische Rigorosität und Kompromisslosigkeit. Wenn Frauen sich als fanatismusanfällig erweisen, dann vor allem für Formen des induzierten Fanatismus oder Teilfanatismus (vgl. Kap. III.), und dieser zeigt dann meistens eine eher emotional-begeisterte Ausprägung, im Unterschied zu dem eher ideologisch-abstrakten Schwerpunkt des männlichen Fanatismus. Für H. Gruhle (1956) liegt ebenfalls in der »lebhafteren, leichter anspringenden Affektivität« der Frauen der Grund dafür, dass sie auch »hemmungslos mitgerissen« werden könnten; »bei vielen Ausströmungen des Fanatismus (Sekten, politischen Bewegungen)« hätten

Frauen eine »besonders aufreizende, begeisternde oder verheerende Rolle« gespielt (ebd., S. 186). Zahlenmäßige Vergleiche hierzu existieren nicht. Man darf jedenfalls nicht vergessen, dass die glühenden Begeisterungsstürme in den Veranstaltungen des Dritten Reiches auch millionenfach Frauen erfasst haben, dass eine relativ große Zahl von jungen Frauen beim RAF-Terrorismus maßgeblich mitwirkte, und dass neuerdings die Zahl der palästinensischen und tschetschenischen Suizid-Attentäterinnen deutlich zunimmt (vgl. Kap. V.). Dies erweckte immer wieder besonderes Erstaunen und tut es bis heute. Doch repräsentieren eben ganz wesentliche Persönlichkeitsmerkmale des Fanatischen und wichtige Eingangstore in die fanatischen Existenzformen, nämlich Begeisterungsfähigkeit, Ergriffenheit, soziale Wertidentifikation und Vollkommenheitsstreben, gleichermaßen weibliche wie männliche Anteile der Psyche.

3) Art des Reagierens und Verarbeitens (psychodynamische Ebene)

Gerade von hier her ergeben sich besondere Hinweise, die das sonst oft so schwer aufzuschlüsselnde fanatische Verhalten und dessen Hintergründe verständlicher machen. Dies betrifft vor allem auch die Hartnäckigkeit, Intensität und Konsequenz im Festhalten an einem Ziel. Derartig intensiv werden alle Kräfte ja immer dann mobilisiert, wenn ein vitaler Verlust droht, wenn etwas um jeden Preis verteidigt werden muss. Die Frage liegt nahe, was an so Wichtigem dem Fanatiker nun eigentlich verlorengehen kann, dass er so heftig, kompromisslos und verbissen reagieren muss. Was wurde hier verletzt, was soll wieder mit aller Kraft und Besessenheit ins Reine gebracht werden?

Wenn wir so fragen, dann hebt sich ein Punkt, der schon bei der Schilderung der im Fanatismus wirksamen persönlichen Bedürfnisse als erster genannt wurde (vgl. Kap. III.), besonders deutlich heraus: Das Bedürfnis nach *Selbstbestätigung*, also nach Stützung des eigenen Selbstwerts, was in diesem Fall identisch ist mit der Erreichung einer vollen Bejahung der eigenen Person und ihrer Ziele. Persönliche Mängel und erlebte Misserfolge passen aber nicht in dieses Bild, sie sind unerträglich. Deshalb spielt die Kompensation eines persönlichen Mangels in der Psychodynamik des Fanatikers, in seinem intrapsychischen Kräftespiel der Motive, Bedürfnisse und Interessen, eine entscheidende Rolle. Sie kann, wie gesagt, vor allem mit als Erklärung für das so auffällige hohe energetische Niveau, die Intensität und die Hartnäckigkeit seiner Zielsetzung dienen (Näheres dazu vgl. auch Kap. VI.). Zu Recht spricht Rudin hier, ganz lapidar, von der »Intensität als Kompensation« (ebd., S. 64f.). – Das Gesagte trifft freilich nicht für alle Fanatiker zu (s. u.). Ein – wenn auch kleiner – Teil von ihnen zeigt ein schon von

Natur her kräftiges, nicht angreifbares, gesteigertes sog. »hyperthymes« Selbstgefühl. Und H.-J. Weitbrecht (1973) hebt ausdrücklich hervor, dass sich gerade bei Ideenfanatikern nicht selten ein »unverwüstlich hyperthymes Temperament« findet (ebd., S. 95f.). Menschen mit solch optimistischer Aktivität und Zielstrebigkeit brauchen keine Kompensationsmechanismen, und man sollte ihnen ohne Anhalt auch nicht solche unterstellen, nur um unseren psychodynamischen Modellvorstellungen zu genügen.

Der beschriebene Grundvorgang der *Kompensation*, oder weithin der *Überkompensation* in die fanatische Ausrichtung hinein, deutet freilich seinerseits auf ein tiefer liegendes narzisstisches Persönlichkeitsproblem hin. Dieses wurde bisher auch schon als »narzißtische Ohnmacht« (vgl. Kap. III.) oder in Zusammenhang mit dem sog. »Gruppennarzißmus« (ebd.) erwähnt. Gemeint ist, dass der Mangel an Selbstgefühl nach allgemeiner Auffassung auf einem Defizit im engeren Bereich des »Selbst«, also des Personenkerns, beruht, das bereits durch frühkindliche Erfahrungen entstanden ist. Es gibt freilich auch vielerlei andere Möglichkeiten eines solchen Ausgleichs; eine wäre z. B. die Entwicklung zum Hochstapler, der ebenfalls in beständiger Überkompensation seiner bestehenden Minderwertigkeitsgefühle lebt (s. ebd. und u.).

Da nun für den fanatischen Menschen die Unanfechtbarkeit seiner Zielsetzung und damit seiner Selbstbestätigung so enorm wichtig ist, muss er folgerichtig ein Vollkommenheitsgefühl für sich selbst bekommen. In diesem Sinn schreibt auch E. Fromm (1977), dass ein narzisstischer Mensch oft dadurch zu einem Gefühl der Sicherheit gelange, dass er eine »völlig subjektive Überzeugung von der eigenen Vollkommenheit« entwickle, weil sich darauf sein Wert- und Identitätsgefühl gründe (ebd., S. 226). Und W. Schmidbauer (1980) beschreibt diese elementaren psychischen Vorgänge in ähnlicher Weise, indem er die »starre Identifizierung« mit einem absoluten Ideal so deutet, dass das »idealisierte Objekt ... wie ein Teilstück des eigenen Selbst erlebt« werde; sein Verlust bedrohe es dann so »wie der Verlust eines lebenswichtigen Organs den ganzen Menschen« (ebd., S. 183). Aus diesen Zusammenhängen heraus sind Fanatiker ja auch völlig humorlos: Sie können sich niemals locker in Frage stellen lassen (s. u.).

Alle Kompensationen oder Überkompensationen können aber erlittene Kränkungen und Beeinträchtigungen nicht ungeschehen machen, schon gar nicht ein strukturell geringes Selbstwertgefühl wirksam beseitigen. Ein Ausdruck davon ist offensichtlich dieses unentwegte, verbissene und kämpferische Fixiertsein auf eine Idee oder ein Glaubenssystem, eben die beschriebene fanatische Intensität. J. Rudin (1975) wirft ebenfalls die Frage auf, was denn der Hintergrund der »fanatischen Erregung, ihrer Leidenschaft und tobenden Willenswut« sei, und aus was der Mangel bestehe, der hier kompensiert werden müsse; und er benennt den immer wieder leise aufsteigenden, aber auch immer wieder »unwirsch verdrängten Zweifel an jenem Wert«, für den sich der Fanatiker einsetze; dieser Zweifel müsse durch verdoppelte und verdreifachte Intensität des Einsatzes übertäubt und niedergehalten werden (ebd., S. 65f.). Damit spricht er ein inneres Merkmal und einen psychodynamischen Vorgang an, den wir bereits bei der Besprechung des Fundamentalismus aufgezeigt haben (vgl. Kap. III.) und der uns im Zusammenhang mit der Entwicklung fanatischer Haltungen aus fundamentalistischen Haltungen nochmals beschäftigen wird (vgl. Kap. VI.): den heimlichen *Zweifel* an der Sache, den verborgenen Glaubensmangel, der in den elementaren Bedürfnissen nach Sicherheit, Verankerung und absoluter Gültigkeit überkompensiert werden muss.

Es kann ja, schon aus der allgemeinen menschlichen Unvollkommenheit und aus der Offenheit aller psychischen Regungen heraus, keinen Glauben und keine Überzeugung geben, in der sich nicht auch Unsicherheit und Zweifel an der Sache regen. Normalerweise ist es möglich, diese wahrzunehmen, zuzugeben und auch zu benennen. Wo aber das ganze Selbstwertgefühl auf dem Spiel steht, wo es deshalb unmöglich wird, mit dieser letztlichen Ungesichertheit zu leben, da muss dieser Zweifel mit allen Mitteln unterdrückt werden. Eine dieser Unterdrückungsformen ist eben die fanatische Überkompensation. Sie liegt also innerseelisch ganz nahe beim Zweifel: beim Selbstzweifel und beim heimlichen Zweifel an der vertretenen Idee. So nennt auch C. G. Jung den Fanatismus anschaulich den »Bruder des Zweifels« (zit. nach einer persönlichen Bemerkung an Rudin, 1975, S. 66). An manchen anderen Stellen hat Jung (1921/1990) ebenfalls auf diesen Zusammenhang hingewiesen, so besonders im Rahmen seiner Beschreibungen der einzelnen psychologischen Typen: Speziell beim »extravertierten Denktypus« (s. u.), der zu einem dogmatisch-starren intellektuellen Standpunkt neige, sammelten sich die verdrängten Gefühle und Tendenzen im Unbewussten an und bewirkten Anwandlungen von Zweifel. »Zur Abwehr der Zweifel wird die bewußte Einstellung fanatisch, denn Fanatismus ist nichts anderes als überkompensierter Zweifel« (ebd., S. 48). Auch E. Fromm (1980/1976) hebt auf die psychoanalytischen Erfahrungen von der Überkompensation einer geleugneten Kehrseite in den eigenen Regungen und Einstellungen ab: »Jeder Fanatismus legt den Verdacht nahe, daß er dazu dient, andere, und gewöhnlich die entgegengesetzten, Impulse zu verdecken« (ebd., S. 86). In diesem letztlichen Ausgeliefertsein an die Unsicherheits- und Zweifels-Dynamik mit ihrem Zwang zur Überkompensation kann man geradezu ein tragisches Element in der Entwicklung und Existenz des fanatischen Menschen erblicken. Er stellt so gewissermaßen ein »Opfer seiner selbst« dar.

Freilich muss, gerade unter dem Eindruck der scheinbaren psychodynamischen Schlüssigkeit solcher Zusammenhänge, erneut betont werden, dass dieses Modell für keinesfalls alle typischen Fanatiker zutrifft (s. o.). So weist auch B. Grom (1992) als Religionspsychologe zu Recht darauf hin, dass die genannte Kompensations-Hypothese keinesfalls genügend erhärtet sei, schon weil sie sich ja vorwiegend auf biographische Analysen stütze, bei denen die Motive und die Entwicklungen »nur lückenhaft bekannt« wären; in Anbetracht von so komplexen sozialen Erscheinungen wie Religionskriegen, Antisemitismus, Ketzerverfolgung, Nationalsozialismus u. a. sei nicht anzunehmen, dass man sie »allein aus narzißtischer Bedürftigkeit und Wut erklären« könne (ebd., S. 195f.).

Gleichwohl fügt sich, vor dem Hintergrund der drei hier beschriebenen Ebenen, ein markantes Gesamtbild des typisch fanatischen Menschen zusammen. Dies soll kein Klischee, erst recht auch kein Schreckbild oder eine Karikatur eines Menschen sein, sondern ein gesammeltes Hervorheben der wesentlichen Persönlichkeitszüge und Verhaltensmerkmale, die sich hier so auffällig darbieten. Und nochmals die Selbstverständlichkeit: Fanatiker ist nicht gleich Fanatiker, jeder hat sein bestimmtes eigenes Profil, und diese Profile können weit auseinander liegen.

c) Die Rolle von Aggression, Hass und Gewaltbereitschaft

Schon in der Einleitung wurde deutlich gemacht, dass es sich beim Fanatismus einerseits und den so erschreckenden Phänomenen von Aggression und Gewalt andererseits um verschiedene Dinge handelt. Diese Feststellung war deshalb gleich zu Beginn wichtig, weil beides ja zusammen vorkommen kann und häufig vorkommt; zudem auch, weil es bei aktuellen Gewaltausbrüchen oft sehr schwierig oder nicht mehr möglich ist, zu unterscheiden, was auf das Konto des Fanatismus, und was auf ganz andere Konten in der menschlichen Psyche zu buchen ist. In die Abgründe destruktiver Möglichkeiten des Menschseins blicken wir in beiden Fällen. Aber der Sturz in diese Abgründe geschieht von verschiedenen Ausgangspunkten aus: Es ist das eine Mal die Entladung angestauter Wut, das Abreagieren erlebter Frustration, der Drang zum Ausleben dumpfer Gewaltbedürfnisse, das Nachgeben gegenüber sadistischen Trieben oder das lustvolle Spüren der eigenen Stärke und Überlegenheit. Es ist jedoch das andere Mal, beim Fanatismus, die rigorose Durchsetzung einer großen, hohen Idee mit Gewalt, die Realisierung von vermeintlich beglückenden Menschheitsidealen, die Säuberung der Welt von als schädlich und gefährlich geglaubten Mitmenschen. Immer dann, wenn eine derartige Außenaktivität mit Gewaltmitteln stattfindet, ist auch der Sammelbegriff »militanter« Fanatismus angebracht.

Fanatismus ist und bleibt ein Einfallstor für die vielfältigsten Regungen und Neigungen in uns, die sehr mit den verborgenen »niedrigen« Anteilen und Trieben, mit dem »Schatten« im Sinn von C. G. Jung (1943/1960, S. 36ff.), mit den archaischen Kräften in der Tiefe der Psyche zu tun haben. Die Entbindung solcher Kräfte und Regungen hat aber primär nichts mit der fanatischen Grundeinstellung selbst zu tun. Schon dass es auch den eingehend beschriebenen stillen, introvertierten Überzeugungs-Fanatiker gibt, belegt deutlich, dass das Fanatische an sich und die fanatische Aggression und Gewalt zwei verschiedene Dinge sind. Freilich zeigt bereits das Beispiel des »Sportfanatikers«, wie viele Vorkommnisse belegen, dass hier die Gewaltneigung doch schon deutlich erhöht sein und ein Massen-Exzess leichter auslösbar sein kann (vgl. Kap. V.). St. Pfürtner (1991) macht hierzu deutlich, wie bei Fußball-Fans absolut gesetzte Bedürfnisse und Wunschvorstellungen (»Fußball ist mir alles«) schließlich mit radikaler Gewalt verfolgt werden können (ebd., S. 39).

Was im Falle einer akuten Gewalteskalation wirklich ausgelebt wird, ob die angestaute Aggressivität oder eine fanatische Überzeugung, ist schwer zu unterscheiden. Wenn jugendliche Rechtsradikale vom Typ des dumpfen, verschwommenen Gruppen-Fanatikers mit ihrer rassenfanatischen Einstellung und dem Ruf »Ausländer raus« eben diese Ausländer jagen und zusammenschlagen, damit aber gleichzeitig ihr persönliches Gewaltpotential, ihre Überlegenheitsbedürfnisse und ihre sadistischen Anteile befriedigen – sind sie verblendete Fanatiker oder primitive Gewalttäter? Wohl beides. Und wie sind die serbischen Eroberer auf dem Balkan zu beurteilen, die unter den Zeichen eines ethnischen Reinheits- und Rassen-Fanatismus bei ihren Aktionen Menschen grausam niedergemetzelt, moslemische Frauen vergewaltigt und sonstige schreckliche Gewalttaten begangen haben? Auch hier findet sich ja das gleichzeitige Ausleben von Triebbedürfnissen und niederen Instinkten, das hasserfüllte Rachenehmen für eigene frühere Lebensschicksale. Und jede Menge weiterer schrecklicher Beispiele auf allen Seiten wären aus den zahllosen Kriegen, Bürgerkriegen und Konfliktaustragungen in der Welt, bei denen ein gleichzeitiger fanatischer Hintergrund auszumachen ist, anzuführen.

Dennoch gilt: Der klassische Fanatiker hält sich, einfach ausgedrückt, für »rein« und »gut«, weil das »Unreine« und das »Böse« projektiv an die Gegenseite delegiert ist und dort bekämpft wird, im Sinne der bekannten Funktion des »Sündenbocks«. Und fanatische Systeme haben sich immer und notwendigerweise ihre Sündenböcke als Gegenstand der Aggression geschaffen: die Hexen, die Ketzer, die Bourgeoisie, die Juden, die Ausländer. Und von dem mit dem beschriebenen »guten Gewissen« – der manipulierten Über-Ich- und Gewissensfunktion (vgl. Kap. III.) – vollzogenen linientreuen Akt bis zum Abgleiten des Einzelnen in die triebhaft-sadistische Enthemmung hinein ist es in solchem Fall meist nur ein kurzer Schritt. Die fanatische Aggression mit gutem Gewissen wird auch besonders durch das ermöglicht, was F. Hacker (1992) als eine der »zehn Kategorien des Faschismus-Syndroms« genannt hat: die »Gewalt und der Terror von oben«. Diese »propagandistisch verherrlichte Gewalt« werde als bestes, »mutiges und männlich ehrliches Mittel zur Konfliktbereinigung« angepriesen; außerdem gelte sie als »präventiv defensive Aggression« (ebd., S. 68).

Die generelle Gewaltbereitschaft innerhalb fanatischer Einstellungen und Abläufe ist freilich immer dann besonders irritierend, wenn solche Handlungen zu den fanatisch verfolgten hohen menschlichen Idealen, z. B. »Gerechtigkeit«, »reine Wahrheit«, »sittliche Reinheit«, »Wille Gottes«, so auffällig kontrastieren. Dieses Phänomen wird besser verständlich, wenn man davon ausgeht, dass jeder Mensch eine Neigung zu Triebausbrüchen, Gewalt und Sadismus in sich trägt und dass – ein psychodynamisch wohlbekannter Ablauf – diese Kräfte in der Entwicklung dadurch partiell gebannt werden können, dass eine starke Identifikation eben mit der Gegenseite des »Schattens«, der Lichtseite der Ideale, erfolgt. L. Bolterauer (1975) hat dies markant an der Figur des Michael Kohlhaas (vgl. Kap. V.) analysiert: als sogenannte »idealisierende Maskierung« der verborgenen eigenen, persönlich vorbestehenden Gewalt- und Zerstörungsneigung, wobei sein »überstarkes Gerechtigkeitsgefühl« eben im Rahmen einer »Reaktionsbildung« gegen diese Gefahr aus der Tiefe zu sehen ist; diese Reaktionsbildung ginge dabei so weit, dass die gleichzeitige Triebbefriedigung in den aggressiven Akten nicht mehr selbst wahrgenommen werden könne, ja diese sogar subjektiv mit der »Erfüllung eines Gewissensanspruchs« einhergehe (ebd., S. 298–302). Es darf aber nicht vergessen werden, dass derartige Reaktionsbildungen zu den durchschnittlichen verbreiteten neurotischen Strukturanteilen gehören und keinesfalls nur als fanatismustypisch gelten dürfen.

Die Aggressivität fanatischer Menschen und ihr Bedingungsgefüge hat noch andere Seiten. Einmal gibt es weitere, deutliche Zusammenhänge mit der jeweiligen Persönlichkeitsstruktur, was uns u. a. im folgenden Kapitel beschäftigen wird. Zum anderen liegen markante Beziehungen zu der jeweiligen sozialen und psychischen Akutsituation der Betreffenden vor. Gemeint ist der Versuch, ein eigenes Existenzdefizit und die bestehende Orientierungslosigkeit durch entsprechende Aktionen nach außen zu kompensieren, und dies besonders unter Entwicklung starker Hassgefühle. A.Streeck-Fischer (1994) hat die gezielte Abänderung eines bekannten Spruches durch jugendliche Skinheads – »Haßt du was, dann bist du was« – als markantes Beispiel angeführt: Weil ihnen innerhalb anderer, normaler Rollen die »narzißtische Gratifikation« versagt geblieben sei, verbleibe ihnen »als einziger und existentieller Besitz der Haß«; gegen gewählte Fremde gerichtet, würde dieser vor allem »selbstreparative Funktionen« übernehmen (ebd., S. 117). Damit schließt sich wieder der Kreis zu den früher beschriebenen Kompensationsmechanismen.

Aggression und Hass gehören mit zu den elementarsten menschlichen Regungen und Reaktionen, und gerade deren eigener Drang zu extremen Ausbrüchen lässt eine Koppelung mit fanatischem Extremismus so besonders gefährlich werden. Auf derselben Ebene wären als konkrete Affekte noch Neid und Eifersucht zu nennen, die in der Regel zwar auf persönliche Situationen beschränkt bleiben, aber dennoch auf höherer Ebene – man denke an Neid und Eifersucht zwischen Gruppen und Völkern – ebenfalls solche gefährlichen Koppelungen mit fanatischen Ideen und Zielsetzungen eingehen können. Alle diese Regungen neigen zur Lösung von Problemen durch Abfuhr der angestauten Energien nach außen, also zur Gewaltausübung. Dies geschieht besonders dann, wenn andere, intrapsychische Verarbeitungsmöglichkeiten und Lösungen nicht verfügbar sind. H.-E. Richter (1979) hat diesen Mangel an reiferer, humanerer innerseelischer Verarbeitung gemeint, wenn er von der »Verwandlung des Leidens in projektiven Haß« spricht und den Umgang mit Schwäche, Zerbrechlichkeit und Endlichkeit zu den »noch am wenigsten gelösten Schlüsselproblemen unserer Zivilisation« zählt (ebd., S. 129); und derselbe Gedanke ist bei ihm schließlich direkt zum Buchtitel geworden: *Wer nicht leiden will, muss hassen* (1993).

All das hier Vorgetragene soll Zusammenhänge aufdecken und einer möglichen Einsicht dienen, keinesfalls Anklage erheben oder Schuldzuweisungen vornehmen. Solche Zuweisungen müssten ja heute vornehmlich jene treffen, die diese intrapsychischen Vorgänge von ihren Voraussetzungen her am wenigsten zu deuten und zu steuern vermögen, und deren soziale und sozialpsychologische Situation besonders ungünstig ist – z. B. viele der rechtsextremistisch orientierten gewalttätigen Jugendlichen (s. u.). Über allem Gesagten hat vielmehr die Einsicht und das schamvolle Eingeständnis zu stehen, dass, um den Worten von U. Rauchfleisch (1992) zu folgen, »letztlich jeder Mensch unter bestimmten inneren und äußeren Bedingungen zu Gewalt und Grausamkeit fähig ist« (ebd., S. 36).

d) Der Einfluss der primären Persönlichkeitsstruktur

1) Zuordnungen im Rahmen der traditionellen Strukturtypologien

Mehrmals wurde schon von bestimmten Eigenschaften in der Charakterstruktur fanatischer oder fanatisch induzierbarer Menschen gesprochen. Eine systematische Verknüpfung mit gängigen Persönlichkeitsmodellen hatten wir jedoch noch nicht vollzogen – dies vor allem, um eine vorschnelle Einengung auf eine traditionelle neurosenpsychologische Sicht zu vermeiden. Es war auch schon eingangs die Klarstellung erfolgt, dass der Fanatismus sich in keinem der bisher existierenden Modelle auch nur annähernd befriedigend abbilden lässt (s. Kap. I.). Gleichwohl ist das Bedingungsgefüge, das die jeweiligen primären, also von vornherein bestehenden Persönlichkeitseigenschaften bilden, für die Ausprägungsart fanatischen Wesens sehr wichtig. Besonders für das Verstehen vieler Einzelzüge kommt ihnen Bedeutung zu, und sie formen die individuelle Eigenart des jeweiligen fanatischen Menschen markant aus, sind also akzentuierend und profilierend wirksam.

Typologische Einteilungen der unterschiedlichen psychischen Wesensarten und Strukturen des Menschen gibt es schon seit der Antike. Bis heute auch im populären Sprachgebrauch bekannt und noch verwendet sind die vier »Temperamente«: der »Sanguiniker«, der »Melancholiker«, der »Choleriker« und der »Phlegmatiker«. Sie stammen in ihren Ansätzen schon aus der Hippokratischen Medizin vor der Zeitwende (um 400 v. Chr.) und wurden vor allem von dem griechischen Arzt Galen (2. Jh. n. Chr.) in ein differenziertes System gebracht. Obwohl die kausale Erklärung, die dieser Temperamentseinteilung zugrunde lag, nämlich die sog. Viersäftelehre, längst überholt ist, darf diese Typenbeschreibung nach wie vor als sehr markant und lebensnah gelten, weil sie ja auch tatsächlich der Beobachtung lebender Menschen entstammt. Viele spätere Forscher und Autoren, auch in der Neuzeit, haben sich um Variationen dieser klassischen Typen bemüht (Näheres zu der Temperamentslehre vgl. Remplein, 1965, S. 429–439).

Stellt man nun freilich die Frage, in welchem der vier Temperamente sich die Merkmale fanatischer Menschen am deutlichsten zeigen, so steht man sofort vor der schon oben angedeuteten Schwierigkeit: Es können zwar einzelne typische Merkmale einzelnen Typen zugeordnet werden, aber keinesfalls lässt sich »das« fanatismusgeneigte Temperament bestimmen. Am besten gelingt noch die Abgrenzung des Gegenbildes: Der Phlegmatiker – wir hatten dies schon früher angedeutet – ist bestimmt derjenige, aus dem keinesfalls ein Fanatiker werden kann; sein typischer Gleichmut, seine

Langsamkeit und geringe Anregbarkeit, sein Bestreben, in Ruhe und im Hergebrachten zu verharren, stehen dem diametral entgegen. Der Sanguiniker andererseits hätte zwar die große Erlebnisansprechbarkeit und die Begeisterungsfähigkeit für eine Sache, diese emotionale Wallung ist jedoch nur von kurzer Dauer; es fehlt ihm die Nachhaltigkeit und Kontinuität, das verbissene, unbeirrbare Dranbleiben. Beim Melancholiker wäre zwar diese Nachhaltigkeit, das Beharren und Durchhatten, der Ernst und die Hingabe bis zur Opferbereitschaft vorhanden, doch stellen seine Minderwertigkeitsgefühle und Versagensängste, seine Schuldgefühle und nicht zuletzt seine Empathiefähigkeit in Andere ein Hemmnis zur Entwicklung einer aggressiven Durchsetzung dar. Dem Choleriker schließlich wäre zwar die entsprechende momentane Willensenergie und Stoßkraft, Leidenschaft und Aggressivität, auch die Rechthaberei und das Machtstreben zu eigen, jedoch ebenfalls ohne die nötige Beständigkeit und Nachhaltigkeit des Einsatzes für eine Idee.

An dieser kurzen Exemplifizierung lässt sich schon deutlich machen, was auch für alle anderen Persönlichkeitstypologien gilt: Die Gesamtheit von wirksamen Eigenschaften, die zum Wesen und Verhalten fanatischer Menschen gehören, decken sich kaum oder gar nicht mit einem derartigen prägnanten Typus, vielmehr sind nur Einzeleigenschaften einem solchen zuzuordnen. Umgekehrt kann man ja auch die Mehrzahl der Menschen gar nicht einem solchen markanten Typus zuordnen, wir stellen in der Regel – wohl glücklicherweise – als Individuen ein typologisches Mischbild dar.

Im Rahmen seiner allgemeinen Konstitutionstypologie hat E. Kretschmer (1951) einen wichtigen Beitrag zur Zuordnung und strukturellen Erhellung des fanatischen Wesens und der fanatischen Persönlichkeiten geleistet. Die allgemeinen, von ihm dargestellten Entsprechungen zwischen den konstitutionell-körperlichen Typen und den strukturell-psychischen Typen sind hier nicht unser Thema. Vielmehr geht es um die Polarität des *»cyclothymen«* und des *»schizothymen«* Persönlichkeitstypus, und um die Frage, welchem sich das fanatische Element schwerpunktmäßig zuordnen lässt: jedenfalls nicht den gesellig-heiteren Cyclothymen, sondern den innerlich eher uneinheitlichen und unharmonischen, dafür sich mehr an abstrakten Prinzipien orientierenden Schizothymen. Diese können zwar großen Ernst und Tiefgang sowie intensive Geistigkeit und hohen Idealismus entwickeln, leben aber meist in einer Gespaltenheit zwischen Intellektualität und Gefühlswelt. Bei ihnen kann sich eine fanatismusgeneigte psychische Konstellation sehr markant ausformen. Besonders die charakteristische »Ungeselligkeit« dieser Menschen variiere »von der sanftesten Ängstlichkeit, Scheu und Schüchternheit ... bis zur schneidend brutalen, aktiven Menschenfeindschaft« (ebd., S. 177).

Bei den von ihm so genannten »Heroen schizothymen Temperaments« schließlich schildert Kretschmer Züge, wie wir sie bereits in anderem Zusammenhang (vgl. Kap. III.)ähnlich benannt haben: Zähigkeit, systematische Konsequenz, Bedürfnislosigkeit, spartanische Strenge, Kälte gegen das menschliche Einzelschicksal, andererseits auch verfeinertes ethisches Empfinden, unbestechlicher Gerechtigkeitsfanatismus, Neigung zum Idealismus überhaupt; die Kehrseite dieser Vorzüge sei wiederum ein gewisser »Hang zum Starren, Doktrinären, einseitig Engen und Fanatischen, ein durchschnittlicher Mangel an Wohlwollen, bequemer natürlicher Menschlichkeit« (ebd., S. 326). Unter den Gruppen, die sich hieraus wieder hervorheben, nennt er ausdrücklich die der »Despoten und Fanatiker«, und seine griffige Beschreibung gipfelt in der Zusammenstellung der berühmten »schizothymen Trias«: »Idealismus, Fanatismus, Despotismus« (ebd., S. 329). – Wir werden bei der konkreten Darstellung historischer Gestalten wie Robespierre und Calvin speziell auf diesen Zusammenhang zurückkommen (vgl. Kap. V.).

Die im engeren Sinn *psychoanalytischen* Persönlichkeitsmodelle haben seit Freud eine variantenreiche Vorgeschichte, doch besteht heute eine – angesichts der sonstigen vielerlei Schulstreitigkeiten erstaunliche – Konvergenz in den Darstellungen. Ausgehend von frühkindlichen Prägungsmustern, und in Einbeziehung individuell existierender Persönlichkeitsprofile, speziell aus dem neurosenpsychologischen und psychotherapeutischen Erfahrungsbereich, hat sich eine relativ einheitlich akzeptierte Gruppierung von Strukturtypen herausgebildet. Sehr markant und fasslich unterscheidet vor allem Riemann (1961) die schizoiden, depressiven, zwanghaften und hysterischen Persönlichkeiten voneinander und sieht sie alle unter dem Gesichtspunkt der strukturell gebundenen Angst, sowie der Entwicklung entsprechender, auch überkompensierender Abwehrformen dagegen (ebd., S. 12ff.).

Die neueren, erweiterten Konzepte, wie sie vor allem durch die Begriffe »Narzissmus« (s. Kohut, 1973) und »Borderline-Störungen« (s. Kernberg, 1979), aber auch die »Bindungstheorie« (s. Brisch, 2001) gekennzeichnet sind, stellen eine wichtige Differenzierung im Sichtbild des alten klassischen Vierermodells dar. K. König (1995) untergliedert dementsprechend in seiner Gesamtdarstellung die erste frühe Entwicklungsphase, die sich u. a. durch das gemeinsame Merkmal der fehlenden Erinnerung auszeichnet. Die Genese einer narzisstischen, einer schizoiden und einer Borderline-Struktur in diesem Zeitabschnitt werden darauf zurückgeführt, dass zwischen Mutter und Kind keine »adäquaten Interaktionen« zustande kommen, oder dass es nicht gelingt, »auf die Signale des Kindes einzugehen«, aus welchem Grund auch immer (ebd., S. 20). Es bedarf hier keiner eingehenden Darstellung dieser komplexen Entwicklungszusammenhänge, zumal bei keiner der drei

Strukturen Einigkeit über deren konkrete Entstehungsbedingungen besteht (ebd., S. 23f.). Die Auswirkungen für das spätere Erwachsenenleben sind jedoch enorm. Dies gilt vor allem für den schizoiden und den narzisstischen Anteil. Für letzteren hat vor allem Wirth (2002) dargetan, wie speziell auf dem Felde der Politik Eigenschaften wie »ungezügelte Selbstbezogenheit« und »Größenphantasien« »der narzisstisch gestörten Persönlichkeit den Weg in die Schaltzentren der Macht ebnen« (ebd., S. 9). Wie sich solche Anteile jedoch im Rahmen eigentlicher fanatischer Strukturspezifitäten auswirken, wird noch zu erörtern sein (s. u.).

Den besonderen Einfluss der beschriebenen, klassischen psychoanalytisch orientierten Persönlichkeitsstrukturen gerade auf die Entwicklung fanatischen Wesens hat vor allem der Psychoanalytiker J. Rudin (1975) herausgearbeitet. Er zeigt diesen speziell an der hysterischen, der schizoiden und der zwanghaften Struktur auf. Die »Merkmale fanatischer *Hysterie*«, wie er sie nennt, beruhen auf der »Bereitschaft zur Hingabe an augenblickliche Reize und Eindrücke, an Extreme«; diese Menschen würden rasch vom »Bewegungssturm« ergriffen, es gehe hier weniger um fanatische Ausdauer als um »fanatische Ausbrüche«. Gerade die hysterische Faszinationskraft sei es, die Begeisterung erzeugen und »fanatische Explosionen bei den Volksmassen und bei der Jugend« entzünden könne. Als ein außerordentlich deutliches Beispiel dafür, wie ein hysterischer Zug beim Fanatismus mitspielen kann, nennt er Hitler (ebd., S. 158–163; vgl. auch Kap. V.).

Der Fanatismus im Rahmen des *schizoiden* Formenkreises zeige sich vor allem in der »psychischen Starre im Denk- und Vorstellungsablauf«, es komme zu einer »Fixation der seelischen Energie« auf einen einzigen Punkt, für diese Menschen gäbe es nur eine einzige mögliche Lebenshaltung, nur eine Staatsform, nur eine Kunstrichtung. Diese »verpanzerte Unbelehrbarkeit« werde freilich recht häufig als charakterlich besonders wertvoll, als »innere Festigkeit«, als »Treue« betrachtet. Ein weiteres typisch schizoides Merkmal des Fanatischen zeige sich in einer »inadäquaten Identifikation« mit der Idee, bei der das Ich ganz von der Sache aufgeschluckt wird, somit mit ihr »bis zum bittern Ende« unauflöslich verkettet bleibt; jeder Krieg wird so sofort zum »heiligen Krieg« (ebd., S. 164–174).

Die Merkmale des Fanatismus bei *zwanghaften* Strukturen schließlich, des »fanatischen Zwanges«, wie es der Autor benennt, liegen vor allem in der »inneren Nötigung«, dem »Müssen«. Dieser Zwang werde innerlich bejaht, die Nötigung werde als »Sendung« angenommen und als »Auftrag« erfüllt. Die gleichzeitige Neigung zur »Fixation« der Ideen führe zur typischen Festlegung von Wortlauten, zur »Buchstabentreue«, zur Verwendung von stereotypen Formeln. So würden die Zwanghaften als Fanatiker einen

»Höchstgrad der inneren Unfreiheit« erreichen. Die hinzukommende Aggressivität könne sich gegenüber den Gegnern sehr grausam auswirken; es sei besonders bestürzend, »wenn sich eine unbarmherzige, grausame Aggressivität auch bei den religiösen und sehr frommen Fanatikern manifestiert« (ebd., S. 179–186). Der Autor nennt als Beispiel u. a. Calvin (vgl. hierzu Kap. V.).

Sicher ist es Rudin mit diesen typologischen Akzentuierungen und Deutungen insgesamt sehr gut gelungen, wichtige Teile des Bedingungsgefüges für das fanatische Wesen herauszuarbeiten. Gerade der zwanghaft (anankastisch) strukturierte Fanatiker, dies soll ergänzend gesagt werden, ist auch derjenige, der auf besondere Vollkommenheit der Ideen und ihrer Verwirklichung abzielt, also eine perfektionistische Ausrichtung zeigt. Der eigentliche Zwangsneurotiker freilich ist bereits nicht mehr fanatisch handlungsfähig, weil er durch seine Zwänge in seiner sonstigen Aktionsfähigkeit viel zu sehr blockiert wird.

Einen völlig anderen Ansatz schließlich zeigt die bekannte, von C. G. Jung (1921) innerhalb seiner tiefenpsychologischen Sicht entwickelte polare Typologie der sogenannten *»extravertierten«* und der *»introvertierten«* Menschen. Extraversion meint, dass der Betreffende hauptsächlich »nach außen«, auf die Dinge und Menschen in der Umwelt ausgerichtet ist; in der Fachsprache: seine Libido ist positiv objektbezogen, sein Interesse vom Subjekt auf das Objekt verlagert. Beim introvertierten Menschen andererseits geht die hauptsächliche Ausrichtung im Denken und im emotionalen Bereich auf die eigene Innenwelt; das Interesse richtet sich auf das eigene Subjekt, die Libido ist einwärtsgewendet. Bei beiden wird noch je ein »Denktypus« und ein »Fühltypus« unterschieden.

Wir haben schon bei der Besprechung der psychodynamischen Ebene des fanatischen Wesens erwähnt, dass Jung das fanatische Element dem »extravertierten Denktypus« zuordnet (s. o.). Speziell aus der dort beschriebenen Rolle des heimlichen Zweifels an der fanatisch vertretenen Sache wird ersichtlich, dass das Problem dieses Typus die verdrängten Gefühle sind. Diese sammeln sich als Gegenkraft im Unbewussten an und bedingen dadurch, dass der bewusste intellektuelle Standpunkt »dogmatisch-starr« wird. Die Richtung auf die fundamentalistische und die fanatische Einstellung ist damit vorgegeben, wie schon zitiert: »Zur Abwehr des Zweifels wird die bewusste Einstellung fanatisch, denn Fanatismus ist nichts anderes als überkompensierter Zweifel« (Jung, 1921, S. 48).

Kritisch muss man hierzu sagen, dass mit der Wendung »nichts anderes als« sicher eine zu einseitige Position vertreten wird. Nie kann die fanatische Ausrichtung eines Menschen auf einen einzigen psychodynamischen

Vorgang bezogen werden. Dennoch ist diese Beobachtung Jungs, und auch die der anderen erwähnten Autoren, sicher zutreffend, und sie benennt zweifellos ein sehr wesentliches Moment für das Verständnis fanatischer Verhaltensweisen. Dass außerdem auch der introvertierte Typus unter bestimmten Bedingungen fanatische Neigungen zu entwickeln vermag – Jung erwähnt davon nichts –, zeigt schon die besprochene Kategorie des »stillen, introvertierten Überzeugungs-Fanatikers« (s. o.). Hier ist es die abgekapselte Ideenwelt im eigenen Innern, die, ohne sich weiter an den Gegebenheiten der Außenwelt zu orientieren, eine Entwicklung zur Ausschließlichkeit und fanatischen Überwertigkeit nehmen kann. Beispiele für solche introvertierten Fanatiker wurden schon genannt.

Insgesamt zeigt sich, dass von der primären Persönlichkeitsstruktur fanatischer Menschen zwar sehr starke Einflüsse auf die Entstehung und vor allem Ausprägungsart des Fanatischen ausgehen können. Dennoch dürfen diese nicht als eigentliche oder alleinige Erklärung bzw. Herleitung für das Auftreten des Fanatismus selbst gelten. Die jeweilige Persönlichkeitsart hat, mit anderen Worten, zwar stark formende, aber nur partiell auslösende Bedeutung. Ohne solche markanten, die Intensität und Dynamik verstärkenden Strukturen hätte sich freilich mancher Fanatismus zweifellos milder oder eventuell gar nicht entwickelt, bzw. wäre wieder in sich zusammengesunken. Grundsätzlich gilt jedoch: Dass ein Mensch fanatisch wird, resultiert immer aus dem Zusammenwirken unterschiedlicher Bedingungen aus ganz verschiedenen Lebensbereichen, es ist ein komplexes, systemisches Geschehen.

2) Spezifität der fanatischen Wesensart

Sowohl in der obigen Darstellung der entwicklungsdynamisch und neurosenpsychologisch orientierten klassischen Strukturmodelle, als auch in der Beschreibung von Eigenschaften und Wesenszügen auf kognitiver, affektiver und psychodynamischer Ebene (s. o.) wurde eine Annäherung an das versucht, was wir »fanatisch« oder »Fanatismus« nennen. Es hat sich gezeigt, dass hierbei immer nur bestimmte, wenn auch typische Elemente und Eigenschaften des Fanatischen beschreibbar sind oder sich dem Verstehen öffnen, das zentrale »Besondere« oder »Spezifische« aber eigenartig im Dunkeln bleibt. Dies bezieht sich nicht nur auf den individuellen, konkreten fanatischen Menschen, der, wie z. B. auch der Kriminelle, in seiner Entwicklung und seiner jetzigen Existenz nur selten schlüssig erfassbar wird oder gar transparent gemacht werden kann; denn eine Vielzahl von Menschen hat ja analoge Start- und Entwicklungsschicksale. Es sind vielmehr auch bestimmte überindividuelle, »typische«, oder vielleicht gar »spezifische« Elemente und Auffälligkeiten, die bei Fanatikern verschiedenster Art auftreten und die in den beschriebenen Strukturtypen schwerlich unterzubringen sind.

In erster Linie ist hier das energetische Phänomen zu nennen, das wir als *»fanatische Energie«* bezeichnet haben, in Analogie zu dem, was die Juristen unter »krimineller Energie« verstehen (vgl. Kap. III.). Welcher Art ist diese Energie? Woher kommt sie? Ist es das genetisch angelegte und biologisch ausgeformte allgemeine Maß an Lebensenergie, das, individuell sehr unterschiedlich ausgeprägt, für jede Art von Aktivität zur Verfügung steht, die Komponente »Antrieb« also? Zu diesem Thema gibt es eine Fülle von Literatur. Der Antrieb gilt in der geläufigen Auffassung nach »Menge und Stärke« als »individuell verschieden, bleibt aber beim Einzelmenschen verhältnismäßig konstant« (von Sury, 1974, S. 21). Diese Konstanz, als ein unabdingbarer Faktor für die Nachhaltigkeit, das Durchhalten und die unbeirrte Durchsetzung fanatischer Ziele, wie es für den essentiellen Fanatiker typisch ist und schon ausführlich beschrieben wurde (ebd.), bestimmt auch das Festhalten an – von außen gesehen – destruktiven Identifikationen gegenüber allen Widerständen.

Wie wenig z. B. ein Mensch mit »phlegmatischer« Wesensart zu derartigen konstant hochenergetischen Aktivitäten rekrutierbar oder überhaupt fähig wäre, wurde schon gesagt (s. o.). Dass andererseits ein solch hoher energetischer Pegel in der Persönlichkeit sowohl zu großen Lebensleistungen auf beruflicher, künstlerischer und politischer Ebene befähigt, als auch in die zunehmende Destruktivität eines Ideals mit dessen rücksichtsloser fanatischer Verwirklichung einmünden kann, macht die bestürzende Realität in der möglichen inneren Weichenstellung aus. Und diese doppelte Möglichkeit beinhaltet auch das meist kaum klärbare Dunkelfeld, letztlich das Geheimnis, das intrapsychische Entwicklungsprozesse überhaupt kennzeichnet. Eine spezifische Freisetzung »fanatischer Energie« mit ihrer Konstanz kann so auch durch die ständig notwendige enegetische Gegenbesetzung der fanatischen Ziele im Dienst der Überkompensation oder der sogenannten »idealisierenden Maskierung« von andersartigen Triebbedürfnissen geschehen (Näheres vgl. Kap. V. und VI.).

Eine Frage ganz anderer Art stellt sich hinsichtlich des Phänomens der »fanatischen Energie« bei den gegenüber den essentiellen Fanatikern weit in der Überzahl befindlichen induzierten Fanatikern oder Teilfanatikern (vgl. Kap. III.). Bei ihnen, die ja das Heer von willigen, ebenfalls überzeugten Mitstreitern für die fanatischen Ziele ausmachen, wird fanatische Energie offenbar im Ansteckungs- und Mitnahmeeffekt in Gruppe und Masse entbunden, und sie kann ebenfalls von enormer Intensität und Nachhaltigkeit sein. Sowohl die eingeengte autoritative Gläubigkeit als auch das häufig gezielt in Gang gesetzte, oft auch eruptive destruktive Gewaltpotential machen diese Heere von fanatisierten Anhängern dann zur eigentlichen Gefahr für die traditionelle Welt. In unserer Darstellung sind viele Beispiele, religiöser und politischer Art, hierzu angeführt, auch mit Hinweisen auf die gleichzeitige Rolle von regressiven Phänomenen, Autoritätsbedürftigkeit, Größenideen, Begeisterungsfähigkeit und Befreiung aus desolaten sozialen Situationen.

Woher aber stammt gerade in derartigen Fällen die »fanatische Energie«, nach Art und Intensität? In welchem Reservoir lag sie verborgen, bevor der zündende fanatische Funke von außen übersprang, oder worin, in welchen Identifikationen und Aktivitäten war sie zuvor wirksam, eventuell auch erkennbar? Mit dem Aufwerfen dieser Frage zeigt sich wiederum, wie schwierig es ist, fanatische Phänomene ohne genauere Kenntnis der vielen subtilen, differenzierten Abläufe und psychodynamisch wirksamen Faktoren in einem Menschen zu verstehen. Ist die Modellvorstellung von »fanatischer Energie«, so wie die von »psychischer Energie«, hier für ein wirkliches Verstehen zu grob und zu wenig tragfähig? Oder lassen sich in anderen Lebensbezügen, vor der Fanatisierung, Anteile dieses Konstrukts »Lebensenergie« aufspüren, nur eben verstreut?

Ist dem so, dann käme dem Einbruch einer »zündenden« Idee in das Leben eines Menschen, ob religiöser, politischer oder anderer Art, die Funktion einer Bündelung, einer »Gleichrichtung« zu, entsprechend dem schon eingebrachten Bild von den Eisenfeilspänen im Magnetfeld (vgl. Kap. III.). So wie die Identifikation mit einer überzeugenden Idee – plötzlich oder im allmählichen Prozess – die verschiedenen fanatismusfähigen Anteile in der Persönlichkeitsstruktur bündeln kann, so könnte sie auch die verstreut gebundenen energetischen Anteile bündeln und »gleichrichten«. Und dann wäre es auch verständlich, dass nach dem Wegfall einer solchen bündelnden, ideologischen Kraft auch die betreffenden Menschen wieder rasch in ihren unauffälligen bürgerlichen Alltag zurückfallen können, wie man es am Beispiel vieler sogenannter »Mitläufer« im Dritten Reich deutlich erleben konnte.

Wie aber wird eine Idee, eine Konzeption, eine Zielvorgabe zur wirklich »zündenden« Idee, die eine derart hohe Identifikation bewirkt, wie sie für die Ingangsetzung fanatischen Verhaltens notwendig ist? Der psychische Vorgang ist ja auch außerhalb des Fanatischen, im positiv Kreativen und Künstlerischen, im sozialen Engagement, in den vielfältigen Formen menschlichen Totaleinsatzes weithin derselbe, wo es um »höchste« Werte und überzeugende, anerkannte Ziele geht, die mit hoher Intensität verfolgt werden. Die fanatische Entwicklung hat ebenfalls diesen Ausgangspunkt, dieses Kernmotiv der Verwirklichung besonderer Ideale, das dann alle Energien mobilisiert. Worin wiederum liegt hier also ihr Spezifikum?

Wir stoßen über diese Frage auf ein – nach meinem Empfinden überaus beklemmendes – psychisches Phänomen, das an sich so menschlich positiv und so harmlos anmutet, nämlich die *Begeisterungsfähigkeit* und ihre möglichen Folgen. Schon eingangs, und dann vor allem im Zusammenhang mit der Darstellung der nationalsozialistischen Ära haben wir auf die so verhängnisvolle Rolle dieser »an sich« so geschätzten emotionalen Verfassung hingewiesen und auch die eigene Verflochtenheit mit dieser Ideologie eben über das emotionale Eingangstor »Begeisterung« beschrieben (vgl. Kap. III.).

U. Aeschbacher (1992) hat diese Rolle der Begeisterung in den faschistischen Systemen ein »Jahrhunderttrauma« (Untertitel) genannt und dargetan, wie nicht nur bestimmte Zeitströmungen, sondern auch »psychologische Konzepte der Selbstverwirklichung bzw. Sinnverwirklichung« einen Verstehensansatz für diesen Ansteckungseffekt der Begeisterung liefern (ebd., S. 80). Es bleibt aber dieses beklemmende Faktum, dass Begeisterung für eine große Idee, das Besetztsein und Ergriffensein von Idealen und Aufgaben, von religiösen oder politischen Menschheitszielen, sowohl für – nach unserem Wertsystem – positive Hochleistungen als auch für die mit gleicher Inbrunst verfolgten fanatischen Ziele konstituierend ist. Es liegt, von außen gesehen, gewissermaßen nur ein schmaler Grat zwischen beiden Möglichkeiten; von innen, vom psychischen Erleben und Reagieren her gesehen, ist es beide Male eine positive Überzeugung, Ergriffenheit und Begeisterung von einer unbestreitbar guten und richtigen Einstellung, die allen hohen Einsatz rechtfertigt. Die im fanatischen Außenaspekt so oft herrschende Verbissenheit und Hasserfülltheit kann dabei aber dieses Bild sehr überlagern.

Jedenfalls darf intensive Begeisterung, und die ihr zugrundeliegende Fähigkeit hierzu, zu Recht mit als wichtige Basis-Emotion – wenn auch nicht als eigentliches Spezifikum – fanatischer Wesensart angesehen werden. Sie ist als Eigenschaft, wenn sie sich auf ideelle Ziele ausrichtet, typologisch weithin strukturübergreifend, auch wenn sie in der klassischen Typologie nur vorwiegend dem hysterischen Typus zugeschrieben wird, mit dem Hinweis auf ihre relative Inkonstanz (s. o.). Vor allem wirkt sie über den emotionalen Mitnahmeeffekt motivbildend und fließt damit als besonders anregendes Element in die fanatischen Zielvorgaben und Aktivitäten ein. Trotz allen Wissens darum, dass Menschsein ohne Begeisterungsfähigkeit und ohne die Fähigkeit, sich fasziniert und mit aller Kraft einem großen Ziel widmen zu können, ein armseliges und stumpfes Routinedasein bliebe: Das Wort »Begeisterung« oder »Enthusiasmus« löst in mir, seit ich mehr Bewusstsein dieser Zusammenhänge erlangt habe, stets ambivalente Gefühle aus, und dies dient wohl der hier stets notwendigen speziellen Achtsamkeit. Denn stets droht hinter diesem schönen emotionalen

Eingangstor der Abgrund des destruktiven Abgleitens in fanatische Ideenwelten.

In der *»Identifikation mit dem Ideellen«* haben wir ein weiteres, zentrales psychisches Element beschrieben, das, wenn es in unflexible Einengung, ideologische Fixierung und extreme Hingabe einmündet, zu einem typischen Merkmal fanatischer Einstellung werden kann (vgl. Kap. III.). Es rückt insoweit ebenfalls in die Nähe eines Spezifikums fanatischer Wesensart, als es den »Drang zum Extrem«, die Überzeugung von der Verwirklichung hoher Menschheitswerte und die innere Rechtfertigung des Kampfes hierfür in sich vereinigt. Hier begegnet wiederum die beschriebene »Gefahr von oben«, die »Destruktivität der Ideale (vgl. Kap. III. und VI.) und die gleichzeitige, aus der ideellen Überzeugung folgende Blindheit für eben diese Destruktivität, also wieder das gute Gewissen dabei. Dies wiederum aber unterscheidet eine solche fanatische Denk- und Empfindungswelt deutlich von allen sonstigen Arten von Unbeugsamkeit, Gewaltausübung, Machtstreben und Interessendurchsetzung. Der Gedanke oder das Empfinden, etwas »Unrichtiges«, »Schlimmes« oder »Böses« zu tun oder gar »böse« zu sein, bleibt völlig außerhalb des Gesichtskreises.

Eine solche wirkliche Blindheit gegenüber dem, was aus dem fanatischen Tun an Destruktivität tatsächlich folgt, lässt sich z. B. gut an der Aktion der Zerstörung der beiden berühmten Buddha-Statuen im Tal von Bamian in Afghanistan durch die Taliban im März 2001 aufzeigen. Die Sprengung war angekündigt worden, und sie wurde trotz der weltweiten Proteste vieler buddhistischer Gemeinden und auch der Interventionsversuche der UNO durchgeführt (Näheres s. Rashid, 2001, S. 27, 130 u. 142). Auch wenn noch politische und ethnische Hintergründe mit eine Rolle spielten, war doch das strenge islamische Bilderverbot und der Gegensatz zum Buddhismus begründend, auch für die Zerstörung anderer Buddha-Statuen im Lande. In derselben Blindheit gegenüber den kulturellen Folgen der eigenen religiös motivierten fanatischen Destruktivität fanden z. B. auch 1522 und 1534 die sogenannten Bilderstürme in der Reformationszeit statt (s. Heussi, 1949, S. 294; vgl. auch Kap. V.). Und eine ähnliche psychische Verfassung und Emotionslage, trotz ihrer Überlagerung durch nationalistische und soziale Motive, haben wir als »religiöse Erregung« im Zusammenhang mit dem hinduistischen Sturm auf die Moschee von Ayodhya 1992 beschrieben (vgl. Kap. III.). Was hier an Identifikation mit dem Ideellen in der kollektiven Situation exemplifiziert wurde, lässt sich analog auch an vielen einzelnen Fanatiker-Gestalten verdeutlichen, wie sie in diesem Buch z. T. ausführlich beschrieben werden.

Auch die Fähigkeit, in der essentiellen fanatischen Emotion oder im schon mehrfach dargelegten fanatisch-emotionalen Mitnahmeeffekt in

Gruppe und Masse (vgl. Kap. III.) eine derartige innere *Abspaltung* (Dissoziation) zu vollziehen, dass alles Negative, Gefährliche und »Böse« nur noch projektiv im Anderen, im Fremden, im Feindbild gesehen wird, stellt zunächst ebenfalls kein Spezifikum fanatischer Wesensart an sich dar. Ihr liegt ein ubiquitärer psychischer Projektionsmechanismus zugrunde, der zu den neurosenpsychologisch hinreichend beschriebenen, klassischen Phänomenen gehört bzw. der menschlichen Psyche als Möglichkeit überhaupt eigen ist. Dies braucht hier nicht näher ausgeführt zu werden. Es gibt jedoch auch Phänomene, die der typischen fanatischen Abspaltung bereits schon näher liegen. Wirth (2001) hat dies z. B. deutlich am Beispiel der Fremdenfeindlichkeit und des exzessiven Fremdenhasses aufgezeigt. Er kommt über das Aufzeigen der Konzepte der Fremdenangst aus Sicht der psychoanalytischen Entwicklungspsychologie (Freud) und der Bindungstheorie (Erdheim) zur Darstellung des Fremdenhasses »als narzißtische Störung«, hinter dem die Angst steht, vom Objekt überwältigt zu werden, also »die narzißtische Angst vor dem Verlust des Selbstwertes«; der Fremdenhasser habe sich »in die fanatische und unkorrigierbare Vorstellung verbissen, alles ›Böse‹ gehe nur von dem gehaßten Fremdling aus« (ebd., S. 1225f.).

Diese Art der Abspaltung aus einem Abwehrprozess heraus spielt zweifellos – und viele Psychogramme von fanatischen Persönlichkeiten belegen es – eine wichtige und wohl auch häufige Rolle in der fanatischen Psychodynamik, und dies besonders deutlich im rechtsextremen Fremdenhass und Antisemitismus (vgl. Kap. V.). Es scheint aber fraglich, ob eine generelle Anwendung des Spaltungs- und Projektionskonzepts, wie es häufig geschieht, der Komplexität in der Psychogenese des Fanatischen gerecht werden kann, so wenig wie eine durchgehende Kompensationsvermutung überhaupt. Wenn Hoffer (1999) schreibt, dass »alle Formen der Hingabe, Ergebenheit, Loyalität und des Selbstverzichts wesentlich der verzweifelte Versuch« seien, »sich an etwas zu klammern, was einem vergeblichen und verpfuschten Leben Wert und Bedeutung geben könnte«, und dass dieser Ersatz deshalb notwendigerweise mit »leidenschaftlich übersteigerten Gefühlen« entgegengenommen werde (ebd., S. 27), so ist dies eine Generalisierung, der klar widersprochen werden muss. Gerade weil sie im Zusammenhang der Analyse fanatischer Einstellungen gemacht wird, bedarf es des deutlichen Gegenhinweises, dass die – wenn auch fatale – fanatische »Identifikation mit dem Ideellen«, auch wo sie deutlich zur Selbstwerterhöhung und zur Mobilisierung von Größenideen führt, ihre eigene befriedigende und narzisstisch-lustvolle Befindenssteigerung entbinden kann, ganz ohne ein solches psychisches Kontrast-Konzept.

Viele Fanatiker der verschiedensten Art sind dies über Begeisterungs- und Ergriffenheitserlebnisse positiver Art geworden, ohne dass ein solcher düsterer Gegensatz-Hintergrund eruierbar wäre. Aber selbstverständlich gibt es auch diesen. Und nur im Einzelfall oder aus der jeweiligen Gruppen-Situation heraus ist eine solche psychische Dynamik aufzeigbar und auch verstehbar. Zwischen dem aus traumatisierenden, aggressionsfördernden Erfahrungen und desolaten sozialen Verhältnissen erwachsenden Fanatismus islamistischer Terror-Attentäter, und demjenigen der von politischen Größen- und Heilsideen begeisterten fanatischen Jugendlichen im Dritten Reich, und noch mehr dem utopischen politischen Fanatismus der aus dem gut situierten bürgerlichen Mittelstand stammenden RAF-Terroristen liegen diesbezüglich gewaltige Unterschiede, wenn nicht gar »Welten«.

An diesen Beispielen lässt sich, z. T. bis in Einzelbiographien hinein, auch zeigen, dass das *Lebensalter* in Bezug auf die Fanatisierbarkeit kaum etwas mit solchen verstärkten Überkompensations- oder Abspaltungsprozessen aus misslicher äußerer oder innerer Lage heraus zu tun hat bzw. diese besonders beeinflusst. Vielmehr erweist sich aufgrund eines viel breiteren Zusammenhangs, dass unter den verschiedensten Kultur- und Sozialisationsbedingungen das Jugend- und Adoleszentenalter als besondere Entwicklungsstrecke auch eine besondere Affinität zu klaren Weltentwürfen mit Idealbildungen und Entweder-Oder-Denken entwickelt. So hat Grom (1992) für die religiöse Entwicklung dargelegt, wie, im Sinne der »konstruktivistischen Theorien«, der Heranwachsende mehr und mehr das ursprünglich unverstanden Übernommene durch eigene Denkbemühungen ersetzt und so die Muster aufbaut und korrigiert, »nach denen er die Umwelt deutet und auf sie einwirkt« (ebd., S. 233). Diese zunächst noch unreifen und vor allem einseitigen Muster in der Adoleszentenzeit, ob religiöser oder politischer Art, wirken aber enorm identitätsbildend, und sie werden gleichzeitig von der sich ebenfalls jetzt ausbildenden, z. T. eruptiv eigenerlebten Emotionalität getragen und mit Leben und Bedeutsamkeit erfüllt. In seinen kulturpsychologischen Analysen stellt ferner Erdheim (1999) dar, wie das Bestreben des Adoleszenten, sich »von seiner Kindheit und ihren Glaubensformen zu verabschieden«, u. a. zu typischen »adoleszenten Größen- und Allmachtsphantasien« führt, ebenso zur »Bereitschaft zu Unterordnung und Selbstaufopferung« (ebd., S. 47); die Verlustängste und Verunsicherungen in dieser Übergangszeit könnten auch dazu führen, dass die Betreffenden »in scheinbare Sicherheit anbietenden Angeboten Zuflucht suchen«, wie z. B. in »Drogen, Sekten oder extremistischen politischen Bewegungen« (ebd., S. 53).

Die Adoleszentenzeit wurde ebenso auch von French (1990) speziell unter dem Gesichtspunkt beginnender fanatischer Entwicklungen, und anknüpfend an Eriksons Ausführungen zur Rolle der Religion in der menschlichen Entwicklung, als ein Stadium markiert, »where ideology becomes the institutional support für identity« (ebd., S. 32). »There is incredible potential here for life engagement, and the channeling of it into extreme expressions of idealism or cynism« (ebd., S. 32f.). Ähnlich sieht Lifton (1961) diese Lebensstrecke gekennzeichnet durch »strong enthusiasm, a marked tendency toward emotional polarization, of great ideological receptivity, and of maximum experiential intensity« (ebd., S. 469). Sowohl von der psychologischen Analyse als auch von den Erfahrungen in der Realität her zeigt sich so die Adoleszentenzeit als in besonders intensiver Weise, und durchaus verstehbar, fanatismusfördernd. Dennoch kann sich eine Fanatisierbarkeit und eine fanatische Identität – wofür es ebenfalls viele markante Beispiele gibt – auch mit anhaltender fanatischer Energie durch ein ganzes Leben hindurchziehen.

Immer ist die Versuchung groß, bei einem so markanten und gleichzeitig komplexen Phänomen wie dem Fanatismus ein bestimmtes, auffallendes Prinzip, einen bestimmten psychodynamischen Vorgang zum Angelpunkt für das Verständnis des Ganzen zu machen. So scheint es vor allem sehr naheliegend, bei allen Arten von Fanatismus, eben wegen des Phänomens der extremen kognitiven und affektiven Einengung und der ausschließlichen, kompromisslosen und hochideellen Zielverfolgung, psychische Mechanismen der *Überkompensation* anzunehmen. Dass es vielfältige Muster und Einzelbeispiele dieser Art gibt, wurde in den vorausgegangenen Ausführungen schon eingehend dargetan. Sie decken ein breites Erlebnis- und Verhaltensspektrum ab, von der Überkompensation körperlicher Mängel, kollektiver sozialer Herkunftsschicksale und familiärer Traumatisierungen bis zur Unterdrükkung und Übertönung eigener Zweifel an der vertretenen Sache und der Aktivierung verborgener Größenideen (vgl. Kap. III.). In der Einzelbeschreibung typischer fanatischer Persönlichkeiten, wie z. B. bei Hitler, oder großer fanatischer revolutionärer Bewegungen, wie z. B. beim Islamismus, wird diesen Mechanismen noch detailliert begegnet (vgl. Kap. V.). Rudin (1975) hatte auch die Frage aufgeworfen, ob nicht sogar eine Erklärung für das so auffällige hohe energetische Niveau in der Kompensation persönlicher Mängel liege, und er sprach dabei direkt von »Intensität als Kompensation« (s. o.). Doch die Gefahr ist, wie schon gesagt, groß, dieses Argument und überhaupt das Modell der Überkompensation für den Bereich des Fanatischen zu überziehen. Denn es handelt sich ja dabei um einen den menschlichen Reaktions- und Bewältigungsformen in großer Breite eigenen neurotischen Musterablauf überhaupt, der auch in vielerlei nicht-fanatischen Zusammenhängen ebenfalls in markanter Weise vorkommt, vom einfachen überkompensatorischen Imponiergehabe bis zum klassischen Hochstapler. So ist auch der schon erwähnten Feststellung von A. Haynal u. a. (1983), Fanatismus sei »a megalomanic condition«, in dieser Einfachheit zu widersprechen, zumal wenn darin die Auswirkung einer pathologischen Omnipotenz gesehen wird, »which most often masks feelings of impotence and despair« (ebd., S. 38), auch wenn dies auf das von den Autoren herangezogene Beispiel Hitlers freilich durchaus zutrifft (vgl. Kap. V.). Also auch bei der Überkompensation haben wir es mit einem bei Fanatikern zwar typischerweise und häufig vorkommenden Phänomen in der persönlichen und kollektiven Psychodynamik zu tun, aber es kann nicht als wirkliches Spezifikum, als der besondere Schlüssel zum umfassenden Verständnis ihrer psychischen Prozesse angesehen werden.

In einem häufig sehr engen psychodynamischen Zusammenhang mit Überkompensationsmechanismen wird das Konzept und das Phänomen des *Narzissmus* gesehen. Hieraus folgt dann auch oft die generelle Anwendung auf die Psychodynamik der fanatischen Persönlichkeiten. Wir hatten selbst bereits auf solche typischen Verknüpfungen, vor allem auf die mögliche Entwicklung von der flexiblen Kompensation zur starren Überkompensation und dann zur Ideologie mit narzisstischer Identifikation hingewiesen. Huth (1984) hat dies in die Formulierung gegossen, »ideologische Persönlichkeiten« seien »hintergründige Narzißten« (ebd., S. 228). Schon entsprechend dem großen Raum, den die Narzissmus-Thematik seit Kohut einnimmt, und weil sie innerhalb dessen immer wieder in den verschiedensten Einzelzusammenhängen als wesentlicher psychodynamischer Angelpunkt angesprochen wird (s. o.), ist die Beleuchtung fanatischer Einstellungen speziell auch unter dem Gesichtspunkt narzisstischer Persönlichkeitshintergründe hier besonders wichtig und naheliegend. Bereits E. Fromm (1961/1989) hatte davon gesprochen, dass »der Fanatiker eine stark narzißtische Persönlichkeit« sei, und dass er »in einem Zustand narzißtischer Erregung« lebe; er sei »leidenschaftlich in seiner abgöttischen Unterwerfung und seiner Grandiosität, gleichzeitig aber jedoch kalt und zu einer echten Bezogenheit und einem echten Gefühl unfähig« (S. 60f.). Fromm weitet dieses Konzept, wie schon zitiert (vgl. Kap. III.), auch auf typische Gruppenphänomene aus: »Fanatismus ist eine charakteristische Eigenschaft des Gruppennarzißmus« (1977, S. 229).

So sehr nun die Analyse Fromms Wesentliches trifft, besonders mit den Hinweisen auf die typische Beziehungsunfähigkeit des Fanatikers als Folge seiner narzisstischen Selbstbezogenheit, so sind dennoch Vorbehalte gegenüber einer solchen argumentativen Ausschließlichkeit angebracht. Vielleicht hat hier die gedankliche Nähe, die das fanatische Beziehungs- und Empathie-Defizit mit seiner sozial destruktiven Ausrichtung zum Konzept der »bösartigen Aggression« im Sinne der »Nekrophilie« für Fromm einnimmt (ebd., S. 366ff.), eine solche Sicht begünstigt. Wie die Untersuchungen von O. Kernberg (1996/2001) zeigen, erweist es sich als sinnvoll, narzisstische Persönlichkeitsstörungen von antisozialen Persönlichkeitsstörungen zu unterscheiden, vielleicht sogar zwischen die beiden noch eine weitere Gruppe, die des »malignen Narzißmus«, einzuschieben (ebd., S. 52); in letzterer könne sich durchaus die Fähigkeit zur Loyalität gegenüber Anderen zeigen, sich aber auch ihr »ichsyntoner Sadismus« in einer »bewussten ›Ideologie‹ aggressiver Selbstbestätigung« ausdrücken, oder ihre paranoide Orientierung sich in einer überzogenen Tendenz manifestieren, »andere Menschen als Idole, Feinde oder Narren zu sehen« (ebd., S. 62f.). Gerade in der für fanatische Weltperspektiven so charakteristischen und auch häufigen *paranoiden Einstellung*, die die nähere und ferne Umgebung nie als harmlos oder neutral erleben kann, sondern in ihr meist Feinde wittert, liegt ein Element, das aus einem typischen narzisstischen Selbstbezug mit seiner hintergründigen Selbstunsicherheit resultiert. Ebenso stellt auch der weitverbreitete Wesenszug, den wir mit »Selbstgerechtigkeit« bezeichnen, eine Facette des Narzissmus dar. Amos Oz (2004) erkennt gerade in ihr eine verborgene Tendenz zum Fanatischen, woraus seine lapidare Formulierung resultiert, »dass die Wurzel des Fanatismus in der kompromisslosen Selbstgerechtigkeit liegt« (ebd., S. 45). Wie weit sich freilich die gleichzeitige fanatische Hartnäckigkeit, Durchhaltefähigkeit und Starre aus der narzisstischen Verfassung erklären lässt, muss offen bleiben.

Der Psychoanalytiker K. König (1995) wiederum weist ausdrücklich darauf hin, dass z. B. in der Art des Umgangs mit Utopien der narzisstisch Strukturierte sich nicht gern vorgegebenen Entwürfen anschließe, sondern diese verändern müsse, um ihnen »gleichsam seinen Namen aufzudrücken«; er sei auch, im Gegensatz zum Schizoiden, durchaus zu Kompromissen fähig (ebd., S. 70). Insgesamt kommt dem so facettenreichen Strukturelement des »Narzißmus« zweifellos eine zentrale Bedeutung für die fanatische Wesensart zu, wie wir es auch immer wieder in verschiedenem Zusammenhang betont haben (vgl. Kap. III.) und später anhand entsprechender Beispiele konkretisieren werden. Dennoch geht es nicht an, wofür es ebenfalls hinreichende Anhaltspunkte gibt, in diesem ja auch in gewisser Hinsicht psychologisch modischen Persönlichkeitsmodell den eigentlichen Schlüssel für das Verständnis fanatischer Wesensart zu sehen. Dies schon deswegen nicht, weil die Grenzen zu unseren »normalen«, für unser aller Selbstwertgefühl so wichtigen narzisstischen Anteilen sehr fließend sind, und weil diese wichtig bleiben, unabhängig von unserer fanatischen Induzierbarkeit.

Ein ebenso wichtiger, z. T. noch mehr prägender Hintergrundsanteil für die spezifische fanatische Wesensart kommt den schon beschriebenen *klassischen*

Strukturtypen zu. Wir haben aus diesem Grund die Clarifikationen und Interpretationen von Kretschmer, Rudin und Jung hierzu ausführlich geschildert (s. o.). Es ist unmittelbar der Erfahrung zugänglich, wie sehr, verkürzt ausgedrückt, *hysterische* Anteile das momentan begeisternde, mitreißende, hingabeintensive fanatische Element bilden können, *schizoide* Anteile dagegen für die psychische Starre, doktrinäre Zielorientierung und unbeirrbare Durchsetzung stehen und sich in der *zwanghaften* Struktur fundamentalistische Fixierung, autoritärer Charakter, innere Nötigung sowie Sendungsbewusstsein repräsentiert finden. Der *depressive* Strukturtypus – dies sei ergänzend angefügt – zeigt von seinem inneren Wesen her kaum expansive fanatische Tendenzen, kann jedoch aus seinem Vollkommenheits- und Harmoniebedürfnis heraus zu entsprechenden fanatischen Beglückungsideen und -utopien beitragen (s. auch K. König, ebd., S. 70); phänomenologisch kann man ihn am ehesten dem introvertierten Typus nach C. G. Jung bzw. der Gruppe der stillen, introvertierten Überzeugungs-Fanatiker (vgl. Kap. IV.) zuordnen.

Schließlich lässt sich auch noch neben anderen Teilelementen der spezielle Typus der »hypomanischen Persönlichkeit« (Akhtar, 1996/2001) anführen, den man freilich, aus psychiatrischen Abgrenzungsgründen, meines Erachtens besser als »*hyperthyme* Persönlichkeit« bezeichnen sollte. Die Gemeinsamkeit dieses Typus mit dem narzisstischen besteht nach Akhtar in einer »gewissen Grandiosität« sowie einem »moralischen, ästhetischen und beruflichen Enthusiasmus«; der narzisstisch gestörte Mensch zeige aber nicht jene »dauerhafte Begeisterung«, die den Hypomaniker charakterisiere; letzterer sei auch »eher verspielt, suggestibel, sprunghaft«, ersterer »eher verbissen, anmaßend, humorlos und unerschütterlich« (ebd., S. 23). Auch von dieser Unterscheidung her würde der hyperthyme Mensch mit seinem starken Antriebsreservoir und positiven Lebensgefühl, wenn er fanatisch wird, eher jener Gruppe zuzurechnen sein, die sich nicht einfach von den typischen Überkompensationsmechanismen her verstehen lässt. Wir sind auf die Bewertung des hyperthymen Strukturelements für die fanatische Existenz auch schon in anderem Zusammenhang eingegangen (s. o.):

In dem Versuch, außer den vielen bekannten Einflussgrößen ein Spezifikum, ein nur oder vorwiegend nur die fanatische Wesensart charakterisierendes oder bestimmendes Element finden zu können, werden wir auf die Ausgangslage zurückgeworfen: Es ist und bleibt eine *Mehrzahl* von Bedingungen und Einfluss- bzw. Strukturgrößen, die das Fanatische jeweils hervorbringen und ausmachen, und die dann bestenfalls in erkennbarer Weise, wie beim Erreichen einer »kritischen Masse«, in die manifeste Endstrecke »Fanatismus« einmünden, oder sich sogar selbst einem solchen Erkennen und Verstehen verweigern. Gleichwohl ließen sich einige Merkmale aufzeigen, die, wenn auch nicht spezifisch, so doch höchst typisch und signifikant das Wesen des Fanatischen mit ausmachen.

Zu diesen gehören – zusammenfassend – einmal das Phänomen der *»fanatischen Energie«* als verlässliches Reservoir für die fanatische Existenz überhaupt, dann die hohe *Begeisterungsfähigkeit* als Voraussetzung für das innere »Zünden« von Ideen, und im Gefolge davon die *Identifikation mit dem Ideellen* als fraglose Übereinstimmung mit großartigen und endgültigen Menschheitszielen. Diese faszinierende Großartigkeit gedeiht und gestaltet sich dann, außer von der Ideenwelt her, in besonderer Weise über die Aktivierung bereitliegender *Größenideen* im Rahmen einer *narzisstischen Persönlichkeitsstruktur*, und sie wird umso wirksamer und selbstverständlicher, je mehr es zur *Abspaltung* entgegenstehender Kognitionen und Gefühle und deren *Projektion* auf die Außenwelt, speziell die Feinde, kommt, was auch die unbeirrte *positive Gewissenkonformität* mit den Mitteln und Zielen des Kampfes für die eigene Sache mit bedingt. Zudem kann auch eine eventuelle *Überkompensation* eigener persönlicher Mängel, Kränkungen oder Zweifel an der vertretenen Sache zur vermehrten Einseitigkeit, Einengung, starren Fixierung und Durchsetzungsintensität führen. Der konstitutionelle Beitrag der vorbestehenden *klassischen*, neurotisch akzentuierten *Persönlichkeitsstrukturen* zur Prägung der jeweiligen fanatischen Einstellungsschwerpunkte und Verhaltensstile rundet das systemische Entstehungs- und Bedingungsgefüge ab.

Hinzuweisen ist noch darauf, dass der auch hier zweifellos vorgegebene *erbgenetische* Faktor in Anbetracht der komplexen Psychogenese und der sonstigen multifaktoriellen Zusammenhänge insgesamt methodisch unzugänglich bleibt. Nur auf dem Gebiet der Persönlichkeitsstörungen im engeren Sinn, verglichen mit Psychoneurosen oder anderen funktionellen Störungen, ist ein entsprechender erbgenetischer Einfluss zu verifizieren (s. Häfner u. Franz, 2000, S. 15f.). – Schließlich kommt auch der Tatsache, dass fanatische Entwicklungen und Aktivitäten ihren Schwerpunkt insgesamt in der *Adoleszenzzeit* bis zum mittleren Lebensabschnitt haben, in der Realität und für entsprechende Perspektiven der Beurteilung zwar eine wichtige Bedeutung zu, die Qualität eines fanatismusspezifischen Merkmals ist aber auch hier nicht gegeben; diese Zeit stellt gleichzeitig ja eine Aufbruchszeit auf sehr verschiedenen Lebensgebieten und ganz anderen Entwicklungsebenen dar.

Fazit aus allem: Fanatismus und fanatische Wesensart beruhen nicht auf einer klar bestimmbaren, spezifischen Eigenheit der Persönlichkeitsstruktur oder der Interaktion zwischen Person und Umwelt. Sie resultieren – wie es schon ausgesprochen wurde, aber der Wichtigkeit wegen hier nochmals wiederholt wird – aus einem *multifaktoriellen, komplexen*, *systemischen Geschehen*, einem Zusammenwirken unterschiedlichster Bedingungen aus verschiedenen Lebensbereichen. In sie gehen die psychische Grundstruktur, die psychosoziale Entwicklung und die begünstigende oder auslösende Gegenwartssituation gleichermaßen ein. Es gibt keine einfache Antwort auf die Frage nach dem Fanatismus. Und es gibt erst recht keine Voraussage, ob und unter welchen Umständen ein Mensch fanatisch werden kann oder werden wird.

V. Inhaltliche Ausrichtungen des Fanatismus

a) Reine Formen und Verschmelzungsformen

Zur besseren, klärenden Zuordnung und zur Herstellung von mehr Transparenz in der verwirrenden Phänomenologie fanatischer Strömungen soll hier eine Unterscheidung nach inhaltlichen Ebenen getroffen werden. Unter »reinen Formen« wird die zumindest deutlich schwerpunktmäßige Beschränkung der fanatischen Motivlage, Ideologie und Zielsetzung auf ein spezifisches, abgrenzbares Lebensgebiet verstanden. Hier sind als die wichtigsten der religiöse, der politische und der individuelle Lebensbereich zu nennen. Es gibt auf der einen Seite gänzlich politikferne oder geradezu politikfeindliche fanatische Identifikationen, wofür als Beispiel die meisten autoritär-totalitären Sekten stehen; eine hierbei erhoffte »neue Welt«, das »Gottesreich« oder die Wiederherstellung des »Paradieses« auf Erden bleibt im Umkreis religiöser Glaubensfixierung und Wundererwartung und entbindet keine diesseitigen politischen Aktivitäten. Auf der anderen Seite des Spektrums stehen, zumindest vom Selbstverständnis her, dezidiert areligiöse bzw. antireligiöse, rein politische Fanatismen, wofür als Beispiel der RAF-Terrorismus bzw. der fanatische Flügel innerhalb des Marxismus-Leninismus gelten können. Dazwischen liegt die Breite der sich berührenden, überlappenden oder sich gegenseitig durchflechtenden und miteinander verschmelzenden Lebensbereiche mit fanatischer Ausprägung.

Dass von der psychologischen Analyse, vom kulturellen Entwicklungshintergrund und von seinen Welterlösungs-Projektionen her der politische Fanatismus gleichwohl »religiöse«, eben säkularisierte Strukturelemente enthält (s. u.), liegt auf einer anderen Ebene. Meist dem außenstehenden kritischen Betrachter, nicht aber dem mit seiner »rein« politischen Zielsetzung Identifizierten fallen diese Analogien und der numinose Charakter der politischen Sehnsuchtsbilder auf. Die schon im Alltäglichen »zweifellos vorhandene Irrationalität in der Politik«, auf die H.-J. Wirth (2002, S. 10) so deutlich hinweist, gewinnt in der fanatischen Ausuferung, gerade von diesem Hintergrund her, eine um ein Vielfaches verstärkte, geradezu erschreckende Dimension. Dennoch scheint es zur Strukturierung der fanatischen Erscheinungswelt angebracht, die beiden genannten Lebensbereiche je für sich zu betrachten und zu bewerten. Denn erst von dieser zunächst vorgenommenen phänomenologischen Unterscheidung in religiösen und politischen Fanatismus her lässt sich das typische Ineinander, die Vermischung, die Verschmelzung der beiden Bereiche, wo diese sich in dieser Weise zeigen, adäquat analysieren und verstehen.

Wir haben bewusst den Intensivbegriff der »Verschmelzung« gewählt, weil die hier wirksame Dynamik psychologisch meist weit über das hinausgeht, was mit »Vermischung« oder »Kombination« ausgesagt werden könnte. Die persönlichkeitsstrukturelle Prägung der fanatischen Existenz (vgl. Kap. IV.), der Begeisterungsanschub und die typische Identifikation mit dem Ideellen (vgl. Kap. III.) vermag offenbar psychische Basiskräfte und Emotionen von einer Inbrunst und Hingabe zu entbinden, die im Erleben der Betreffenden dann keine Grenzen mehr zwischen den verschiedenen Bereichen spürbar werden lassen.

Noch weit über das genannte Element der Irrationalität in der Politik hinaus zeugen alle Attributionen religiöser Art, die auf politische Strukturen oder Ziele angewendet werden, von solcher Verschmelzung mit Vollkommenheits- und Heilscharakter. Wir werden, entsprechend sensibilisiert, immer wieder auf sie hinweisen müssen: »Heilig Vaterland«, »Heiliger Krieg«, »Gott mit uns«, »Heil«, »Erlösung« u. a. sind direkt-sprachliche Beispiele hierfür (vgl. auch Kap. VI.); die Anmutungsinhalte vieler anderer Worte lassen darüber hinaus weitere religiöse Emotionen und Assoziationen aufkommen: so etwa »Treue«, »Hingabe«, »Gehorsam«, »Vollkommenheit«, »Gerechtigkeit« u. a. (vgl. Kap. III.). Das heute von seiner großen welthistorischen und hochaktuellen Auswirkung her bedeutendste Beispiel für religiös-politische Verschmelzungsideologie ist die islamistische Bewegung; sie erfährt deshalb hier eine ausführliche Darstellung (s. u.). – Im Folgenden sollen zunächst Beispiele aufgeführt werden, die, im genannten Sinn, »reine« Formen von fanatischen Strömungen, Personen oder Gruppen repräsentieren.

b) Religiöse Fanatiker und religiös-fanatische Bewegungen: Beispiele

Mehrfach wurde schon darauf hingewiesen, dass der religiöse Fanatismus die tiefgreifendste, auch zu den extremsten Auswirkungen neigende Form des Fanatischen darstellt. Dies ist keine religionskritische Äußerung, vielmehr soll damit zum Ausdruck gebracht werden, dass die religiöse Ergriffenheit und Hingabe, die Totalität der Identifizierung im religiösen Glauben, mit zu den stärksten Antrieben und Verhaltensmotiven überhaupt zählt bzw. zählen kann. Das Religiöse trägt so den Drang zum Extrem, gerade in Gestalt des »Vollkommenen« und des »Heiligen«, essentiell in sich, und diese Zielrichtung erscheint ja auch deutlich in der Verkündigung. So stellt der religiöse Fanatismus den Prototyp aller fanatischen Ausformungen dar (s. o. und Kap. I.).

Mit der Schilderung des hinduistischen Sturmes auf die Moschee von Ayodhya am 6. Dezember 1992 sowie den Hintergründen dieses Vorgangs (vgl. Kap. III.) haben wir ein erstes ausführliches Beispiel von gegenwärtigem religiösem Massenfanatismus gebracht. Daran sollte vor allem die fanatismusinduzierende Wirkung religiöser Erregung exemplarisch aufgezeigt werden. Im Folgenden geht es nun darum, konkretere und systematische Ausformungen von religiösem Fanatismus an historischen und gegenwärtigen Beispielen darzustellen.

Das erste dieser Beispiele schildert die reformatorische Bewegung der sog. »Wiedertäufer« in Form der extremistisch-fanatischen »Täuferherrschaft« in Münster; an ihr kann die Kombination und gegenseitige Bedingung von religiösem Einzelfanatismus und Massenfanatismus dargestellt werden. Im zweiten Beispiel, der Person des Genfer Reformators Calvin, haben wir eine geniale Persönlichkeit mit partiellen fanatischen Anteilen vor uns; an ihm lässt sich der Typus des »weichen« Fanatikers gut verdeutlichen. Das dritte Beispiel schließlich greift das gegenwärtig so aktuelle und vielfach Angst verbreitende Phänomen der sogenannten »autoritären Sekten« auf; an ihm soll die totale und totalitäre fanatisch-religiöse Infizierbarkeit von jungen Menschen, deren schließliche Selbstaufgabe und gleichzeitige Ausnutzung durch Andere, aufgezeigt und verständlicher gemacht werden.

1) Die Wiedertäufer in Münster

Es kann uns hier nicht um eine genauere kirchen- und frömmigkeitsgeschichtliche Darstellung der in sich komplizierten Gesamtbewegung gehen. Geschildert werden soll vielmehr der extremistische Höhepunkt, die sogenannte »Täuferherrschaft« in der Bischofsstadt Münster 1534/35, an der sich besonders eindrücklich das Wesen eines extremen religiösen Fanatismus demonstrieren lässt.

Diese Täuferherrschaft, das »Königreich von Münster«, begann mit der Ankunft des Propheten Jan Matthys im Februar 1534. Er nahm aufgrund von direkten »Geisterleuchtungen« die höchste Autorität in geistlichen und weltlichen Dingen in Anspruch. »Der persönliche Einfluss des Propheten muss so groß gewesen sein, dass die Angeredeten sich ihm nicht entziehen, geschweige denn widerstehen konnten. Dem Anspruch unmittelbarer Geistoffenbarung wagte niemand entgegenzutreten. Tat es später jemand, so war er ein Kind des Todes« (Stupperich, 1982, S. 45). In ekstatischer Art lief er durch die Straßen und stieß schreckliche Bußrufe aus. Er forderte die absolute »Reinigung« der Stadt, des »Neuen Jerusalem«, von allen »Gottlosen« und aller »Unsauberkeit«, womit alle anderen Gläubigen gemeint waren, die sich nicht wiedertaufen ließen und sich der neuen Ordnung nicht unterwarfen. Er rief in Berufung auf alttestamentliche Stellen dazu auf, alle diese Bürger zu töten, und fand dazu in der Menge großen Beifall. Nur mit Mühe gelang es dem Bürgermeister Knipperdolling, Matthys von diesem Vorhaben abzubringen; statt dessen wurden diese »Gottlosen« am 27. Februar 1534 ohne Hab und Gut bei Nacht aus der Stadt gejagt. Die Zurückbleibenden wurden zur Taufe gezwungen, der Bürgereid durch die Glaubenstaufe ersetzt.

Schon einige Tage zuvor war ein Bildersturm ausgebrochen, als Konsequenz des täuferischen Kirchenbegriffs von der »inneren Kirche« als bloßer »Gemeinschaft der Heiligen«. Gemälde, Skulpturen, Altäre, Grabmäler, auch liturgische Bücher und Orgeln wurden zerstört. Das Prinzip der absoluten »Reinheit« erfuhr in diesen Aktionen der fanatisierten Gläubigen seine drastische Konkretisierung. Die Überzeugungskraft und Selbstüberzeugtheit des Propheten war so groß, dass er, nachdem er auf den Ostertag 1534 den Ausbruch des Gottesreiches vorausgesagt hatte, das Eingreifen Gottes durch einen Ausbruch aus dem belagerten Münster zusammen mit wenigen Getreuen erzwingen wollte. Vor der Stadt wurde er dann von den bischöflichen Landsknechten in Stücke gehauen (s. Dethlefs, 1982, S. 25–27).

Zum Nachfolger von Jan Matthys setzte sich, trotz bzw. gerade wegen der entstandenen Krise, Jan Bockelson von Leiden selbst ein. Als Jan von Leiden regierte er, in einer wirkungsvollen Mischung aus charismatischer Führerschaft und rigoros-autoritärem Macht- und Geltungsdrang, auf eine noch unheilvollere und absolutere Weise als sein Vorgänger. Er entschied zusammen mit zwölf Ältesten über Leben und Tod aller Bürger. Außer den schon vorbestehenden Ansätzen zur urchristlichen Gütergemeinschaft und Abschaffung des Geldes und des Hausbesitzes, sowie der Proklamation einer neuen Verfassung als »göttlicher Ordnung« wurde im Juli 1534 noch die Polygamie eingeführt. Ein letzter Höhepunkt in der ungebremsten Entwicklung seiner religiösen Größenideen war schließlich, dass er sich im September 1534 nicht nur zum König von Münster, sondern als »Gesalbter Gottes« zum »König über den ganzen Erdkreis«, zum »König des Neuen Tempels und des Neuen Zion« krönen ließ.

Als aufgrund der bischöflichen Belagerung der Stadt der Hunger immer größer wurde, nahm auch die Rigorosität der Herrschaft zu. Das theokratische System, bei dem alle Vorgänge religiöse Bezüge hatten, endete schließlich, auch unter dem Druck der Außenbedrohung, in einer despotischen Willkürherrschaft, die Hinrichtungen häuften sich. Am 25. Juni 1535 fiel die Stadt in die Hand des bischöflichen Heeres. Die meisten der Überlebenden, von denen sich trotz allem viele weigerten, der täuferischen Lehre abzuschwören, fanden den Tod. Die drei Hauptverantwortlichen, Jan von Leiden, Knipperdolling und Krechting, wurden am 22. Januar 1536 zu Tode gefoltert und die Leichen in drei eisernen Käfigen am Turm der Lambertikirche aufgehängt (Dethlefs, 1982, S. 31–34; Venard, 1992, S. 138–139).

Obwohl dieses in seiner Extremphase auf die kurze Zeit von etwas über einem Jahr beschränkte historische Phänomen schon über 450 Jahre zurückliegt, stellt es ein anschauliches Beispiel für die Entstehungsbedingungen und Auswirkungen eines emotional überhitzten religiösen Fanatismus dar. Bezeichnend ist, wie hier im Gefolge der Reformation neue religiöse Überzeugungen, ekstatische Gläubigkeit und autoritäre Hörigkeit einerseits und massenpsychologisch wirksame Beeinflussung, Selbstdarstellungsdrang und blutiger Gesinnungsterror andererseits eine »heiße« fanatische Mischung eingegangen sind. Da die beiden Hauptfiguren hinsichtlich ihrer religiösen Überzeugungsechtheit bis heute umstritten sind, kann man sie auch nicht einfach nur als reine essentielle Fanatiker einstufen, trotz der permanenten biblischen Bezugnahme; offener Geltungs- und Machtdrang, auch Ausleben eigener Triebbedürfnisse, wird aus vielem recht deutlich und bildet eine eigene Motivschicht.

Die Anhängerschaft bzw. die verbliebenen, wiedergetauften Gläubigen andererseits zeigen die typische Gruppierung bei solchen massensuggestiven Abläufen: die in voller Form fanatisch induzierten Überzeugten auf der einen und die verängstigten, sich einfügenden Mitläufer auf der anderen Seite. Es spricht vieles dafür, dass die Gläubigen in Münster mehr an die Visionen und Prophezeiungen geglaubt haben als Jan von Leiden selbst. Ohne solche Glaubensbereitschaft in religiös aufgewühlter Zeit, mit dem dahinterstehenden Drang zum Extrem, wäre dieses makabre Ereignis nicht denkbar gewesen.

2) Calvin und die Genfer Theokratie

Die Gestalt des Genfer Reformators Johann Calvin (1509–1564) hat vielfältige, z. T. äußerst widersprüchliche Schilderungen und Deutungen gefunden. Dabei geht es hier selbstverständlich nicht um sein großartiges theologisches Werk und seine Bedeutung für die Reformation überhaupt, auch nicht um seine allgemeine Biographie. Dass wir gerade ihn in unsere Darstellung hereinnehmen, liegt u. a. eben in der so unterschiedlichen Wertung seiner Charakterzüge und Verhaltensweisen, die von den einen als deutlich »fanatisch« bezeichnet, von den anderen als Zeichen des Sendungsbewusstseins und konsequent frommen Lebens eines im übrigen feinsinnigen und selbstlosen Menschen angesehen wurden. Da es in der Kirchengeschichte und der Geschichte der Religionen nicht wenige ähnliche Gestalten gibt, schien uns Calvin exemplarisch zu sein.

Sicher oft falsch oder einseitig dargestellt wurde seine tatsächliche Einflussmöglichkeit auf den weltlichen Genfer Magistrat, dessen Maßnahmen also, soweit es um die Jurisdiktion und auch um die Errichtung der »Theokratie« ab 1541 ging, dem Jahr der Rückberufung Calvins nach Genf. So wendet sich auch McGrath (1991) in seiner Biographie gegen den »Mythos vom ›großen Diktator von Genf‹« (ebd., S. 141). Calvin hatte alles andere als eine primär zur grausamen Unterdrückung, zu Machtlust oder zu persönlicher Rücksichtslosigkeit und Durchsetzung neigende Struktur. Es werden ihm sogar ein von Natur eher schüchternes und ängstliches Wesen mit Scheu vor Konflikten bescheinigt (Dankbaar, 1959, S. 218), auch Feinfühligkeit als Seelsorger und in persönlichen Begegnungen.

Was hat Calvin die Bewertung als Fanatiker eingebracht, und worin liegt der tatsächliche fanatische Anteil bei ihm? Zunächst war es sicher seine bekannte enorme Reizbarkeit und Heftigkeit, seine Neigung zu Zornesausbrüchen oft wegen Kleinigkeiten, das »heftige Temperament« und seine Ungeduld, die er auch selbst als »wilde Bestie« in sich bezeichnete, die »noch nicht gebändigt« sei (Henry, 1846, S. 136). Zwar kann ein solcher ja weit verbreiteter Wesenszug noch keinesfalls als etwas Fanatisches gelten; er vermag freilich eine fanatische Ausrichtung in der Einzelsituation zu unterstützen und auch eine entsprechende Durchsetzung von fanatisch besetzten Zielen voranzutreiben, schon durch die verbreitete Angst.

Der Schlüssel zum Verständnis der eigentlichen fanatischen Verhaltensweisen, der Intensität, Hartnäckigkeit und konsequent-rigorosen Zielbestimmtheit liegt im Sendungsbewusstsein und im Frömmigkeitsstil von Calvin. Besonders treffend wurde dies von dem Biographen A. Bossert (1908) formuliert: »Der Mensch in ihm war nicht grausam, aber der Theologe war unerbittlich« (ebd., S. 119). Diese Unerbittlichkeit richtete sich zuerst gegen die eigene Person in Form eines durchgehend asketischen Lebensstils, in Strenge und Härte gegen sich selbst und seine Bedürfnisse – was er dann auch anderen zumutete (s. u.). Sie resultierte jedoch – und das ist der Ansatzpunkt bei vielen religiösen Fanatikern – aus dem Bewusstsein und dem Glauben, den Willen Gottes klar auf seiner Seite zu haben. Als geradezu klassisch darf Calvins eigene Äußerung hierzu gelten: »Da ich für meine Person im Gewissen darüber beruhigt bin, daß das, was ich gelehrt und geschrieben habe, keineswegs in meinem Gehirn erwachsen ist, sondern daß ich es von Gott habe, so muß ich auch dabei verharren, wenn ich nicht ein Verräter an der Wahrheit werden will« (zit. n. Bossert, 1908, S. 90).

Alles Weitere, die Rigorosität der »Theokratie«, der gottgewollten Kirchenzucht und Sittenordnung, ergibt sich und versteht sich aus diesem Ansatz. Die »fromme Tyrannei« in Genf – eine besondere Art der typischen »Tyrannei der Werte« (vgl. Kap. VII.) – wirkte sich in peinlich genauen religiösen und Alltagsvorschriften unter entsprechenden Strafandrohungen aus: so u. a. in eidlicher Verpflichtung der Bevölkerung auf ein Glaubensbekenntnis, Recht der Ältesten zu ungehindertem Zugang zu allen Häusern, Verbot von Lustbarkeiten wie Tanz, Kartenspiel, Fastnachtspiele und Wirtshausbesuch, Sittengericht mit Tod für Unzucht, Ehebruch, Gotteslästerung, Pietätlosigkeit gegen die Eltern, Verbrechen gegen die göttliche Wahrheit – dies alles in unbeugsamer Konsequenz, unnachsichtig streng selbst gegen seine Freunde (Heussi, 1949, S. 321 u. 325; Küng, 1994, S. 656).

Calvin hatte nach alledem, was die heutige Sicht an Beurteilung erlaubt, sicher fanatische Züge. Über seine Psychodynamik können wir wegen der Spärlichkeit seiner Selbstzeugnisse allerdings wenig aussagen. Der Drang zum Extrem wurde bei ihm typischerweise durch die religiöse Vollkommenheitsforderung, hier speziell die kompromisslose Hochstellung der »Ehre Gottes«, ausgelöst und in Gang gehalten. Bestimmte Akzentuierungen seiner Persönlichkeit, so seine kühle Distanziertheit, seine Humorlosigkeit, seine denkerische Rationalität und Konsequenz, auch sein mangelndes Gespür für alles »Situative« und das lebendig sprühende Leben, lassen an ihm deutlich die Merkmale der bereits beschriebenen schizothymen Struktur erkennen, zu der ihn ja auch E. Kretschmer betont zählt; auch dessen Heranziehung Calvins als Beispiel für die berühmte »schizothyme Trias«, nämlich Idealismus, Fanatismus, Despotismus (vgl. Kap. IV.), hat eine gewisse – freilich nur anteilmäßige – Berechtigung. Diese Gestalt, auch in ihrem religionspsychologischen und zeitgeschichtlichen Zusammenhang, ist zu komplex, um einfach in eine solche ausschließliche Zuordnung zu passen. Nach meiner Einschätzung und Systematik wäre Calvin am ehesten auf der Grenze zwischen »essentiellem« Fanatiker und »Teilfanatiker« einzuordnen; er war jedenfalls – trotz allem glaubensgebundenem Extremismus – nur ein »weicher« Fanatiker (vgl. Kap. III. und IV.).

3) Autoritär-totalitäre Sekten

Es gab Sekten zu allen Zeiten, immer indem sich eine kleine Gruppe mit abweichender Lehre und Glaubenspraxis von einer großen Gruppe, z. B. einer Kirche, abspaltete; dies entspricht dem etablierten Wortsinn. Zudem besteht Übereinkunft darüber, dass die Bezeichnung dann gilt, wenn eine solche Gruppe u. a. dialogunfähig ist und sich als eigene Religionsform definiert (Gasper u. a., 1994, S. 974). Typischerweise gehört mit dazu, dass die Mitglieder der Sekte sich als besonders und einzig erleuchtet, im Besitz der wahren Lehre und des Heils ansehen. Sie erleben sich im Kontrast zu allen anderen, auf deren Seite somit der Irrglaube, die Unwahrheit, die falsche Frömmigkeitspraxis, oder bereits der Abfall von Gott, das »Böse«, die »Finsternis« steht.

Unter »autoritären Sekten« im engeren Sinn werden nun speziell solche religiösen Bewegungen verstanden, die eine enorme Zuspitzung ihrer autoritären Verfassung und Praxis zeigen, wie sie von den zahlreichen herkömmlichen Sekten und Gruppierungen in dieser Weise unbekannt ist. Sie spielen vor allem seit etwa den 60er Jahren des vergangenen Jahrhunderts weltweit eine zunehmende Rolle. Auch für ohne Abspaltung, also originär entstehende Bewegungen und Neuschöpfungen dieser Art hat sich die Bezeichnung »autoritäre Sekten« weithin durchgesetzt. Synonym gebraucht wird der von Haack (1991) stammende Begriff der »Jugendreligionen«, der bereits auf eines der entscheidenden Merkmale, nämlich die Rekrutierung von Jugendlichen und jungen Erwachsenen, meist zwischen 18 und 35 Jahren, hinweist (S. 9f.). Auch die Bezeichnungen »Psychokulte« oder »destruktive Kulte« sind gebräuchlich.

Mit dem Zusatz »totalitär« versuchen wir hier vor allem auch noch den typischen Zugriff und Anspruch auf alle Lebensebenen und Verhaltensweisen der Mitglieder zu benennen. Kein eigener, persönlicher Freiraum darf ausgespart bleiben; dem versprochenen vollkommenen »Heil« entspricht die angestrebte totale Selbstaufgabe und die dafür vollkommene Hingabe an die Gruppe und ihre Ziele. Diese geschieht in einem die üblichen, normalen Frömmigkeitshaltungen quantitativ und qualitativ derart übersteigendem Umfang, dass der völlige Bruch mit dem bisherigen sozialen Umfeld unvermeidbar wird (s. u.). Dieser Bruch wird von den Führern der Sekte auch meist als unumgänglich forciert.

Im Zusammenhang mit der Darstellung fanatischer religiöser Bewegungen interessieren hierbei selbstverständlich gerade diejenigen Elemente des Glaubens und der Sektenpraxis, die für eine typische fanatische Ausrichtung bezeichnend sind und auch eine entsprechende fanatische Infizierung bewirken; ebenso wird die Frage wichtig, warum sich junge Menschen, zunächst noch aus freien Stücken, in diesen autoritären und fanatischen Bannkreis begeben; schließlich, welche psychischen Veränderungen die bedingungslose Eingebundenheit und zunehmende Abhängigkeit und Hörigkeit bei den Mitgliedern bewirkt.

Der spezielle psychodynamische Vorgang liegt, wie eingehend dargestellt, in der Kompensation und Auflösung aller Selbstwert- und Orientierungsprobleme dieser Jugendlichen, gerade durch die totale Identifikation mit dem religiös-idealistischen Heilskonzept und den sie vertretenden Führern oder Heilsbringern. Gleichzeitig kommt es zu einer Regression auf infantile psychische Stadien, die Sekte wird gewissermaßen zu einem neuen Uterus, der allen Geborgenheit verspricht. Die totale Unterordnung und die viel beklagte völlige »Hörigkeit« der Betreffenden hat in eben diesem Geborgenheitsgefühl und in der gleichzeitigen Umhüllung in der »Wir-Bildung«, in einer auserwählten Schar mit Heilsgarantie, ihren Grund. Es kommt zu einer mit enormer innerer Befriedigung erlebten Komplettierung der persönlichen narzisstischen Lücken, zur Aufhebung aller Durchschnittlichkeit, zur Aktivierung von Ergebenheitsgefühlen auf der einen und von Größenideen in Form der besonderen Auserwähltheit und Gottesnähe auf der anderen Seite.

In der Kennzeichnung der speziellen fanatischen Elemente bei diesen Gruppen ist sehr zu unterscheiden zwischen dem Fanatismus der Führergestalten und dem Fanatismus der Anhänger. Bei ersteren wird es oft schwer, wirkliche fanatische Einstellungen mit Erfülltheit von der eigenen Mission von reiner Machtausübung oder Geschäftemacherei zu unterscheiden, bzw. die Vermischung beider auseinander zu nehmen. Einer der Zielpunkte ist u. a., die bisherige Selbstbestimmung der Anhänger völlig zu eliminieren (s. u.), was keinesfalls immer nur einem eigennützigen und kriminellen Hörigmachenwollen entspringt, sondern auch Ausdruck einer religiösen Überzeugung sein kann: die Selbstverleugnung, das Hintersichlassen des bisherigen Lebens, die völlige Hingabe als Voraussetzung des zu gewinnenden göttlichen Heils.

Genau auf dieser Ebene von Forderungen nun, die per Identifikation total übernommen werden, aktiviert sich der fanatische Anteil bei den Anhängern. Besonders junge Menschen, die unter der alltäglichen, für sie so unbefriedigenden und nur aus Kompromissen bestehenden Lebensrealität spürbar leiden, dazu in einem heftigen Wertorientierungsprozess stehen, greifen in ihrem Suchverhalten begierig nach dem »Totalen«, dem »Radikalen«, dem »Ausschließlichen«, dem »Vollkommenen« – alles Begriffe aus der beschriebenen Atmosphäre der fanatischen Wertrealisation, des »Entweder-Oder«, des »Alles-oder-Nichts« (vgl. Kap. VI. und VII.). Gerade die für Außenstehende oft so unverständliche und bestürzende Selbstaufgabe der eigenen Individualität, das Hineinsinken in willenlose Autoritätsabhängigkeit und Hörigkeit mit Annahme eines geforderten »reinen«, oft asketischen Lebensstils, haben in diesem puristischen Bedürfnis ihre Wurzel. Als psychodynamischer Hintergrund wird von Klosinski (1994, S. 31) u. a. eine »idealisierende Übertragung auf einen gütigen Vater mit Absolutions-Erlebnis« genannt.

Die *inhaltlichen* Charakteristika der hier beschriebenen Gruppen zeigen, bei aller Verschiedenheit und bei allem jeweiligem Vollgültigkeitsanspruch, sehr enge, äußerst typische Gemeinsamkeiten. Als Kernmerkmale hat Haack (1991) hervorgehoben: die Behauptung, ein »rettendes Konzept« zu haben, mit dem sowohl die Probleme des Individuums als auch der gesamten Menschheit zu lösen sind, wobei die Versprechen jeweils »absolut« seien, wie »vollkommene« Gesundheit, »totale« Freiheit, »absolutes« Glück, »wirkliche« Selbstfindung; weiterhin der absolute Gehorsam, bezogen auf den Gründer als »heiligem Meister« und die nachfolgende Hierarchie, die auch eine »Hierarchie des Wissens« sei (ebd., S. 12). Dazu hat Lifton (1979) an kennzeichnenden Stichworten u. a. genannt: Milieukontrolle, mystische Manipulation, Forderung nach Reinheit, personbeherrschende Doktrin und »Existenzverleihung« (ebd., S. 75–79).

In Trainingskursen, einer Art exzessiver Exerzitien, in der auch spezielle Psychotechniken der Persönlichkeitsbeeinflussung zur Anwendung kommen (Suggestions- und Trance-Methoden, Meditation, Fastenpraxis, Rituale, Gruppenzwang) wird das »neue Bewusstsein« speziell geformt, gefestigt und gegen Außeneinflüsse abgeschottet. Hier kommt die Durchsetzungsmentalität mit totaler Zielsetzung, die ja ein Merkmal des Fanatischen ist, voll zur Geltung. – Dass solche Prozesse des Hörig- und Abhängigwerdens in der Suggestivwirkung einer Sekte bis zur aktiven Selbstdestruktion gehen können, zeigen die schon erwähnten Massensuizide (vgl. Kap. III.), vor allem der Sekte »Tempel des Volkes« in Guayana (1978), der »Davidianer«-Sekte in Texas (1993) und ebenso der Massensuizid oder Massenmord der »Sonnentempel«-Sekte in der Schweiz (1994), unabhängig von den theologischen Begründungen und den häufig obskuren Begleitumständen.

Es besteht kein Zweifel, und es gibt viele Beispiele, dass Jugendliche durch die Zugehörigkeit zu einer derartigen Sekte eine deutliche Persönlichkeitsveränderung erfahren können. Diese zutreffend mit dem Begriff der »Psychomutation« (Haack, 1991) bezeichnete Wandlung, als Folge des auch »Seelenwäsche« genannten Prozesses, zeigt ganz bestimmte Merkmale. Von diesen ist vor allem die völlig unkritische Bindung und Abhängigkeit von einem Leiter oder Guru, die vollkommene Unterordnung unter die Lebensprinzipien der Gruppe, die Radikalisierung in vielen Lebensbereichen sowie die so auffällige Unzugänglichkeit von außen, mit Behandlung der früheren Umwelt als feindlicher Gegenwelt, hervorzuheben; hierzu passe weder der bekannte religiöse Begriff der »Bekehrung« noch der der »Gehirnwäsche«; letzterer deshalb nicht, weil »die Neulinge aus eigenem Antrieb sich den Gruppen zuwenden« (ebd., S. 140f.). – Hierzu muss man freilich kritisch bemerken, dass häufig sofort nach den ersten Kontakten mit der Gruppe eben dieses »Eigene«, die »Freiwilligkeit«, durch ausgefeilte Konzepte einer »mentalen Programmierung« unterlaufen werden kann (Singer u. Lalich, 1997, S. 82ff.).

Die sonstigen Merkmale und Praktiken der neuen autoritären Sekten, z. B. das Finanzgebaren und die Bildung verzweigter, undurchschaubarer

Imperien und Tarnorganisationen, sind nicht Thema dieser Darstellung. Die Szenerie ist im laufenden Wechsel begriffen. An derzeit bedeutenden, hierher gehörenden Gruppen sind u. a. zu nennen: Die »Mun«-Bewegung (mit »Vereinigungskirche«, UK), die »Internationale Gesellschaft für Krishna-Bewusstsein« (ISK-CON; Hare-Krishna-Bewegung), die »Divine Light Mission« (Divine United Organisation, World Peace Corps), die »Familie der Liebe« (»Kinder Gottes«, »Heaven's Love« mit Unterorganisation). Zu deren gegenwärtigem Stand und den jeweiligen Besonderheiten, auch religiöser Art, sei auf entsprechende zusammenfassende Darstellungen verwiesen (z. B. Gasper u. a., 1994).

Ein Sonderfall liegt bei der *Scientology Church* (mit einem komplexen System von Unterorganisationen, z. B. »Sea Org« und anderen Org-Sektoren) vor. Sie erfährt z. Zt. auch die größere öffentliche Beachtung. Abgesehen von der missverständlichen Bezeichnung »Church« und dem fortlaufenden Bestreben der Gruppe, eine offizielle Anerkennung als Religionsgemeinschaft zu erhalten, fällt bei ihr die Mischung von subtilen Beeinflussungstechniken mit dem Ziel der Persönlichkeitsveränderung, expansiver Infiltration in bestimmte gesellschaftliche Bereiche, gewinnorientiertem Finanzgebahren und hartnäckiger aggressiver Bekämpfung von Gegnern mittels Drohungen und juristischer Mittel auf. Die Frage der Bedenklichkeit oder Gefährlichkeit für einzelne Menschen oder für die Gesellschaft – wie sie auch auf politischer Ebene seit längerem untersucht wird (s. z. B. Lerchenmüller, 1994, S. 17–22) – ist hierbei abzutrennen von der speziellen Frage, wie weit die Organisation eine fanatische Ausrichtung und Zielsetzung in sich trägt bzw. bei ihren Mitgliedern induzieren kann. In der jüngsten umfassenden Untersuchung zu Scientology (Küfner, Nedopil u. Schöch, 2002) kommen die Autoren zu dem Schluss, dass viele Elemente dieses Systems »im Widerspruch zu grundrechtlichen Wertungen, insbesondere der Menschenwürdegarantie und des Persönlichkeitsrechts« stünden (ebd., S. 479); vor allem würde von Scientology mit einem Ausschließlichkeitsanspruch, der von den Betroffenen nicht durchschaut werde, »die Autonomie der Teilnehmer mit relativ rigiden Regeln und Sanktionen und mit Methoden, die nach der Literatur vorwiegend der psychologischen Manipulation dienen«, eingeschränkt und »unterminiert«; hieraus, und durch die umfassende Vereinnahmung durch die Organisation mit Abgeschnittensein von anderweitigen Lebensperspektiven und sozialen Kommunikationsmöglichkeiten, ergeben sich »z. T. konkrete Gesundheitsgefährdungen« (ebd., S. 478f.).

Zweifellos entsteht bei Scientology durch die Kombination der verschiedenen Methoden von Intensivbeeinflussung und direktiver Manipulation mit den propagierten hohen ideell-utopischen Heils- und Gesundheitszielen – für den Einzelnen und für die ganze Welt – eine kritische psychische Situation, die im einzelnen durchaus eine fanatische Ausrichtung induzieren kann. Auch erfüllt der genannte Ausschließlichkeitsanspruch der Lehre und des geforderten Lebenswegs sowohl die allgemeinen Krititerien für eine totalitäre Sekte als auch für eine fanatische Grundeinstellung. Voraussetzung ist aber auch hier ein entsprechendes Maß an aktivierbarer fanatischer Energie, Unbeirrbarkeit und Zielbesessenheit, die sich intrapsychisch mit der typischen Profitorientierung eines Großunternehmens schlecht verträgt. Trotz faszinierender Welterlösungsvisionen und manipulierender Praktiken erscheint daher Scientology in seiner jetzigen Ausrichtung als ein psychologisch zwiespältiges und motivational uneinheitliches System, das freilich für anfällige und orientierungsuchende Menschen erwiesenermaßen labilisierend, abhängigmachend und so bis zur Existenzbedrohung gefährlich werden kann (s. o.). In Bezug auf ihre spezifisch fanatisierende Potenz jedoch bleibt diese Organisation hinter den anderen, ideologisch-religiös konsequenter und »klarer« ausgerichteten totalitären Sekten zurück.

Eine Sonderstellung kommt auch den spezifischen, sogenannten *»Weltuntergangs-Sekten«* oder *»Endzeit-Sekten«* zu. Sie zeigen zweifellos ebenfalls eine fanatische Ausrichtung und erfüllen die Kriterien hierfür (s. o.). Doch liegt ihr Hauptziel nicht immer in der totalen Umstrukturierung und Beherrschung der Innenwelt eines Menschen, vor allem Jugendlicher, zu deren religiösem Heil – obwohl auch dies systematisch betrieben wird –, sondern manchmal auch in expansiven Aktionen missionarischer oder aber weltbeherrschender, evtl. sogar ausgesprochen destruktiver Art. – Am bekanntesten für diese Ausrichtung wurde auf Grund des Giftgasanschlags im März 1995 in der U-Bahn von Tokio die Sekte »Aum Shinri Kyo« mit ihrem Begründer und Führer Shoko Asahara. Dessen persönliche Geschichte zeigt eine typische Verflechtung eigener Kränkungen und Lebensenttäuschungen mit der überkompensatorischen Entbindung von massiven Größenideen, bis hin zur messianischen Selbstidentifikation und der Forderung religiöser Verehrung durch seine Anhänger. Ursprünglich ausgehend von einer synkretistischen japanischen Religiosität, trat die Bedeutung des Gottes Shiva in seiner Eigenschaft als »Weltzerstörer« immer mehr in den Mittelpunkt, woraus sich die zunehmend fanatisch fixierte eschatologische und destruktive Ausrichtung der Sekte ableitete. Deren Bestreben, sich weltweit zu verbreiten und, gestützt auf ein entsprechendes Arsenal an biologischen, chemischen und nuklearen Waffen, die Weltherrschaft im prophezeiten Weltuntergang kriegerisch zu erringen, führte zu einem verzweigten organisatorischen Geheimsystem mit hoher Spezialisierung. Der neue Weltherrscher, der mit seinen Anhängern die Katastrophe überleben würde, sollte dann Asahara selbst sein (Näheres s. Dehn, 1996, S. 15f.; Kaplan/Marshall, 1997, S. 10ff.).

Dieses Beispiel einer ausgesprochenen Endzeit-Sekte zeigt, wie eine solche Organisation, trotz der völlig utopischen politischen Zielsetzung und des religiös extrem einseitigen fundamentalistischen Hintergrunds, eine real gefährliche Destruktivität entwickeln kann. Demgegenüber traten hier die internen rigorosen und z. T. grausamen Praktiken der Gewinnung und »Schulung« von Anhängern in der öffentlichen Wahrnehmung ziemlich in den Hintergrund. Die Sekte, die auch ihrerseits einen Sonderfall innerhalb der sonst eher auf ihre religiöse Binnenkultur beschränkten Endzeit-Sekten darstellt, vermag jedenfalls anschaulich die enorme Faszination und Überzeugungskraft eines Gurus trotz und auch eben wegen dessen eigenen überkompensatorischen psychodynamischen Mechanismen zu demonstrieren.

Es ging in den Darstellungen dieses Kapitels, bei aller Verschiedenheit der Ausprägungen solcher Sekten und Gruppierungen, speziell um deren exemplarischen fanatischen Anteil in ihren Zielsetzungen und Durchsetzungspraktiken, sowie um das Ausmaß der hierbei deutlich werdenden fanatischen Infizierbarkeit von bestimmten Menschen, vorwiegend Jugendlichen. Insgesamt lassen sich die Anführer in den autoritären Sekten hauptsächlich dem Typ des essentiellen, expansiven religiösen Ideen-Fanatikers zuordnen, die Anhänger hingegen eher dem Typ des induzierten, konformen Mitläufer-Fanatikers. Der Drang zum Extrem begegnet uns hier jedenfalls in besonders ungebremster Weise, geradezu in seiner Reinkultur.

c) Politische Fanatiker und politisch-fanatische Bewegungen: Beispiele

Der politische Fanatismus kann letztlich – dies wurde schon deutlich ausgesprochen und begründet (s. o.) – als psychologischer Abkömmling des religiösen Fanatismus angesehen werden. Dies umso mehr, je stärker er alle jene Zielsetzungen und Sehnsüchte verwirklicht haben will, die Vollkommenes und Paradiesisches auf dieser Welt verheißen: das »wahre« menschliche Glück, die »vollendete« Gerechtigkeit, den »neuen Menschen«, die »ideale« Gesellschaft. Dabei muss, konsequenterweise und unvermeidlich, die angestrebte kompromisslose und absolute Durchsetzung des vorgestellten neuen Systems zur ebenso rigorosen Unterdrückung und Ausschaltung aller entgegenstehenden Kräfte und Menschen führen. Es gibt eine Vielzahl von Beispielen hierfür in der Menschheitsgeschichte.

Klarzustellen ist freilich, dass man von politischem Fanatismus, als Strömung für sich, erst reden kann, seit es äußerlich und politisch eine wirkliche Trennung der religiösen und der gesellschaftlichen Systeme und Zielsetzungen voneinander gibt. Und die volle Säkularisierung ursprünglich religiöser Ziele konnte erst dann augenfällig und auch deklarierbar werden, als aus der bloßen Trennung ein Gegensatz oder gar Feindschaft wurde. Zu dieser Entwicklung kam es aber, geschichtswirksam, erst ab der französischen Revolution; sie kann deshalb historisch als der eigentliche Beginn des rein politischen Fanatismus gewertet werden, unabhängig von den geschilderten, untergründig fortbestehenden religiösen Motiven.

Aus den genannten Gründen legt es sich sehr nahe, das erste hier konkret zu schildernde Beispiel aus der Epoche der Französischen Revolution zu nehmen; und für das Aufzeigen der damaligen Pervertierung ursprünglich hoher idealistischer Ziele scheint sich, durchaus vor dem Hintergrund des massenfanatischen Geschehens, deren typische individuelle Konkretisierung in der Gestalt Robespierres am besten zu eignen. Als nächstes Beispiel dient Hitler; dies braucht wohl im Hinblick auf die historische und psychologische Nähe, die schrecklichen Auswirkungen sowie die bis heute noch nicht gelungene Bewältigung des Phänomens nicht näher begründet zu werden. Die Besprechung der nationalsozialistischen Bewegung als solcher erfolgte bereits ausführlich im Zusammenhang mit der Analyse der Gefährlichkeit politischer Begeisterung (vgl. Kap. III.).

Die beiden letzten Beispiele wiederum sind kollektiver Art, und zwar vom Typus der gruppenfanatischen Bewegungen. Diese müssen durchaus von der Erscheinung des Einzel-Fanatikers als Führerpersönlichkeit einerseits und den betont massenfanatischen Strömungen andererseits unterschieden werden. Hier spielt die Gruppe als spezifisches Gebilde mit eine maßgebliche Rolle (vgl. Kap. III.); ebenso kann dabei das Umfeld als Resonanzboden verstärkend wirksam werden, in Form der sog. Sympathisantenszene. Die aus der Gegenwart genommenen Beispiele für solchen Fanatismus sind einmal der linksgerichtete Terrorismus (hier speziell der RAF), zum anderen der Rechtsextremismus, jeweils mit ihrem Gewaltpotential.

1) Robespierre und die Französische Revolution

Diese herausragende Gestalt während der Jakobinerherrschaft in der Französischen Revolution hat die verschiedensten Darstellungen und Wertungen erfahren. Es ist bezeichnend, dass Robespierre nicht nur in der populären Meinung, sondern auch in der Geschichtsschreibung weithin als ein Hauptbeispiel blutgieriger, rücksichtsloser, diktatorischer Machtausübung galt.

Selten sei ein Mann »vom Hass so entstellt worden wie Maximilian Robespierre«, urteilen Furet u. Richet (1968), und sie weisen u. a. darauf hin, dass für die Entstehung der »Schreckensherrschaft« 1793 vor allem die Pariser Volksmassen verantwortlich waren, aus der Überzeugung heraus, »dass die Gewalt das geeignete Mittel für die Durchsetzung der Gerechtigkeit und gleichsam die Zauberformel für die Auflösung aller sozialer Widersprüche« sei (ebd., S. 291 u. 267). Genau damit aber ist der springende Punkt benannt, die ideelle Zielsetzung, die Robespierre beflügelt hat und die ihn somit wirklich zum Schrecken werden ließ. Er wurde in turbulenter Zeit als Politiker nach oben getragen, bekam als Idealist für eine bessere Welt gewaltige Macht und endete in seiner fanatischen Entwicklung in einer unbeschreiblichen, jedoch von ihm als Menschheitsbeglückung erlebten Inhumanität.

In seinem Lebenslauf stechen immer wieder die zarten, feinsinnigen Anteile einer gebildeten Persönlichkeit hervor. Er war seiner Art nach kein grober persönlicher Durchsetzungstyp, vielmehr ein geschickter Taktiker, und es werden auch durchaus schüchterne, bescheidene, sanfte Züge von ihm berichtet, mit Ansätzen von Selbstunsicherheit und Selbstmitleid. »His mystical belief in his mission was associated with compulsive ideas of suicide, martyrdom, and death«, schreiben Haynal u. a. (1983, S. 73). Aus seinen Armutsjahren freilich blieb dem »Unbestechlichen«, wie er genannt wurde, ein tiefes Misstrauen gegen alle Arten von Wohlstand, was sich in seiner strengen, absoluten Gerechtigkeitspolitik fortsetzte. »Wir wollen in unserem Lande den Egoismus durch Sittlichkeit ersetzen, die Ehre durch Rechtschaffenheit ..., den Glanz durch die Wahrheit, die Plagen der Wohllust durch den Zauber des Glücks ...« (zit. n. Sieburg, 1967, S. 20). In den jakobinischen Schreckensjahren 1793/94 hat Robespierre versucht, diese Utopie eines tugendhaften Volkes unter Mithilfe des sog. Wohlfahrtsausschusses, dem er vorstand, mit blutiger Gewalt herzustellen. »Am Eingang zum Paradies steht die Guillotine«, schreibt Sieburg; im Versuch, die Ideen Rousseaus in die Tat umzusetzen, wird Robespierre, »der als Humanist begonnen hat, im Verlauf seines kurzen Weges als Staatslenker das Symbol der Unmenschlichkeit«. »Um der Sittlichkeit zum Triumph zu verhelfen, setzt er die Sittengesetze außer Kraft« (ebd.).

Das fanatische Element ist bei Robespierre gerade in dieser Mischung von subjektiv überzeugter Tugendherstellung und praktischer, blutiger Alltagspolitik nach Intensität, Nachhaltigkeit und kompromissloser Durchsetzung deutlich greifbar. Vor allem lässt sich bei ihm auch die schon beschriebene untergründige religiöse Qualität in der fanatisch-politischen Zielsetzung, die sich ja wegen ihrer Ausrichtung auf »Vollkommenheit« immer als besonders gefährlich erweist, exemplarisch aufzeigen. Er wollte die »Erlösung« des

Volkes, eine »neue Welt«, das »Paradies« auf Erden – all diese Zielformulierungen kennzeichnen ihn als einen religiös-schwärmerischen Idealisten.

Als begünstigend für diese abstrakte, lebensferne Zielsetzung darf man vor allem auch seine schizothyme Persönlichkeitsstruktur ansehen, die sich, bei allem Vorbehalt, aus den Quellen erschließen lässt. Kretschmer (1951) nennt so Robespierre ebenfalls als markantes Beispiel für die schon beschriebene »schizothyme Trias«: »Idealismus, Fanatismus, Despotismus« (s. o. und Kap. IV.). »Es bleibt nichts bestehen als das pure, kahle, ethisch-religiöse Schema ..., wo etwas Lebendiges sprosst – das wird geköpft«. »Er spürt nicht, was er anrichtet. Er köpft mit unbestechlicher Gerechtigkeit weiter« (Kretschmer, 1951, S. 329).

Die Gestalt Robespierres kann, bei allen Polarisierungen, die in den vielerlei Darstellungen am Werk waren, wirklich als Prototyp des politischen Fanatikers vom idealistisch-utopischen Typ mit religiös getönter Beglückungsideologie gelten. Obwohl er manchmal auch Elemente eines »weichen« Fanatismus zeigt, hat die ihm zugewachsene Macht die Rigorosität, Kompromisslosigkeit und Unbeugsamkeit in der Zielsetzung laufend verstärkt. Menschen von diesem Typus sind, wenn sie in begünstigenden historischen Situationen die Möglichkeit zur Realisierung ihrer Ideen bekommen, stets gefährlich. Die Destruktivität von Idealen (vgl. Kap. VI.) wird hier exemplarisch.

2) Hitler und der Nationalsozialismus

Darstellungen von Hitlers Biographie, ebenso psychologische Analysen seiner Überzeugungen, Reaktionsweisen und Verhaltensformen, sowie Versuche der Erstellung eines spezifischen Psychogramms gibt es inzwischen in großer Zahl, und sie sind z. T. von großem Umfang. Auch die offensichtlichen fanatischen Züge in seinem Wesen wurden schon von verschiedenster Seite geschildert und bewertet. Bei unserer speziellen Darstellung der Bedeutung des Phänomens der »politischen Begeisterung« für die fanatische Infizierbarkeit (vgl. Kap. III.) blieb andererseits die Rolle der Person Hitlers zunächst bewusst ausgeklammert; die genannte Anfälligkeit sollte nicht sofort personalisiert und damit entschuldigend auf einen »bösen Verführer« projiziert werden können.

Es ist an dieser Stelle nicht möglich, auch nur annähernd auf alle die Merkmale und Auffälligkeiten einzugehen, die teils schon zu Hitlers Lebzeiten, teils im historischen Rückblick ab seinem Tod als Zeichen seiner fanatischen Einstellung und Verhaltensweisen herausgestellt wurden. Wichtig scheint uns das Gesamtbild, das Bedingungsgefüge als Schnittpunkt vieler unterschiedlicher Einflussgrößen, vor allem das Geheimnis des von ihm ausgehenden fanatisch induzierenden Effekts. Gerade im Rückblick, aus der

Distanz einer anderen Generation und einer anderen politischen Mentalität, liest sich und zeigt sich vieles an ihm wesentlich schärfer, konturierter, ja oft geradezu wie eine ungewollte Karikatur; besonders die Reaktionen vieler heutiger junger Menschen auf Filmaufnahmen mit dem Redestil, der Gestik, dem Ton Hitlers, die oft in ungläubigem Kopfschütteln ob der damals so enormen Wirkung dieses Mannes bestehen, werfen unentwegt die Frage auf, »wie so etwas möglich war« (s. u.).

Beleuchtet man die möglichen frühen Entstehungsbedingungen für Hitlers spätere fanatische Entwicklung, so vermögen sowohl die Linzer Schulzeit als auch die Wiener Adoleszentenzeit geradezu klassische Merkmale zu liefern. Das Versagen in der Realschule, die tiefgreifenden Wiener Enttäuschungen mit der zweimaligen Ablehnung an der dortigen Kunstakademie sowie sein allmählicher sozialer Abstieg über die Arbeitslosigkeit bis auf die Ebene von Männerheimaufenthalten, kann als typisches Vorfeld für spätere, vehemente Überkompensationsmechanismen gelten (vgl. Kap. IV.). Solche psychischen Mechanismen werden auch schon in seiner Jugendzeit selbst, speziell in der Phantasiewelt, deutlich, wie es besonders auch die Jugendbiographien von Jetzinger (1956) und Pausewang (1997) zeigen. Doch ist gleichwohl enorme Vorsicht bei solchen psychodynamischen Herleitungsversuchen im Einzelfall geboten. Denn Lebensläufe mit derartigen, auch noch so markanten Frustrationsstrecken gibt es millionenfach; warum die Dynamik bei Hitler in die fanatische Bewältigungsform und nicht etwa in die depressive, die psychosomatische, die süchtige oder einfach in die konkret leistungsbezogene Richtung ging, kann nicht nur auf diese und anderweitige soziale Gründe bezogen werden. Ebenso können auch sonstige psychoanalytische Deutungen aufgrund der Struktur seiner Eltern, besonders deren Erziehungs- und Beziehungsstil, über bestimmte Hypothesen nicht hinauskommen.

Es scheint auch hier wichtig, die Persönlichkeitsstruktur und die seelischen Verarbeitungsweisen bestimmter Lebensereignisse von den Inhalten der politischen Überzeugungen klar zu unterscheiden. Die ersteren zeichneten sich, wie Thamer (1986) es schildert, schon bei dem »halbwüchsigen Müßiggänger Adolf Hitler« ab und machten dann auch den »politischen Fanatiker und Ideologen« aus: die »außergewöhnliche Egozentrik«, die »Flucht in Traumwelten«, das »hemmungslose Bedürfnis nach Selbstdarstellung und Anerkennung« und ein »überzogenes Selbstmitleid« (ebd., S. 76). Von anderen Autoren werden ebenfalls die starke Rechthaberei, die Empfindlichkeit gegen Widerspruch und das aufbrausende Wesen geschildert. Bullock (1991) weist ferner darauf hin, dass Hitler trotz aller Rückschläge sein »narzißtisches Bild von sich selbst« schon in Wien nie aufgegeben habe. »Die Frustrationen und Demütigungen, die er weiterhin einstecken mußte, nährten gleichzeitig seine Verbitterung und seinen Wunsch, es einer Welt, die ihn verschmähte, heimzuzahlen« (ebd., S. 37).

Hier wird das charakteristische Phänomen der Überkompensation persönlicher Mängel und Misserfolge angesprochen, das wir als eine der markantesten Einflussgrößen und als rigorose Schubkraft auf der psychodynamischen Ebene für die Entstehung fanatischer Entwicklungen gekennzeichnet haben (vgl. Kap. IV.). Dieser innere Zusammenhang braucht dem Betreffenden keineswegs bewusst zu sein, oft wird er geahnt. In diese Ecke seines Wesens und seiner Selbstwertproblematik hat Hitler natürlich nie blicken lassen, das Gesagte lässt sich nur aufgrund anderer Äußerungen, seines Verhaltens und mittels psychologischer Beobachtung erschließen.

Ein besonders begünstigendes Element für die Entfaltung fanatischer Intensität, auch äußerer stoßkräftiger Wirksamkeit, stellt außerdem der viel beschriebene hysterische Verhaltensanteil Hitlers dar. Dabei sind nicht die vielerlei z. T. schockierenden und abstoßenden Verhaltensexzesse in bestimmten Ausnahmesituationen das Wesentliche, sondern die im hysterischen Sichhineinsteigern gewonnene lustvolle Selbstbestätigung, die Erhöhung und Festigung der eigenen Rolle; dies lässt sich besonders gut am Redestil und der theatralischen Mimik und Gestik aufzeigen. Hysterisches Verhalten ist ja allgemein ein Mittel zur Identitätsfestigung, und die gewonnene Bestätigung von außen stellt eine zusätzliche Stärkung des Selbstgefühls dar.

Die fanatisch vertretenen Inhalte und Zielsetzungen andererseits stammen bei Hitler sämtliche aus der zeitgeschichtlichen Situation oder aus ohnehin bereitliegenden Strömungen. Sie bekamen bei ihm allerdings eine durch seine persönlichen früheren Erlebnisse verdichtete, einseitig eingeengte, dafür aber emotional umso stärker akzentuierte Bedeutung. Sie wurden zur unumstößlichen, mit Überzeugungsgewissheit vertretenen Ideologie. Die einzelnen Elemente sind hinreichend bekannt: die extrem völkisch-nationale Grundhaltung, die Beseitigung der »Schmach von Versailles«, die Eroberung neuer Lebensräume im Osten, der Rassismus mit der Befestigung der Herrschaft der arischen Rasse, die Bekämpfung und Vernichtung der »Todfeinde« des deutschen Volkes, besonders des Marxismus-Bolschewismus und des Judentums: Beide waren für ihn bereits seit seiner Jugend Teil einer gemeinsamen internationalen Verschwörung; gerade der irrationale Antisemitismus mit seinen Vorurteilen bildete mit das Kerngestein der Hitlerschen politischen Einstellung, und die »Endlösung« stellt eine – nur von wenigen in dieser Schrecklichkeit für möglich gehaltene – voll konsequente Durchsetzung dieser Einstellung dar.

Die enorme Faszination, die von Hitler ausging – für alle Schichten des Volkes, für Frauen und Männer gleichermaßen, und besonders natürlich für die Jugend – hat zwar ihre Gründe auch in der Ideenwelt, in der Verwirklichung hoher Ideale, wie geschildert (vgl. Kap. III.). Aber sein eigener Anteil hieran war sein selbst gelebter Fanatismus, seine fanatische Induktionswirkung, das persönliche Mitreißen in diese zukünftige Idealwelt hinein, das Entbinden von Identifikationssehnsüchten mit dem großen »Heilsbringer«, dem »größten Führer aller Zeiten«, in dem alle eigenen narzisstischen Defizite überwunden und die eigenen heimlichen Größenideen gestillt sind. Hier bekommt das Politische wieder seine beschriebenen, untergründigen religiösen Qualitäten. Nur bei einer solchen archetypischen Gestalt und Projektionsfigur eigener seelischer Bedürfnisse war es auch möglich, dass es zu derartigen Ausblendungen des Mangelhaften und Karikaturhaften an Hitler, vor allem auch des Unheilvollen und Destruktiven in seinen Zielsetzungen, kommen konnte. Und wenn es in den ersten Nachkriegsjahrzehnten so aussah, als ob die Faszination dieses Mannes endgültig erloschen, dieser Spuk also vorbei sei – wir stehen heute mit Schrecken davor, dass selbst von dem längst toten Hitler und seiner Ideologie erneut eine so starke Faszination auf Jugendliche ausgeht (s. u.).

Hitler war auf den verschiedensten Ebenen sowohl seiner Struktur als auch seiner Handlungsmuster das Beispiel eines markanten politischen Fanatikers, und zwar vom klassischen essentiellen und gleichzeitig »harten« Typus. Deshalb zeigte er sich auch in seinen Überzeugungen nicht beeinflussbar und fühlte sich durchgehend unter einer großen historischen, »göttlichen« Sendung. Er sprach in der Gerichtsverhandlung anlässlich des Putsches von 1923 ebenso davon, dass »die Göttin des ewigen Gerichts der Geschichte« das Urteil des Gerichts »lächelnd« zerreißen werde (zit. n. Zentner, 1990, S. 45), wie er noch am Tage vor seinem Suizid (30. April 1945) in seinem Testament deklarierte, es werde in der deutschen Geschichte »einmal wieder der Samen aufgehen zur strahlenden Wiedergeburt der nationalsozialistischen Bewegung« (zit. n. Bullock, 1991, S. 1158). – Und trotz aller solcher und anderer Verstiegenheiten: Hitler war nicht krank, nicht im psychiatrischen Sinn, auch wenn es vielerlei Bestrebungen gab, ihn als Phänomen in diese Ecke zu verbannen; seine bekannten paranoiden Reaktionen beruhen auf einem Strukturelement, sie haben nichts mit Wahn als Krankheitssymptom zu tun (vgl. auch Kap. VI.). Und dass er typische neurotische, z. T. auch psychodynamisch gut durchsichtige und verstehbare Verhaltensweisen zeigte, lässt ihn keinesfalls aus dem Durchschnitt des Neurotischen herausfallen, wie es in der Breite der »gesunden« Bevölkerung ebenfalls anteilmäßig vorkommt. Eben weil dem so war, weil Hitler in diesem Sinn »gesund« war, konnte er auch so breitflächig, intensiv und nachhaltig wirken und so gefährlich werden. Wer wäre einem erkennbar kranken Mann in diesem Ausmaß gefolgt?

Die bleibende und beunruhigende, ja beklemmende Frage ist deshalb nicht die, warum Hitler so war, wie er war. Sie lautet vielmehr: Wie und wodurch konnte er so wirksam werden, warum ließen sich Tausende und Millionen von ihm begeistern oder fanatisch anstecken, wo liegt unsere eigene Anfälligkeit, vor allem auch gegenüber dem Idealistischen mit seiner verborgenen Destruktivität? Wir haben bisher versucht, einige Teilantworten auf diese Frage zu finden. Viele Elemente des Geschehenen bleiben weiterhin im Dunkeln, vor allem psychologisch. Gerade deshalb darf die Frage selbst nie verstummen.

3) Der politische Terrorismus am Beispiel der RAF

Es handelt sich bei dem als Terrorismus bezeichneten Phänomen um ein breites Feld von organisierten, meist blutigen Gewaltaktionen, oft auch mit internationaler Vernetzung. Die hier begegnenden Formen von Gewalt unterscheiden sich in verschiedener Hinsicht einerseits vom Anarchismus früherer Zeiten, andererseits von den banalen Formen sonstiger Gruppen- und Bandenkriminalität. Als das Bestimmende hat die Motivation durch eine politische oder religiös-politische Idee zu gelten, aus der politische Veränderungsziele erwachsen und hinter der auch eine klare und fixierte Überzeugung steht. Nur innerhalb einer solchen psychischen Konstellation ist auch eine fanatische Ausrichtung denkbar. Andere Formen der organisierten Gewalttätigkeit gehören nicht zum Thema.

Die politischen Überzeugungen, die jeweils als Begründung für die Taten deklariert werden, mögen noch so verworren, unrealistisch und extrem scheinen, sie haben für die Betreffenden subjektiv eminente Bedeutung, wenn nicht Glaubenscharakter. Deshalb ist der Äußerung und Wertung von Geerds (1981) in seinem Übersichtsartikel über die Gewaltkriminalität zu widersprechen, dass es sich beim Terrorismus um Taten handle, die »gewöhnlich pseudopolitisch und weltanschaulich verbrämt« seien (ebd., S. 337); dies mag für Außenstehende, die den Überzeugungsgang, die idealistische Fixiertheit und die psychischen Verarbeitungsmuster solcher Menschen nicht nachzuvollziehen vermögen, durchaus so scheinen. Für den überzeugten Terroristen selbst, gerade den fanatischen, ist das Motiv bis ins Detail blutiger Ernst und alles andere als eine Verbrämung sonstiger Gewaltneigung oder gar Kriminalität. Genau dies ist ja der springende Punkt.

Andererseits zeigt der heutige internationale Terrorismus sehr unterschiedliche Erscheinungsformen, Täterprofile sowie Interessenlagen und Motivmischungen im einzelnen. Man denke an den nordirischen Terror, den baskischen Terror der ETA, den langjährigen Terror der Palästinenser durch die PLO, die Hamas und andere Organisationen, den Terror radikaler jüdischer Siedler im Ostjordanland, oder die zunehmenden Terrorakte fanatischer Islamisten in verschiedenen Ländern, gipfelnd im heutigen Suizid-Terrorismus. Letztere Phänomene werden wegen ihrer hochaktuellen Bedeutung und wegen der klassischen Verschmelzung religiöser und politischer Überzeugungen gesondert dargestellt werden (s. u.).

Die fanatische Motivation im engeren Sinn, als das all diese Strömungen, trotz ihrer Unabhängigkeit voneinander, gemeinsam tragende Element ist oft nicht leicht auszumachen. Denn um zu einer Aussage über die intrapsychische Dynamik beim Einzelnen und in der Gruppe zu kommen, bedürfte es einer viel eingehenderen und detaillierteren Kenntnis dieser Menschen, ihrer Phantasiewelt und Überzeugungen, ihrer Persönlichkeitsstruktur und Reaktionsweisen. Groß ist – wie auch sonst in der Psychodiagnostik – die Versuchung, vorschnell gesamthafte Interpretationsmodelle aus wenigen individuellen psychischen und psychosozialen Details zu erstellen.

Dies ist im Rahmen des hier gewählten Beispiels, nämlich des *Terrorismus der deutschen RAF* (»Rote Armee Fraktion«), nicht viel anders. Und dies, obwohl sich gerade bei dieser Gruppe die politisch-idealistische Ausgangssituation und Urmotivation und die – objektiv gesehen – destruktive Entwicklung und fatale psychische Einengung in ihrer inneren Zusammengehörigkeit besonders gut transparent machen lässt. Das Medium dieser Transparenz ist eben die vorhandene fanatische Einstellung.

Es scheint im Zusammenhang dieser Entwicklung wichtig, den gesellschaftskritisch-philosophischen Ursprung der Bewegung in Erinnerung zu rufen. Die Theorie und die Thesen von der repressiven Gesellschaft, und wie sie zu überwinden sei, hatte Marcuse (1967) mit am klarsten und wirksamsten zum Ausdruck gebracht: Die »Unterbindung sozialen Wandels« durch die »fortgeschrittene Industriegesellschaft« mache mit ihren totalitären Tendenzen die »traditionellen Mittel und Wege des Protests unwirksam«; unter der »konservativen Volksbasis« aber befinde sich »das Substrat der Geächteten und Außenseiter«, deren Leben am unmittelbarsten der »Abschaffung unerträglicher Verhältnisse« bedürfe (ebd., S. 14 u. 267f.). Nur von diesem ihrem ideologisch-sozialen Ursprung her lässt sich die deutsche terroristische Bewegung verstehen, und sie stellt geradezu ein Lehrstück der besprochenen destruktiven Perversion hoher Ideen dar, der Destruktivität des Ideals unter dem Zwang zur Konsequenz bis hin zur blutigen Gewalt (vgl. Kap. VI.).

Es bedarf hier nicht einer näheren Nachzeichnung der einzelnen Stationen eskalierender Theorie und eskalierender Gewalt. Marksteine, die die Gruppenmitglieder zusammenschweißten, bildeten einmal die Frankfurter Kaufhaus-Brandstiftung im April 1968 (durch Gudrun Ensslin, Andreas

Baader u. a.), vor allem aber die Befreiung des inhaftierten Baader durch Ulrike Meinhof und Gesinnungsgenossen im Mai 1970. Die forthin auch als Baader-Meinhof-Gruppe (oder -Bande) bezeichnete RAF entwickelte in den folgenden Jahren, begleitet von einer schwer in ihrem Umfang zu bestimmenden Sympathisanten-Szene, aus dem Untergrund heraus ihre bekannten blutigen Terroraktionen.

Der »harte Kern« bestand aus einer Gruppe essentieller oder induzierter Fanatiker, die gleichzeitig klar dem »harten« Fanatikertyp zuzuordnen sind, wobei aus der Außenisolation und der Untergrundsituation eine permanente Verstärkerwirkung resultierte. Es handelte sich also um typischen Gruppen-Fanatismus von hoher Konformität und Einbindung. In überlegter, planvoller Weise richteten sich die Mordaktionen gerade gegen Schlüsselfiguren des politischen und wirtschaftlichen Lebens sowie der Justiz. Es sollte der Staat an seinen empfindlichsten Schaltstellen getroffen und so auf militante Weise ein Umsturz erreicht werden, mit Gegengewalt gegen die »etablierte Gewalt«.

In vielen damaligen und auch heutigen Bewertungen herrscht nun die Sicht, dass hier nur jugendliche Gewaltneigung oder gar verbrecherische Energie am Werk seien, eben mit der genannten ideologischen Verbrämung oder Kaschierung (s. o.). Selbst Golo Mann schrieb in einem Aufsatz: »Es sind nicht die gesellschaftlichen oder politischen Zustände Deutschlands, es sind überhaupt keine ›vernünftigen‹ Gründe, aus denen der Terrorismus sich erklären läßt. Menschenhaß und Machtgier, Größenwahn und Freude am Todesspiel gehören nicht ins Reich des Rationalen, was nicht hindert, daß die mordlustigen Menschen von Schlauheit und Fähigkeit, oft sogar von beträchtlicher Bildung sind« (zit. n. Salewski u. Lanz, 1978, S. 116). Hier begegnet, wie so oft, eine undifferenzierte Vermischung rein krimineller Motivbenennungen und -unterstellungen mit solchen Struktureigenschaften, wie sie eben typischerweise bei zu Fanatismus neigenden Menschen eine wichtige Rolle spielen. Welchen Stellenwert z. B. Größenideen (aber nicht Größenwahn!) hier in der Psychodynamik tatsächlich spielen können, haben wir eingehend besprochen. Und dass die Gründe für das Verhalten der Terroristen nicht »vernünftig« sind, liegt ja eben im Wesen des Fanatischen. Ebenso, dass es, wie ausführlich dargestellt (vgl. Kap. IV.), auch andere, gewalt- und machtlustbezogene Anteile im Menschen zu entbinden vermag.

Der deutsche RAF-Terrorismus ist ein echtes Lehrstück des Fanatismus auch insofern, als das große Rätselraten oder auch die Erklärungsbeflissenheit vieler, warum die führenden Terroristen gerade aus »geordneten Verhältnissen«, aus Familien des »gehobenen Bürgertums«, aus akademischen und intellektuellen Kreisen stammen, letztlich nur auf eines hinweist: wie wenig wir von der Außensicht her tatsächlich über die individuelle Verarbeitung einer Ideenwelt im spezifischen intrapsychischen Kräftespiel wissen. Von der Verwöhnung bis zur Frustration, von der romantischen Entfremdung bis zur beruflichen Unzufriedenheit, von der persönlichen Verzweiflung bis zu dem zitierten »Größenwahn« reichen die Fantasien der Interpreten (s. dazu auch Wördemann, 1977, S. 274ff.). Auch die in der Haft vorgekommenen Suizide und Suizidserien sind in ihrer Motivlage alles andere als einlinig deutbar.

Gleichwohl lassen sich bei einer tiefergehenderen Analyse von Struktur, Entwicklung und sozialer Einbettung der engeren RAF-Mitglieder bestimmte markante psychodynamische Zusammenhänge aufzeigen. So hat Wirth (2002) auf dem Hintergrund der bekannten Ideologie der 68er-Bewegung, die als »Protestgeneration« gegenüber der älteren Kriegs-Generation dennoch nicht über ein »aggressives Attackieren und moralisches Anklagen« hinausgekommen und deren Kritik somit »über weite Strecken selbstgerecht« geblieben sei (ebd., S. 270), die entsprechenden familiendynamischen Zusammenhänge bei einzelnen RAF-Terroristen herausgestellt. Sie hätten »im unbewussten Auftrag ihrer Eltern« gehandelt, indem sie das nachholten, »was ihre Eltern seinerzeit zu tun versäumt hatten: Widerstand zu leisten« (ebd., S. 272). Er exemplifiziert dies z. B. an verschiedenen Äußerungen der Eltern von Gudrun Ensslin, die hierbei u. a. von einer »heiligen Selbstverwirklichung« bei ihrer Tochter sprachen. Die Auffassung, dass der »heilige« Eifer der RAF-Terroristen daher rührt, dass sie »unbewusste Delegierte« ihrer Eltern seien, wurde auch von Stierlin (1980) vertreten. Analog sieht Richter (2001) auch in der Motivation von Birgit Hogefeld eine »unbewusste Mission als rächende Erlöserin des Vaters« (beide zit. n. Wirth, ebd., S. 274 u. 276).

Solche spezifischen motivationalen und psychodynamischen Analysen können zweifellos sehr aufschlussreich und auch z. T. exemplarisch für bestimmte Bereiche in der intrapsychischen Konstellation dieser speziellen Terroristen-Generation sein. Warum aber – trotz des breiten Sympathisanten-Umfeldes – nur bei wenigen, und gerade bei diesen, ein derartiges Fanal an mörderischer Gewalt, absoluter Konsequenz und Durchsetzung um jeden Preis aufgelodert ist, muss dennoch weithin offen bleiben. Die enormen energetischen Impulse, die aus der fanatischen Grundhaltung zum Ausbruch kommen, sind nur wenig psychogenetisch deutbar, trotz möglichem unbewusstem Elternauftrag, Verwirklichung von Größenideen, Überkompensation von Frustration oder missionarischem »heiligem Eifer«. Dass letzterer freilich besonders auf dem Boden einer idealistischen und hochethischen Erziehung und Sozialisation entsteht, entspricht unserem schon dargelegten Wissen um die Genese fanatischer Einstellungen überhaupt (vgl. Kap. III.).

Wichtig scheint mir deshalb abschließend die nochmalige Feststellung, dass der RAF-Terrorismus psychologisch keinesfalls auf einfache kriminelle Neigungen zurückgeführt werden kann. Dem liegt eine geradezu oberflächliche Verwechslung von krimineller Energie mit fanatischer Energie zugrunde. Vielmehr lassen sich gerade an dieser Kerngruppe fast alle beschriebenen Merkmale eines typischen politischen Fanatismus beobachten, auch dessen Entwicklung aus idealistisch und fundamentalistisch fixierten politischen Ideologien in die fanatische Intensität, Ausschließlichkeit und konsequente Durchsetzung hinein.

Auf dem Höhepunkt der terroristischen Welle 1977 hatte ich persönlich Gelegenheit, in beruflichem Zusammenhang mehrmals mit einem der damaligen bekannten Terroristen zu sprechen. Auch diese Gespräche haben mir klar bestätigt, dass es sich hier, trotz der begangenen Mordtaten, keinesfalls um den Typus eines üblichen Kriminellen, sondern um einen völlig verbohrten, einseitig in Klischees lebenden Idealisten handelte, einen typischen »terrible simplificateur«, mit plakativer Sprache, davon überzeugt, mit der Maschinenpistole eine bessere Welt »er-schießen« zu können: ein politischer Fanatiker vom Typ des essentiellen, expansiv-stoßkräftigen, harten Ideen-Fanatikers, geradezu die Verkörperung der Destruktivität von Idealen – und eben deshalb so gefährlich.

4) Der Rechtsextremismus

In diesem Thema, ein wirklich »heißes« Thema der Gegenwart, begegnen sich nicht nur bestimmte ideologische Positionen, sondern auch, und erst recht, starke Emotionen der unterschiedlichsten Art. Mehr noch als das Wiedererstarken solcher lange für unmöglich gehaltenen extrem rechtsorientierten Ideologien selbst, wirkt die Beteiligung von Jugendlichen bereits ab dem Pubertätsalter an brutalen Brandanschlägen und Gewalttaten besonders schokkierend. Dies, obwohl ja die typische, entwicklungsbedingte Extremismus-Anfälligkeit gerade junger Menschen zum psychologischen Standardwissen gehört und hier auch schon besprochen wurde (vgl. Kap. IV.).

Als wichtig erweist sich hierzu ein Transparentmachen der Wechselwirkung zwischen sympathisierendem Umfeld und dessen verstärkendem und induzierendem Einfluss auf fanatische Entwicklungen, gerade von Jugendlichen. So zeigte das Ergebnis der sog. Sinus-Studie (1981), die mit einer sehr gründlichen und seriösen Befragungsmethodik durchgeführt wurde, deutlich und erschreckend, dass 13 % der deutschen Wähler damals »ein rechtsextremes Weltbild« hatten (ebd., S. 15); sie widerlegte auch statistisch die weit verbreitete Annahme, rechtsgerichteter »politischer Extremismus und die Billigung politischer Gewaltsamkeit sei eine Sache der ganz Jungen«, da sich ergab, dass nur 5 % der 18- bis 21jährigen, aber 20 % der über 50-jährigen zum »rechtsextremen Protestpotential« gezählt werden können (ebd., S. 84). Zusammenfassend kommt die Studie zu dem Schluss, dass »Gewaltsamkeit« insgesamt ein »Wesenszug rechtsextremen Denkens und Handelns« sei; und der »unerschütterliche Glaube an die konfliktlösende, ›reinigende‹ Kraft« der Gewalt würde so auch die Gefährlichkeit des neonazistischen Terrorismus in der Bundesrepublik ausmachen. Zwar drückt sich in diesen Ergebnissen nicht etwa eine konkrete eigene Gewaltbereitschaft aus, sondern eben die Akzeptanz solcher rechtsextremer Gewalthandlungen durch andere; aber gerade diese Akzeptanz fand sich bei mindestens 6 % der Wahlbevölkerung (ebd., S. 83 u. 85). Den rechtsradikalen Resonanzboden für diese Einstellung – die Unterscheidung von rechtsradikal und rechtsextrem besteht seit 1973 – darf man dann wohl deutlich umfangreicher ansetzen.

Vor diesem Hintergrund zeigen sich die konkreten rechtsextremistischen Gewalttaten hinsichtlich ihrer psychologischen Induzierung in einem besonderen Licht. Aus dem an sich stärker fanatismusanfälligen Kreis der Jugendlichen (s. o.) bilden sich unter sozialem und psychologischem Druck (s. u.) zwar sehr kleine, aber dann enorm wirkungsträchtige Gruppen, die die Gewaltbereitschaft ausagieren, die von dem jeweiligen familiären oder gesellschaftlichen Umfeld ideologisch und konkret gebilligt und begrüßt wird (»Wir machen doch nur mit der Hand, was ihr mit dem Kopf denkt!« – zit. n. Richter, 1993, S. 129). An den bekannten »Sündenbock«-Projektionen gegen die Ausländer lässt sich dies besonders transparent machen, denn diese Zielgruppe der Gewalt stellt ja auch die Hauptkonkretisierung gegenwärtiger sozialer und kulturell-rassischer Benachteiligungsängste weiter Bevölkerungskreise dar; dass gleichzeitig auch die stets bereitliegenden antisemitischen Affekte mit losbrechen, braucht ebenfalls nicht zu verwundern.

Wie sehr auch sonstige ungünstige und bedrängende Situationen im sozialen und sozialpsychologischen Bereich, vor allem Arbeitslosigkeit und die verschiedensten Formen innerer und äußerer Entwurzelung, mit eine maßgebende Rolle bei solcher Fanatisierung spielen können, wurde schon dargestellt (vgl. Kap. II.). Besonders Hacker (1992) hat in seiner Analyse des Faschismus-Syndroms, übereinstimmend mit anderen Autoren, die Auswirkungen schwerer Wirtschaftskrisen als »wichtige, wahrscheinlich unerläßliche auslösende Momente« genannt, vor allem die Arbeitslosigkeit, speziell Jugendarbeitslosigkeit, dann Angst vor Verarmung, Verlusten und Deklassierung allgemein; doch betont auch er gleichzeitig, dass ökonomische Entwicklungen keinesfalls allein als Erklärungsgrund genügen (ebd., S. 131).

Dass sich nun solche Probleme mit dem Gefühl der Hoffnungslosigkeit und versunkener Zukunftschancen besonders in den neuen Bundesländern gravierend zeigen, fügt sich in dieses Bild ein; hinzu kommt, dass dort andererseits bereits eine in der DDR unterdrückte, rechtsextreme Szene existierte, die nach der Wiedervereinigung sofort durch westdeutsche Rechtsextremisten neu angeschürt worden ist (s. Farin u. Seidel-Pielen, 1992, S. 4; Borchers, 1993, S. 120ff.). Die Untersuchungen und auch die Meinungsunterschiede zu weiteren Bedingungen und Hintergründen dieser neuen rechtsextremen Szene halten unentwegt an. Es sei an die heftigen Auseinandersetzungen um die These erinnert, dass ein »autoritäres Erbe des DDR-Erziehungswesens« mitverantwortlich sei »für das Maß an rechter Gewalt und Ausländerfeindlichkeit im Osten« (Pfeiffer, 2001, S. 22), und dass hier die preußischen »soldatischen Tugenden« mit Gehorsam, Disziplin und Sauberkeit bis heute mit zu solchen extremen Ausformungen beitragen würden (ebd., S. 23).

Abgesehen von der Verifizierung solcher Thesen und der politischen und gesellschaftlichen Diskussion um sie wäre hier jedenfalls eine innere Verbindung zu dem erkennbar, was schon über den sogenannten »autoritären Charakter« im Sinn von E. Fromm gesagt wurde, und was insgesamt typisch ist für den Mitnahmeeffekt in Gruppe und Masse speziell in der Entstehung des »induzierten Fanatismus« (vgl. Kap. III.). Als weiterer Entbindungseffekt für die rechtsextreme »Gewaltwelle«, gerade durch den Wegfall bisherigen Autoritäten, wurde »der Ausfall sozialer Kontrolle auf dem Gebiet der DDR nach der Wende« hervorgehoben. Dieser »anarchisch-anomische Zustand« sei ein Ausdruck für diese Umbruchsituation, weil die starke Reglementierung des DDR-Alltags über Nacht weggewesen sei und neue Regeln und Orientierungen noch nicht vorhanden waren (Erb, 1993, S. 165). Gerade in dieser Situation würden sich entsprechende Gruppen neu als »Handlungskerne« herausbilden, mit Gruppenlernen und Gruppennorm, wofür als konkretes Beispiel die rasche Verbreitung des Baseball-Schlägers als Waffe gelten könne (ebd., S. 166). – Die spezielle rechtsextrem-fanatische Gruppendynamik wird noch gesondert darzulegen sein (s. u.).

Uns hat hier jedenfalls vorwiegend die psychologische Seite dieses speziellen Drangs zum Extrem zu beschäftigen, dort, wo er in eine fanatische Bewegung einmündet. Abgesehen von den bisher dargelegten spezifischen Elementen und den allgemein wirksamen Kompensations- und Überkompensationsmechanismen (vgl. Kap. IV. und VI.) bewirken hier offensichtlich die besonderen psychosozialen Konstellationen eine verstärkte Dynamik in dieser Richtung. Ihr Kern liegt in der Art der Selbstwertproblematik und der Sinnfindungskrise, die sich hier nicht nur im üblichen neurotischen Sinn, also auch bei sonst intakten sozialen Verhältnissen äußert, sondern eine spezifische situative Verstärkung erfährt. Das Akzeptiertsein in der Gruppe wirkt dazu in der bekannten Weise fundamentbildend, verstärkend und erhöhend, und es ermöglicht so das narzisstische Erlebnis eigener Größe, selbst wenn es eine Größe in Aggression, Destruktion und Sündenbock-Hass ist. Die Skinhead-Szene bietet ein makabres Anschauungsmodell hierfür. Spezielle psychologische Hintergründe im Sinne einer projektiv verarbeiteten narzisstischen Selbstwertstörung, die dann in Fremdenhass einmündet, haben wir schon ausführlich dargestellt (vgl. Kap. IV.; speziell s. auch Wirth, 2001, S. 1218ff.).

Gerade an dieser Stelle aber wird es besonders wichtig, die bisher immer wieder hervorgehobene Unterscheidung zwischen Aggressivität und Gewaltbereitschaft allgemein, einschl. der aus Hass, Neid und Gewaltlust geborenen und der speziell fanatisch motivierten Gewalt, erneut klar zu betonen (vgl. Kap. IV.). Fanatische Gewalt, also Gewaltausübung zur Durchsetzung fanatisch besetzter Ziele, setzt eben das Vorhandensein solcher Ziele voraus. Ein solch »hohes« Ziel kann subjektiv durchaus in der rechtsideologischen Ausrichtung liegen: im Herstellen eines »ethnisch gesäuberten« Landes, einer »reinen Nation«, ebenso in der endlichen Wiederherstellung von »Zucht«, »Ordnung« und »nationaler Größe«. Die rechtsextremistische Ideologie zeigt hier gleichzeitig fundamentalistische Züge, die ja eine fanatische Anfälligkeit immer spezifisch verstärken können (vgl. Kap. III.). Wer »nur« aus Freude und Lust an Gewalt handelt, auch wenn er durch dieses Macht- und Überlegenheitsgefühl seine Selbstwertdefizite bessert oder z. B. seine eigenen früheren Gewalterfahrungen in der Familie kompensiert, ist eben ein »einfacher« Gewalttäter, ein »Hooligan«, ein Krimineller, ein überaggressiver Mensch – jedoch noch kein Fanatiker.

Nun hat gerade die rechtsextremistische Szene einen Fanatiker-Typ hervorgebracht oder zumindest deutlicher gemacht, der bisher so nicht in Erscheinung getreten bzw. beschrieben worden ist. Auch in den üblichen Einteilungssystemen, die ohnehin meist nur zwischen Ideenfanatikern, persönlichen Fanatikern und stillen Fanatikern unterscheiden, lässt er sich nicht einordnen. Vermutlich wurde er bisher einfach den massenfanatischen Erscheinungen zugeschrieben, Wir haben diesen Typus, in sprachlicher Kürze, als »dumpf-emotionalen Gruppen-Fanatiker« benannt (vgl. Kap. III. u. IV.). Das Bezeichnende an dieser Erscheinungsform ist, wie beschrieben, dass zwar eine im Hintergrund verschwommen vorhandene Ideenwelt eine Art Basisverankerung ermöglicht, aber keine klaren Konturen zeigt, schon gar nicht ideologische oder dogmatisch-fundamentalistische Grenzziehungen ermöglicht. Und obwohl eine starke emotionale Identifikation und Anbindung besteht, bleiben die Idee, die Zielbestimmung und die kämpferischen Abgrenzungen unklar, »dumpf«, »verschwommen«. Auch in speziellen politischen Studien, z. B. zur Einstellung und zur Ideologie der Republikaner, bei denen fließende Übergänge von einer rechtsradikalen Partei zum Rechtsextremismus konstatiert werden, findet sich die Bezeichnung »dumpf«, indem u. a. ein »dumpfer, völkischer Nationalismus« als charakteristisch genannt ist (Lepszy u. Veen, 1993, S. 102). Es findet in der eigentlichen, weiteren fanatischen Ausprägung, wenn es zu ihr kommt, dann auch keine denkerische Auseinandersetzung mehr statt, die Stabilisierung und Fixierung der fanatischen Ausrichtung geschieht vielmehr über den Mitnahmeeffekt der Gruppe. Ohne sie kann dieser fanatisierte Mensch nicht wirklich fanatisch existieren.

Die Berichte über die Gedankenwelt und die Äußerungen solcher rechtsfanatischer Jugendlicher lassen diesen Typus sehr markant durchscheinen. Von den jugendlichen Anführern der Ausländerjagd in Magdeburg am Himmelfahrtstag 1994 wird z. B. berichtet, dass sie keiner neofaschistischen Organisation angehörten; sie hätten »keinen politischen Gedanken im Sinn, allenfalls ein dumpfes Gefühl im Bauch, nicht mehr ›links‹ sein zu wollen nach all dem sozialistischen Drill in der Kindheit«; es sei ein »unorganisierter Haufen, gewaltbereit in jede Richtung«, wobei Parolen rechtsradikaler Parteien als willkommener »Anlass zum Prügeln« genommen würden (Chef des Landesverfassungsschutzes Sachsen-Anhalt, zit. n. *Der Spiegel* 30/1994, S. 36). Ebenso ist in einer 1994 vorgelegten Dokumentation des Düsseldorfer Innenministeriums von der »Programmlosigkeit der Rechtsextremisten« die Rede, die brutal für ihre Überzeugungen kämpfen, »ohne zu wissen, was sie eigentlich wollen«. Viel wichtiger und stärker jedenfalls als ideologische Zielklarheit ist das positive Gruppenerlebnis für diesen Typ von jugendlichen Fanatikern. So betont auch Rabe (1981), dass sich bei seinen zahlreichen Gesprächen mit Mitgliedern rechtsextremer Jugendorganisationen »nicht das ideologische Moment« als das entscheidende Motiv abgezeichnet hätte, vielmehr »ein umfassendes Bedürfnis nach ›Kameradschaft‹«, oft ohne dafür irgendeinen politischen Grund anzugeben (ebd., S. 137).

Dass es auch eine andere, politiknähere und organisiertere Ausprägungsform des Rechtsextremismus gibt, braucht hier nicht weiter dargelegt zu werden. Die permanenten Auseinandersetzungen um die inhaltlichen Ziele und die Verfassungswidrigkeit der NPD belegen dies ebenso wie die im September 2003 aufgedeckten Attentatsplanungen rechtsextremistischer Gruppierungen wie die »Kameradschaft Süd« auf Veranstaltungen und Personen des öffentlichen Lebens (Lehner, M., in: *Schwäbische Zeitung*/ap Nr. 212 v. 13. 09. 2003, S. 1 u. 2). Die bleibende Gefährlichkeit solcher Einstellungen, gerade auch wenn sie organisatorische Potenz entfalten, wird hier erschreckend deutlich. Die Zahl gewaltbereiter Rechtsextremisten und Neonazis ist nach Angaben des Landesverfassungsschutzes Baden-Württemberg im Jahr 2003 sogar angestiegen, wobei insbesondere die

Neugründungen von Skinhead-Musikgruppen erwähnt werden (ebd., Nr. 3 v. 05. 01. 2004, S. 3). Die speziell fanatischen Anteile der einzelnen Beteiligten, soweit jeweils vorhanden, können dabei sehr unterschiedliche Differenziertheitsgrade aufweisen. Der fanatische Typus selbst zeigt dann meist Züge eines Mischtyps mit Elementen des politischen Ideen-Fanatikers.

Besonders nun bei der beschriebenen, in diesem Umfeld so typischen speziellen Form eines dumpfen, verschwommenen, meist induzierten und nur in der tragenden Gruppe existenzfähigen Fanatismus, der kein eigenes Profil oder gar eine dialogfähige Ideologie aufweist, lässt sich die Grenze zur einfachen Aggression und Gewaltbereitschaft im Einzelfall oft schwer ausmachen. »Dumpfer« Gewalt-Fanatismus und »dumpfe« Nur-Gewalt können äußerlich sehr ähnlich aussehen. Dennoch ist es wichtig, diese Unterscheidung aufrechtzuerhalten und sich die jeweilige Motivlage und intrapsychische Dynamik dieser Menschen, soweit überhaupt möglich, genau anzuschauen. Andernfalls verliert der Fanatismus-Begriff auch an dieser Stelle seine Konturen und wird unbrauchbar.

d) Religiös-politische Fanatiker und entsprechende Verschmelzungsformen: Beispiele

Dass es Vermischungen und Verschmelzungen der beiden Arten von Fanatismus gibt, hat zunächst einmal im inneren Wesen des Phänomens selbst liegende Gründe, wie wir sie schon beschrieben haben (s. o.). Und beide Mal geht es letztlich um die völlige Ergriffenheit von einer Idee oder einem Glauben, um die totale Hingabe an eine Sache und an ein Ziel. Dem widerspricht nicht, dass sich mit unserer heutigen Trennung dieser Ebenen »rein« politisch-fanatische und rein »religiös-fanatische« Ausprägungen entwickeln können (s. o.). Schon bei den Wiedertäufern oder bei Calvin spielt aber die religiöse Ausgestaltung eines Staats- oder Stadtwesens eine zusätzliche Rolle; diesen »weltlichen« Gebilden sollen die Prinzipien einer speziellen Theokratie, der Gottesherrschaft, sekundär aufgezwungen werden.

Bei bestimmten fanatischen Bewegungen im Rahmen komplexer historischer Vorgänge, vor allem religiös-gesellschaftlicher Art, liegen nun, wie schon dargestellt (s. o.), die jeweiligen Elemente historisch und psychologisch so ineinander, dass die übliche Aufteilung in religiös und säkular nicht mehr gelingt. Gerade dies vermag ja den Außenstehenden so sehr zu irritieren. So bekommen z. B. beim religiös-fundamentalistisch konzipierten »islamischen Staat« die politischen Strukturen einschließlich der Gesetzgebung schon ihrem Wesen nach religiöse Qualitäten, sie sind reguläres Werkzeug der

Gottesherrschaft und ihrer Durchsetzung. Vor allem dieses so anschauliche und zugleich hochaktuelle Beispiel soll im Folgenden ausführlich zur Sprache gebracht werden, eingebettet in die Darstellung der islamistisch-fanatischen Bewegungen und ihrer derzeitigen Auswirkungen auf das Weltgeschehen überhaupt. Einen besonderen Schwerpunkt werden hierbei die heute so erschreckenden, fanatisch motivierten terroristischen Aktivitäten bilden.

1) Die islamistische Bewegung

– Islam, Islamismus und islamistischer Fanatismus

In Anbetracht der enormen, aktuellen weltpolitischen Bedeutung des Themenkomplexes bedarf es zunächst wichtiger begrifflicher und sachlicher Klärungen. Dies sowohl zur Ausräumung verbreiteter Missverständnisse und fälschlicher historischer Annahmen, als auch zur Verdeutlichung vorwiegend emotional bedingter Sichtweisen und projektiver Einstellungen. Die gegenwärtige, vor allem konfrontative Begegnungssituation zwischen der arabisch-islamischen und der westlich-christlichen Welt, die bereits bei der Erörterung der Rolle der sozialen Situation für die Entstehung fanatischer Aktivitäten angesprochen wurde (vgl. Kap. II.), führte – historisch gemessen – in kürzester Zeit zu einer aufgeheizten Polarisierung nicht nur auf politischer, gesellschaftlicher und kultureller, sondern auch auf religiöser, theologischer und ideologischer Ebene. Die parallel hierzu laufenden, vielfachen Bemühungen um Verstehen, Annäherung und Verständigung markieren den entgegengesetzten Pol und sind somit zusätzlicher Ausdruck der Komplexität des Problems.

Dass sich der Islam als Weltreligion seit der zweiten Hälfte des vorherigen Jahrhunderts in einer enormen Erstarkungsbewegung befindet, ist auf den verschiedensten Ebenen spürbar und fassbar. Diese Bewegung löst vielfache Ängste im westlichen Kulturbereich aus, bis hin zur Beschwörung einer neuen »islamischen Gefahr« für das Abendland. Hieraus resultieren wiederum verhärtete und aggressive Reaktionen gegenüber dieser neuen »Gefahr«. Sie machen es auch meist unmöglich, die bestehenden Ängste und Motive der Gegenseite, überhaupt die differenzierte Situation im muslimischen Lager, deutlicher wahrzunehmen. So entsteht auf der Sichtebene sowie auf der emotionalen Ebene ein grobes, weithin unstrukturiertes Feindbild, indem der Islam als praktische Religion, als fundamentalistische Einstellung, als politisierte Bewegung und als fanatisch-aggressive Bedrohung oft gleichermaßen als Einheit erlebt wird. Diese Komponenten jedoch voneinander zu trennen, ist Voraussetzung einer realitätsgerechten Analyse und Einschätzung. So hat B.

Tibi (1994) schon früher deutlich gemacht, dass man klar zu unterscheiden habe zwischen »Islamismus/Fundamentalismus als totalitärer Ideologie und Islam als Weltreligion« (ebd., S. 27; s. auch u.). Eine solche begriffliche Differenzierung ist für die Erörterung und für das Verständnis der gegenwärtigen Strömungen unverzichtbar, – gerade deswegen, weil sich das politisch-expansive Element und das religiös-verinnerlichende Element schon seit den Anfangszeiten des Islam intensiv miteinander verbunden und gegenseitig durchdrungen haben. Was heute geschieht, ist deshalb auch nur von der welthistorischen Entwicklung des Islam her wirklich zu verstehen.

Schon kurz nach dem Tode Mohammeds (632) begann unter den ersten Kalifen und dann der Dynastie der Omajaden der beispiellose Expansions- und Eroberungszug des Islam, der innerhalb weniger Jahrzehnte die arabische Halbinsel sowie das damalige alte byzantinische und persische Reich erfasste. Im Selbstverständnis der Moslems war dies bereits ein *Djihad*, ein »Heiliger Krieg« (Pleticha, 1976, S. 19). Trotz vielfältiger Rivalitätsstreitigkeiten und der Glaubensspaltung in Schiiten, Sunniten und Charidschiten blieb die Stoßkraft ungebrochen, bis zur Eroberung Nordafrikas und Spaniens im 8. Jahrhundert. Auch in den folgenden Jahrhunderten hielt sich dieses islamische Imperium trotz vieler Rückschläge, nur unterbrochen vom Mongolensturm. Und es gelangte zu einer neuen Blüte im großen türkisch-osmanischen Reich, das sich auch noch weiter in den Balkan ausdehnen konnte, bis zu den zwei die damalige westliche Welt in besonderer Weise schockierenden Belagerungen von Wien 1529 und 1683. Erst 1918 wurde das letzte osmanische Sultanat endgültig besiegt. Vor diesem Hintergrund einer als glänzend und siegreich wahrgenommenen eigenen Geschichte, die gleichzeitig die Siegesgeschichte der eigenen Religion war, wird der Stolz und das Selbstbewusstsein vieler Moslems verständlicher, und damit auch die Intensität des Gefühls der Demütigung und Unterdrückung in der europäischen Neuzeit, mit allen daraus resultierenden aggressiven Gegenreaktionen (s. u.).

Ist es schon schwer erklärbar, dass es den islamischen Eroberern gelang, »Völker verschiedener Kulturen, Sprachen und Rassen über Jahrhunderte hinweg in einem riesigen Imperium politisch zu organisieren, rechtlich zu ordnen, wirtschaftlich zu verwalten, kulturell zu prägen« (Fischer-Barnicol, 1980, S. 23), so beeindruckt noch mehr die parallel hierzu entwickelte »erstaunliche Duldsamkeit«, die der Islam »selbst gegenüber den Religionen und Kulturen, deren Offenbarung nicht anerkannt werden konnte«, bewies (ebd., S. 34). Diese Toleranz kontrastiert enorm zu der strengen Allgemeingültigkeit der Offenbarung im Koran, den Regeln der Umma und der rigorosen islamischen Gesetzgebung. Freilich verschaffte die gemeinsame monotheistische Wurzel der abrahamitischen Religionen dem Judentum und dem Christentum eine gewisse Milde der Behandlung, schon bei Mohammed selbst, im Gegensatz zu den scharf bekämpften polytheistischen Kulten. Und aus ihr resultiert auch die andere, so bemerkenswerte Auswirkung dieser frühen Begegnungen der verschiedenen monotheistischen Religionen: die tiefe gegenseitige Befruchtung in Wissenschaft, Architektur und Literatur, die Bewahrung des antiken medizinischen und philosophischen Erbes, letztlich eine Strecke des Zusammenwachsens orientalischer und abendländischer Kultur überhaupt. Auch noch so blutige und grausige Konfrontationen, wie z. B. die Kreuzzüge, konnten diesen Prozess mit seinem gegenseitigen Achtungsverhalten nicht aufheben.

Mit dem schon erwähnten politischen Machtumschlag in der europäischen Neuzeit beginnt auch die Geschichte der von den Moslems zutiefst erlebten inneren Kränkung und Demütigung und äußeren Ohnmacht, ohne die die heutige religiös-fundamentalistische Erstarkung und Rückorientierung des Islam nicht verständlich wird. Schon der Schock durch die Niederlage in der zweiten Belagerung von Wien, dann die partielle Kolonialisierung durch einige wenige westliche Mächte, punktuell z. B. auch die schockierende Eroberung Ägyptens unter Napoleon 1798, schließlich die Aufteilung der arabischen Welt in zum Teil völlig unorganische und unhistorisch-abstrakte Staatengebilde und -grenzen nach dem Untergang des osmanischen Reiches nach dem Ersten Weltkrieg, einschließlich der Errichtung westlicher Mandatsbereiche: All dies wurde von einer zunehmenden Zahl gläubiger Moslems auch als direkte Bedrohung ihrer Religion und religiösen Identität erlebt, zumal die westliche Übermacht für sie weithin unterschiedslos und gleichzeitig eine politische, gesellschaftliche und religiöse Übermacht darstellte (s. auch Lewis, 2002, S. 8 f.).

Die Rückbesinnung auf die eigene glorreiche Geschichte und die Rückorientierung auf die islamischen Wurzeln und Fundamente waren so die naheliegenden Bewältigungsmöglichkeiten dieser aktuellen modernen Situation. Andere, z. B. soziale und sozialpolitische, waren nicht in Sicht. Die klassische Psychodynamik der Entstehung fundamentalistischer Einstellungen und Verankerungen, wie wir sie beschrieben haben und wie sie auch die Entstehung des amerikanischen religiösen Fundamentalismus Ende des 19. Jahrhunderts geprägt hat (vgl. Kap. III.), ist so auch in der islamischen Welt klar zu fassen. Verunsicherung, Infragestellung und Kränkung, zumal unter der Provokation durch eine als dekadent, verwerflich und »ungläubig« erlebte Übermacht, steigert das Bedürfnis nach neuer Sicherheit, Verankerung und Bestätigung in einer Gegenposition. Und der gläubige Moslem lebt ja ohnehin in der – von westlichen Menschen meist viel zu wenig wahrgenommenen und ernst genommenen – tiefen Überzeugung, dass seine Religion, als die jüngere, auch die gegenüber dem Christentum bessere und fortschrittlichere ist (vgl. auch Kap. III.). So dachte schon Mohammed, bei aller Wertschätzung vieler jüdischer und christlicher Überlieferungselemente.

Die beschriebene fundamentalistische Rückbesinnung, Neuorientierung und Neuverankerung in der islamischen Religion ist auch keinesfalls erst neueren Datums, seit sie etwa durch spektakuläre Aktionen Aufmerksamkeit erweckte. Sie begann schon zu Zeiten, in denen der Islam von der politischen und der christlichen westlichen Welt kaum als ernstzunehmende Kraft empfunden wurde. So weist auch Fischer-Barnicol (1980) zu Recht darauf hin, dass keines der Rätsel, die uns die muslimische Welt aufgäbe, ohne das vom Islam getragene »spezifische menschliche Selbstverständnis« gelöst werden könne. Daran habe auch die lange Entmündigung durch den europäischen Kolonialismus nichts ändern können (ebd., S. 23); vielmehr gäbe es viele Indizien dafür, »daß die Geschichte der letzten 250 Jahre allenthalten zu einer von außen nicht bemerkten Intensivierung des islamischen Lebens geführt hat« (ebd., S. 24). Das gegenwärtige, oft fassungslose Überraschtsein der westlichen Welt von der Vehemenz und Stoßkraft der sogenannten »Re-Islamisierung« darf daher wohl zu Recht als Zeichen einer schwerwiegenden historischen, religiösen und psychologischen Fehleinschätzung gewertet werden, und darüber hinaus auch als Ausdruck eines verhängnisvollen und überheblichen Desinteresses gegenüber benachbarten fremdreligiösen Entwicklungen.

Die konkreteren, auch organisatorisch fassbaren Anfänge des Islamismus als typischer religiös-politischer Verschmelzungsbewegung (s. o.) lassen sich an der Gründung der ägyptischen Moslembruderschaft 1928 durch Hassan al-Banna festmachen. Sie kann als erste fundamentalistische Bewegung des Islam angesehen werden, wobei sich von Anfang an deutliche antiwestliche Akzente und zunehmend dann auch fanatisch-aktivistische Züge herausbildeten (Näheres s. Taheri, 1993, S. 71ff.). Von hier führt eine direkte ideologische Linie, auch literarisch und personell, zu Osama Bin Laden (s. u.). Ein weiterer wichtiger organisatorischer Schritt lag in der Gründung der »Hezb-Allah« (»Partei Allahs«, mit anderer, bekannter Schreibweise »Hisbollah«) 1973 durch Ayatollah Mahmud Ghaffari im Iran. Sie spielte eine entscheidende Rolle bei der Machtergreifung Khomeinis und der iranischen islamistischen Revolution (s. u.). Die Rolle dieser Partei wird auch bei den Methoden der Rekrutierung von todesbereiten Anhängern und Suizid-Attentätern wieder zur Sprache kommen.

Es ist nicht Sinn dieser Darstellung, weitere politische Einzelheiten oder Verflechtungen aufzuzeigen. Vielmehr geht es um die typische fanatische Ausrichtung dieser Bewegungen, die ihre besondere Stoßkraft eben aus der Verschmelzung eines religiös-fundamentalistisch erstarkten Islam mit einer politisch-expansiven Ideologie, gipfelnd in der »Gottesstaat«-Idee, beziehen. Und man versteht die Richtung und die Vehemenz dieser Stoßkraft nur von deren doppeltem Anschub her: einmal durch die Kompensation und Überkompensation bisheriger Unterlegenheits- und Kränkungserlebnisse durch eine begeisternde Woge religiös-politischer Neubesinnung und Neuerstarkung, und zum anderen durch die nicht zur Diskussion stehende, also fundamentalistische Rückbesinnung auf die religiöse Tradition in Form der wörtlichen Gültigkeit des Koran und auch der Rechtsordnung der Scharia. Eine im Gegensatz zur westlichen theologischen Tradition ungebrochene Offenbarungsbeziehung der Frömmigkeit stellt auch die Basis einer ungebrochenen Alltags-Überzeugung von der theokratischen Idee dar. »Die Wirklichkeit kann der Offenbarung nicht entgegenstehen«, kommentiert H. Fischer-Barnicol (1980) dieses Denken, speziell im Hinblick auf die Rechtsformen; »Gegensätze können nur in der Auslegung des Qur'ans (Korans, G. H.) bzw. im Verständnis der Wirklichkeit auftreten« (ebd., S. 33). Dass es im heutigen Islam, der weltweit ein sehr komplexes Gebilde darstellt, auch vielerlei Widerstände und kritische Gegenströmungen gegen solch theokratische Begründungsmodelle gibt, muss natürlich deutlich gesehen werden, es hebt aber gegenwärtig die aggressiv-islamistische, fanatisch fixierte Zielausrichtung so vieler Moslems nicht auf.

Einen besonderen Ausdruck, auch in der Wahrnehmung durch die nichtmoslemische Welt, hat die islamistische Bewegung durch ihre Interpretation und Propagierung des sogenannten *Djihad*, des »Heiligen Krieges«, gefunden. Man versteht die gegenwärtigen Positionen nur vor dem Hintergrund der uralten Auslegungskontroversen zu diesem Thema. Denn schon im Mittelalter hat die Frage, wie die Ausbreitung des Islam zu geschehen habe, die islamischen Rechtsgelehrten beschäftigt und zur Bildung der »klassischen« Theorie des Djihad geführt. Demnach ist die Welt in zwei Gebiete aufgeteilt:

1. Das Gebiet des Islam (*dar al-Islam*),
2. Das Gebiet der Nicht-Muslime = das Gebiet des Krieges (*dar al-harb*).

»Solange die alleinige Herrschaft des Islams nicht die ganze Welt umfasst, bleibt der Heilige Krieg ein Dauerzustand« (Khoury, 1991, S. 14). Zur Stützung dieser Position wurde und wird u. a. Sure 2, 190 (»Bekämpft für Allahs Weg, eure Religion, die euch töten wollen…«) oder Sure 2, 194 (»Kämpft gegen sie, bis ihr Versuch aufgehört hat und Allahs Religion gesiegt hat«) angeführt. Dass es auch andere Suren gibt, die ausdrücklich die Friedfertigkeit gebieten, stellte für eine solche fundamentalistische Position nie ein

Gegenargument dar, sondern wurde zu einer Sache der Interpretation – analog der Kreuzzugs-Theologie im Christentum. Doch auch in der muslimischen Tradition der Vergangenheit ist der Djihad immer schon gleichzeitig als friedlicher Kampf, als geistige Anstrengung, als Aufgabe, »den ›wahren‹ Glauben eifrig durch Predigt verbreiten«, angesehen worden (Schweizer, 2002, S. 224).

Im heutigen Islam haben sich nun von dieser unterschiedlichen Tradition her zwei sehr divergierende Positionen herausgebildet:

1. Die streng fundamentalistische bzw. fanatische Ausrichtung:
Hier ruft der Islam alle Menschen zur Annahme des wahren Glaubens durch das Wort auf, im Falle der Weigerung aber hat dies »durch das Schwert« zu geschehen. Die Erde soll vom Unglauben und von Verderbnis gesäubert werden, ein Pluralismus der Religionen kann nicht hingenommen werden. Diese Position hatte sehr klar Khomeini eingenommen, auch in wörtlichen Äußerungen (s. u.).

2. Die versöhnliche und spirituelle Ausrichtung:
Hier wird, sowohl von Rechtsgelehrten als auch von einfachen Moslems, die differenzierte Einstellung des Koran zum Djihad betont. Demnach gibt es

- den Djihad als den friedlichen *»großen Einsatz«*, das heißt als tägliche moralische und geistige Anstrengung des Gläubigen mit Herz, Zunge und Hand, und
- den Djihad als den militanten *»kleinen Einsatz«*, der nur unter zwei strengen Bedingungen als »gerechter Krieg« gerechtfertigt ist: einmal als Zurückschlagen bei Angriffen und Übergriffen (auch geplanten), und zum anderen zur Verhinderung der Unterdrückung von Moslems in anderen Ländern (Näheres s. Khoury, ebd., S. 17f.).

Der »große Einsatz« trifft sich sowohl in der historischen Tradition als auch in der inneren Ausrichtung mit der ganz anderen Seite der muslimischen Frömmigkeit, wie sie sich in der mystischen Richtung des *Sufismus* manifestiert hat. Es gibt heute große und weitgefächerte Sufi-Orden, wobei auch Frauen die Weihe bekommen können, und die Breitenwirkung dieser Bruderschaften in die muslimische Frömmigkeit hinein ist sehr groß. A. Schimmel (2000) hat den Sufismus als »die innere Dimension des Islam« bezeichnet (ebd., S. 7); und eines seiner Ziele im »größeren Heiligen Krieg« sei der Kampf gegen die eigene »gefährliche Seele« und deren langsame Umwandlung zur »Seele im Frieden« (ebd., S. 19). Immer wieder kam der Sufismus auch in Gegensatz zum offiziellen Islam, ähnlich wie auch die christliche Mystik zur offiziellen Theologie (Näheres s. Williams, 1973, S. 177–227).

Bis heute gibt es keinen Konsens in der islamischen Welt bezüglich der gültigen Djihad-Interpretation. Radikale Islamisten berufen sich fundamentalistisch auf die ihrer Sicht nach streng militant gemeinten Koran-Zitate, und die Ausrufung des Djihad in diesem Sinn (s. u.) ist für sie konsequente Religionsausübung. Die entsprechende Fanatisierung in dieser eingeengten Ausrichtung schafft dann ohnehin eine Panzerung und Kompromisslosigkeit, die keinem anderen Einfluss mehr zugänglich ist, wie es bekanntermaßen zur fanatischen Mentalität und Psychodynamik gehört. Hinweise gemäßigter bzw. gelehrter Moslems, dass ein Djihad ohnehin nur über einen Konsens der islamischen Gelehrten, Idschma genannt, ausgerufen werden könne und dass es sich bei den undifferenzierten Koranbegründungen der Fundamentalisten um einen »Irrtum der Extremisten« handele (s. Amirpur, 2001, S. 2), müssen unter den gegebenen Bedingungen selbstverständlich verhallen.

Womit wir es jedenfalls im Rahmen unseres Themas zu tun haben, ist die Realität der fundamentalistischen Reorientierung und der fanatischen Ausagierung der Einstellung einer Minderheit in der breit gestreuten muslimischen Welt, aber einer eben dadurch höchst wirksamen und auch gefährlichen Minderheit. Diese bietet freilich ihrerseits wieder ein uneinheitliches Bild. Man müsse in der Tat nicht nur zwischen Islam und Islamismus, sondern auch »zwischen friedlichen und gewaltbereiten Islamisten« unterscheiden, sagt B. Tibi (2003); erstere suchten den undemokratischen islamischen Staat langfristig mit friedlichen Methoden durchzusetzen, letztere mit dem »irregulären Krieg des Neo-Dschihad« (Focus Nr. 1 v. 29. 12. 2003, S. 46). Auf die diesbezüglichen Unterschiede zwischen der schiitischen und sunnitischen Richtung braucht hier nicht weiter eingegangen zu werden; für das Verständnis des islamistischen Fanatismus als solchem sind sie kaum relevant, weil die jeweiligen, natürlich vorhandenen speziellen historischen Hintergründe und Begründungen sich in der Endstrecke der fanatischen Identifikation ziemlich angleichen. Analoges lässt sich ja auch im Erscheinungsbild christlicher Fanatismen ausmachen.

Man kann sich wohl als religionsgeschichtliches und religionspsychologisches Basiselement ohne weitere Bewertung der Aussage von W. Laqueur (2001) anschließen, dass »the missionary, aggressive element in radical Islam is stronger than that in other religions« (ebd., S. 128). Auch die verbreitete Einstellung im radikalen Lager gegen viele eigenen, als korrupt und »westlich verseucht« angesehenen arabischen Staatsgebilde passt zu dieser puristischen fundamentalistischen Radikalität; aus dieser Sicht sei es nötig, »that the evil at home has to be eradicated before the infidels abroad can be destroyed«; »The Jihad has turned inward« (ebd., S. 129). – Im Folgenden sollen die konkreten Manifestationen, Wirkungen und Auswirkungen des heutigen fanatischen Islamismus anhand markanter Gestalten als gleichzeitige Repräsentanten einer großen religiös-politischen Bewegung dargestellt werden. An diesen Beispielen lässt sich sowohl das Phänomen des essentiellen Fanatismus als auch das des induzierten, des Massen-Fanatismus, markant aufzeigen.

– Khomeini und die islamistische Revolution

Der Weltöffentlichkeit erstmals wirklich ins Bewusstsein gekommen ist die ja schon lange existierende kämpferisch-expansive Richtung eines extrem fundamentalistischen und fanatischen Islam durch den Sturz des Schah im Iran und die Rückkehr von Ayatollah Khomeini aus dem französischen Exil im Jahr 1979. In seiner Person findet sich die Verschmelzung von fundamentalistisch strenger islamischer Religiosität und Gläubigkeit mit den Zielen der Errichtung eines islamischen Gottesstaates in Reinkultur, wozu auch eine konsequente fanatische Durchsetzungsmentalität gehört. Schon an der Biographie des 1902 geborenen Iman sowie an seinen Schriften bereits ab den 40er Jahren lässt sich die Intensität dieser fanatischen Stoßrichtung erkennen. Er bringt auch von seiner Struktur her die markanten Eigenschaften eines schizothym-melancholisch akzentuierten Fanatikers mit; er war ungesellig, einsam, galt schon während des Studiums als »Sonderling«, »stets schweigsam«, nie habe man ihn lachen sehen (s. Nirumand, 1989, S. 4).

Die innere Vision Khomeinis, die er verwirklichen wollte und in der er sich mit einer zunehmend großen Anhängerschar einig war, hatte offensichtlich klare Umrisse: »Es gibt heute keinen einzigen wahrhaft islamischen Staat, wo die soziale Gerechtigkeit verwirklicht wird. Unsere Aufgabe wird es also sein, uns zu bemühen, diesem Ideal möglichst nahe zu kommen«. »Wir kämpfen für die ideale Gesellschaft, wie der Prophet selbst sie sah« (zit. n. Laffin, 1980, S. 164). Eingebracht in eine fanatische persönliche Ausrichtung mit entsprechender Intensität, Kompromisslosigkeit und Durchsetzungswillen, unterstützt von einer großen Zahl massenfanatisch angeheizter, gleichzeitig religiös höriger Anhänger, mussten solche Ziele als die große Erfüllung des wahren Willens Allahs und Mohammeds erlebt werden.

Khomeinis Machtergreifung nach seinem Exil konnte auf der Grundlage der Vorarbeit der Hezb-Allah (Hisbollah; s. o.) besonders gut gelingen. Der Sohn des als Märtyrer im Gefängnis umgebrachten Parteigründers, Hadi Ghaffari, spielte hierbei eine wesentliche Rolle, und nach der Machtergreifung kam die Partei zu neuer Blüte und wurde zu einem öffentlichen Arm des Regimes, mittels dessen Oppositionssprecher ermordet, regierungskritische Zeitungshäuser in Brand gesetzt und Säureanschläge auf unverschleierte Frauen verübt wurden (s. Taheri, 1993, S. 124–126). Die Partei-Ideologie oder -Theologie beruhte auf einer elementaren dualistischen Weltsicht mit Einteilung der Menschen in Gute (Moslems) und Böse (alle Nichtgläubigen), wobei aus der vorherrschenden asketischen Alltagspraxis heraus in allen abweichenden Lebensformen das Werk Satans gesichtet und bekämpft wurde. Khomeini hat, auf dieser als auch seiner eigenen Weltsicht aufbauend, eine streng religiös-fundamentalistische Ausrichtung mit der Idee der Errichtung eines islamischen Gottesstaates im Iran verbunden, in dem schließlich, wie gesagt, durch den Kampf gegen den Unglauben und das »Böse«, der volle Wille Allahs und des Propheten und die ideale Gerechtigkeit hergestellt werden sollte. Für ihn war auch fraglos die streng militante Interpretation des Djihad die richtige, und diese gab die fundamentalistische Basis für die daraus folgenden fanatischen Aktivitäten und Weisungen ab (s. u.).

Historisch und psychologisch voll verstehbar wird diese Revolution und die hierbei entbundene fanatische kollektive Energie freilich nur vor dem Hintergrund der schon besprochenen antiwestlichen Einstellung und der sie begleitenden starken Affekte. Diese Einstellung hat einen kulturell-völkischen und einen religiösen Schwerpunkt. Zu ersterem hatten wir schon früher aufgeführt, dass der islamische Fundamentalismus eine stürmisch hervorgebrochene Abwehr gegen die westliche Vorherrschaft auf geistigem, zivilisatorischem und wirtschaftlichem Gebiet sei (vgl. Kap. III.). Genauer handelte es sich, wie es M. Odermatt (1991) zutreffend formuliert, bei der »Re-Islamisierungs-Bewegung« um den Versuch, »sich kulturell und wirtschaftlich von den ehemaligen nichtislamischen Kolonialmächten zu entkoppeln«, um eine »Reaktion auf ein kollektives Minderwertigkeitsgefühl«; sie stelle insofern »eine eindrückliche Überkompensation erlittener Demütigungen und erfahrener Bedeutungslosigkeit dar (ebd., S. 29f.). Diese Erlebnis- und Sichtweise gehörte auch zur Ideologie Khomeinis und der Hisbollah. So erscheint also auch hier wieder die Dynamik der Überkompensation, die ja auch bei der Entstehung individueller fanatischer Entwicklungen eines der stärksten Motive ausmacht (vgl. Kap. IV. und u.).

Der zweite der genannten Schwerpunkte, der religiöse, der ebenfalls schon dargestellt wurde (s. o.), betrifft das selbstverständliche Bewusstsein des Moslem, dass seine Religion, sein Glaube, die »wahre« Religion und dem christlichen Glauben überlegen sei. Da der Islam seinen besonderen Schwerpunkt gerade in der durchgehend gesetzlich geregelten Lebenspraxis hat, somit auch alles Juristische aus einer direkten religiösen Verankerung heraus versteht, war die Propagierung und die Einführung der Scharia, des kanonischen, religiösen Rechts des Islam (Näheres s. Williams, 1973, S. 115ff.;

Sommer, 1981, S. 21ff.) für Khomeini nur ein in sich konsequenter Vollzug in der Etablierung eines echten islamischen Staatsgebildes, der Theokratie, des »Gottesstaates«.

Gerade diese stark ausgeprägte gesetzliche Seite des Islam mit ihrer Durchdringung des privaten und öffentlichen Lebens eignet sich nun besonders gut für fundamentalistische Fixierungen und auch Kontrollen; diese gaben daher auch für die fanatisch vertretene Durchsetzung und Ausschließlichkeit klare Zielkonturen und »Reinheits«-Kriterien ab. Sowohl Lehre als auch Verhalten ließen sich so in diesem ersten islamischen Gottesstaat der Neuzeit schon äußerlich gut erkennbar nach dem Schema »richtig« oder »falsch«, »gut« oder »böse«, »gottgefällig« oder »satanisch« für alle beurteilbar machen. Von bestimmten Details in literarischen Werken bis zum richtigen Sitz des Schleiers: Da all dies somit perfektionistisch und autoritär als akzeptabel oder verwerflich deklarierbar war, hatte auch der fundamentalistisch orientierte fanatische Terror seine klaren aggressiven Ziele. Es sei an das »Todesurteil« (Fatwa) Khomeinis gegen den Schriftsteller Salman Rushdie oder die Ermordung des algerischen Soziologen Mohammed Boukhobza erinnert, ebenso an den vielgestaltigen »Schleier-Terror« gegen moderne moslemische Frauen, die, weil sie den Tschador nicht mehr tragen wollten, aggressiven Beschimpfungen als »Huren« oder gar körperlichen Bedrohungen und Attacken ausgesetzt waren (s. Taheri, 1993, S. 210ff.).

Besonderer Ausdruck der gebotenen islamischen Kampfbereitschaft gegen die »Ungläubigen« und die Feinde des Islams allgemein war auch für Khomeini und seine Anhänger der *Djihad*, und zwar in der streng militanten Form (s. o.). Als besonderes Konzept der todesmutigen Kriegsführung stellt er ja gerade für die extremistisch-fanatischen Vertreter des Islam das voll legitimierte äußere Kampfmittel dar. Die Aussicht, durch den Tod im Djihad direkten Eintritt in das Paradies zu erlangen, hat auch bei den entsprechenden kriegerischen Auseinandersetzungen in der Entbindung von Begeisterung und Tapferkeit eine große Rolle gespielt; dies selbst dort, wo der Djihad keineswegs nur gegen die »Ungläubigen« proklamiert wurde (wie z. B. im iranisch-irakischen Krieg 1980). Wenn Krieger sogar noch ohne Munition mit dem Ruf »allahu akbar« gegen die feindliche Front stürmen, dokumentiert solches Verhalten am deutlichsten die induzierte religiös-fanatische Ergriffenheit bis hin zum Selbstopfer.

Die Verschmelzung religiöser und politischer Ziele gerade im Djihad ist in einer Vielzahl von Äußerungen islamischer Autoritäten deutlich greifbar. Khomeini hatte hierzu ebenfalls schon früh (1942; 1983 neu aufgelegt) in bemerkenswerter Weise Stellung genommen: Der Islam möchte »die Welt erobern«, gerade »um geistige Werte zu fördern und die Menschheit auf

Gerechtigkeit und göttliche Herrschaft vorzubereiten«. Der Djihad sei »ein Kampf gegen Götzenanbetung, sexuelle Perversion, Ausbeutung, Unterdrückung und Grausamkeit«. Und: »Man kann die Menschen nicht gehorsam machen außer mit dem Schwert! Das Schwert ist der Schlüssel zum Paradies, das nur Heiligen Kriegern offen steht« (zit. n. Taheri, S. 329f.). An solche und ähnliche Positionen schloss sich dann auch, von bestimmten fundamentalistisch-fanatischen Gruppen als zwingende Konsequenz vertreten, die Ausdehnung des Djihad-Gebots auf den allgemeinen, internationalen islamistischen Terrorismus direkt an. Dies wird auch von nicht wenigen – aber bei weitem nicht allen – muslimischen Rechtsgelehrter klar so vertreten, obwohl ein derartiger extremistischer und separatistischer Terror zumindest den Traditionen des klassischen Islam widerspricht (s. dazu Klein-Franke, 1987, S. 219f.). Dieses Phänomen eines hochorganisierten religiös-politischen Gruppenfanatismus stellt, abgesehen von seiner besonderen Gefährlichkeit und seiner Verbreitung über viele islamische Länder, eine neue Qualität des Djihad-Gedankens dar. Diese neue Qualität wurde aber besonders im schiitischen Iran während der Khomeini-Herrschaft entwickelt und legitimiert. In der Extremform des Suizid-Terrorismus wird uns dies noch gesondert beschäftigen (s. u.).

Freilich nahmen in der Ära nach Khomeini die politischen und religiösen Auseinandersetzungen zwischen Fundamentalisten und Reformorientierten vermehrt zu, sie polarisierten sich, und die Idee des »Gottesstaates« bzw. dessen Praxis geriet zunehmend in Kritik und Verruf (s. Follath, 2003, S. 92–97). Vor allem auch regt sich seitens der jüngeren iranischen Generation zunehmend Widerstand gegen die geistige Bevormundung überhaupt, und die Jüngeren versuchen sich gegenüber westlich-modernen Einflüssen auf allen Gebieten zu öffnen, auch wenn es Konflikte und Gefahren mit sich bringt (s. Reuter, 2003, S. 34–44). Dies zeigt, wie auch bei einer innerhalb weniger Jahre so vehement ablaufenden Revolution, mit Massenergriffenheit und Schreckensherrschaft gleichzeitig, Prozesse der inneren Veränderung, vor allem nach dem Tod der führenden Gestalten, nicht aufzuhalten sind. Dies gilt für die meisten fanatischen Systeme politischer oder religiöser Art. Nur: Solche Prozesse sind nicht prognostizierbar, und der Zeitfaktor dabei lässt sich erst recht nicht abschätzen. Das, was aber tatsächlich abgelaufen ist, wie hier die iranische Revolution mit ihren fanatischen Fanalen selbst, und was dabei an Typischem möglich war, bleibt als historisches Faktum in seiner Auswirkung bestehen. Dies und nicht das komplizierte politische Feld an sich ist es, was wir hier zu beurteilen haben.

So steht Khomeini, sowohl nach Persönlichkeit als auch nach Ideenwelt, zweifellos für den Typus des harten, essentiellen religiösen Ideenfanatikers.

Und seine mit hoher fanatischer Energie, Kompromisslosigkeit und mit allen verfügbaren, auch noch so blutigen Mitteln verfolgte Idee des Gottesstaates stellt ein neues Exempel für die fanatische rigorose Durchsetzung einer religiös-politischen Weltbeglückungsvision dar. Gleichzeitig kann die islamistische Revolution im Iran als ein weiteres Lehrstück für den induzierten Massenfanatismus (vgl. Kap. III.) gelten, wobei sich die Anhängerschaft unter der Dominanz und dem Diktat der schiitischen Mullahs vom Klerus bis in die Reihen der einfachen, oft ja glühend gläubigen Moslems erstreckte. Trotz aller bis in den Alltag hineinreichenden religiösen Regelungen, Restriktionen und Sanktionen darf ja nicht verkannt werden, dass sich die Mehrzahl der Iraner in einer begeisterten religiösen und politischen Aufbruchstimmung befand, Khomeini fast abgöttisch verehrte und vor allem in eine zunehmend stärkere, ideologisch fixierte antiwestliche und antimodernistische Einstellung hineingeriet. Über diese schon eingehend beschriebene Einstellung (s. o.) manifestiert sich die so deutlich wahrnehmbare Solidarität mit der sonstigen, speziell islamistisch orientierten muslimischen Welt.

– Bin Laden und die islamistische Verschwörung

Bewusst ist hier der Begriff »Verschwörung« verwendet worden, um von vornherein einen wichtigen Unterschied zu markieren: den zwischen einer revolutionären Bewegung mit beschreibbaren Abläufen und deutlichen Konturen innerhalb eines Staatsgebildes, wie es z. B. bei der Errichtung des typischen »Gottesstaates« im Iran der Fall war, und andererseits einer Geheimorganisation in Form eines kaum durchschaubaren Verbindungssystems und eines bewusst mit Täuschungstaktiken arbeitenden Netzwerkes vom Typ »Al-Qaida«. Nicht nur der islamistische Internationalismus, sondern auch die Gesamtstrategie eines partisanenähnlichen, unerwarteten Zuschlagens gegen die verschiedensten Objekte und Personen zeigen eine gänzlich andere Art von Durchsetzungsversuchen – freilich für letztlich ein und dieselben Ziele. Diese Ziele, im Rahmen der islamistischen Ideologie, waren aber seit Jahren hinreichend bekannt. Denn anders als zu Beginn der Ära Khomeini im Iran hatte die Weltöffentlichkeit schon lange vor dem ersten Wahrgenommenwerden des Wirkens von Osama Bin Laden klar registrieren können, welch neue – allerdings schon viele Jahrzehnte lang schwelende – religiös-politische Bewegung von fanatischer Ausrichtung und Zielsetzung hier entstanden war.

Es geht in dieser Darstellung um das fanatische Element, das in dieser Bewegung treibend ist, um seine Hintergründe, Konturen und spezielle Auswirkungen, nicht um die Schilderung einzelner terroristischer Akte oder um die politische Bewertung eskalierender gegenseitiger Bekämpfungs- und

Vergeltungsmaßnahmen. Dieses fanatische Element begegnet uns zunächst in der Person Osama Bin Ladens als derzeitigem »Kopf« der Organisation und dem Typus einer offensichtlich überzeugenden, Sicherheit und Autorität ausstrahlenden Führungsgestalt. Dieser stellt aber zweifellos doch nur den ersten Exponenten unter anderen, weniger bekannten, ebenso überzeugten und aktivitätsbereiten Mitgliedern dar. Hinter ihnen steht das Gesamtnetz von Al-Qaida und vor allem das Riesenheer von islamistischen Sympathisanten in der ganzen muslimischen, vor allem arabischen Welt, die derselben Ideologie und Zielsetzung anhängen. Bei einer solchen Organisation, die von der sorgfältigen Rekrutierung und langjährigen Vorbereitungszeit von Kadern bis zur exakten Planung und dann auch Durchführung hochtechnisierter und minutiös ablaufender terroristischer Aktionen alle Fäden in der Hand hat, und das noch im Geheimen, versagen natürlich weithin die Möglichkeiten, die beschriebenen Kriterien für das Fanatische im einzelnen anzulegen. Besonders ginge es ja darum, eine Abgrenzung gegenüber dem Ausagieren von bloßer Gewalttätigkeit, Neid, Hass- und Rachegefühlen, Sadismus, auch eigener Größenideen, überkompensierter Selbstwertsdefizite sowie Vorteilserwartungen vornehmen zu können. Dies ist bei fanatisch induzierten Massenbewegungen schon schwer, wie z. B. in der Französischen Revolution, im Dritten Reich oder der iranischen Revolution (s. o.), und so erst recht bei einer derartigen Geheimorganisation. Die Leitfrage nach der totalen Identifikation mit einer Idee, der Verfolgung eines höchsten Ziels, dem Einsatz für einen unverlierbaren Wert hat dabei dennoch obenan zu stehen, neben dem weiteren Element der unbeirrten, hochenergetischen Durchsetzung um jeden Preis sowie der völligen Gewissenskonformität der Handlungen.

Letztlich kann diese Frage, vor allem in Anbetracht der angegebenen emotionalen Kriterien, nur im Hinblick auf den konkreten einzelnen Menschen sinnvoll gestellt werden. Gerade bei Al-Qaida zeigt sich, wie problematisch es ist, eine Organisation an sich als »fanatisch« einzustufen, sowenig wie man auch allgemein einen Staat als »fanatisch« bezeichnen könnte. Nur für die einzelnen Menschen ist dies möglich (vgl. auch Kap. III.), und dann auch für das konkrete Kollektiv von Menschen als Gruppe oder als Masse (»Massenfanatismus«, vgl. Kap. III.). Al-Qaida, als derzeit wohl weltweit gefährlichste terroristische Organisation, vermag jedoch mit offensichtlichem Erfolg aus ihrer islamistischen Basisideologie heraus einzelne – oder zahlreiche – typische, hochmotivierte und voll überzeugte, zum Totaleinsatz bereite Fanatikergestalten zu rekrutieren oder zu induzieren. Dies wird am markantesten und extremsten an Einstellung, Durchführungsenergie und emotionaler Identifikationsleistung der Suizid-Attentäter deutlich (s. u.), soweit sie dem Al-Qaida-Netz zugehören, und dann in ebensolcher Weise an dem sicher dem Typus des klassischen, essentiellen expansiven religiös-politischen Ideenfanatikers zuzurechnenden Kopf der Organisation, Bin Laden.

Aus der Herkunft Osama Bin Ladens lassen sich – wie so oft – keine Auffälligkeiten anführen, die auf eine spätere politisch so extreme oder gar fanatische Entwicklung hinweisen könnten. Als 17. von 57 Kindern eines reichen jemenitischen Bauunternehmers und einer saudischen Mutter, dessen zehnter Frau, ist er etwa 1957 geboren und in Saudi-Arabien aufgewachsen, studierte dort Betriebswirtschaft und später Islamwissenschaft. Er galt, abgesehen von seiner auffallenden Körpergröße, bei seinen Kommilitonen als unauffällig, eher still, fromm, bei anderen auch als etwas schüchtern und melancholisch (s. Rashid, 2001, S. 225f.; B. Jung u. a., 2001, S. 283ff.). Sein politischer Weg wurde maßgeblich durch die Wirren um die russische Besetzung Afghanistans bestimmt, indem er nach seiner Niederlassung in Peschawar 1982 den Kampf der Mudschaheddins gegen die russische Besatzungsmacht mit Geld und durch die Organisation von Ausbildungslagern speziell für wahabbitische Araber-Afghanen unterstützte; 1989 richtete er dort die Militärbasis Al-Qaida ein. Die politischen Seiten der Situation brauchen hier nicht weiter kommentiert zu werden, auch nicht die Gründe für sein Zerwürfnis mit der saudischen Königsfamilie, noch weniger die – aus heutiger Sicht makabre – Tatsache, dass Bin Laden damals in seiner Widerstandstätigkeit gegen die Russen auch von den USA, u. a. mit Waffen, unterstützt wurde.

Wichtig ist hier die geistig-ideologische bzw. religiös-ideologische Welt, die den Hintergrund für die religiös-politische Entwicklung Bin Ladens abgab. Diese zeigt sich schon früh, seit seiner Studentenzeit, gekennzeichnet durch einen typischen antiwestlichen Islamismus. Dieser wiederum war deutlich inhaltlich und emotional geprägt durch die Schriften von Sayyid Qutb, einem der wichtigsten Aktivisten der 1928 in Ägypten gegründeten sogenannten »Moslembruderschaft«. Diese kann als die erste fundamentalistische Bewegung des Islam bezeichnet werden (s. o.). Bis hin zu wörtlichen Zitaten ist der Einfluss des 1966 in Ägypten hingerichteten Qutb auf Bin Laden erkennbar; er hatte dessen Schriften schon als Student gelesen, war von ihnen sehr beeindruckt und ersehnte in der damaligen inneren Aufbruchphase mit Überzeugung und Begeisterung eine »islamistische Renaissance«. Und gleichermaßen, wie er es schon von Qutb kannte, entwickelte er eine tiefe Verabscheuung und zunehmenden Hass gegen die westliche, speziell die amerikanische Mentalität und Zivilisation – obwohl er selbst, anders als Qutb, nie in Amerika war. Überhaupt scheint Bin Laden keinesfalls ein so selbständiger und originärer Denker zu sein, wie es manchmal den Anschein haben kann; er suchte stets Anschluss an anerkannte islamische Autoritäten, und nach Rashid (2001) beschreiben ihn auch seine »früheren Komplizen« als »leicht zu beeindruckenden Mann, der immer einen Mentor brauchte« (ebd., S. 232). Die markante Formel von Sayyid Qutb: »Es ist ein Krieg zwischen Iman/Glauben und Kufr/Unglauben« wurde von Bin Laden in seiner bekannten Djihad-Rede über Video des Senders Al-Dschasira vom 07. Oktober 2001 wörtlich verwendet (zit. n. Tibi, 2002, S. 169).

Bin Laden stellt ein markantes Beispiel für einen aus einer klaren und rigorosen fundamentalistischen Grundposition hervorgegangenen, konsequent militanten Fanatismus bis in die Entwicklung eines entsprechenden aktiven terroristischen Netzwerkes hinein dar, wobei auch die Anregung zu Bildung von Al-Qaida von Sayyid Qutb stammte. In der islamisch-fundamentalistischen Überzeugung, wie sie ausführlich dargestellt wurde (s. o.), liegen bereits die Kernelemente vor, die der islamistisch-expansiven Weiterentwicklung und der militant-fanatischen Durchsetzung als Begründung dienen: der Islam als die wahre und bessere Religion, die Verpflichtung zu deren Bewahrung und Wiederherstellung in reiner koranischer Form, der Djihad als Form der Durchführung und Durchsetzung dieser Verpflichtung, und dann das »Feindbild Westen« als Gegenmacht des »Bösen« und gleichzeitigen Orts des »Unglaubens« und der religiösen und sittlichen Dekadenz. Als besonders unerträglich und blasphemisch wird dabei vor allem die militärische Präsenz westlicher Mächte auf islamischem Boden erlebt. In den Djihad-Aufruf Bin Ladens (s. o.) ist daher vor allem auch die Befreiung aller dem Islam heiligen Gebiete und Städte eingeschlossen, und er schwört bei Allah, dass es keinerlei Sicherheit in den USA mehr geben werde, »bevor alle ungläubigen Truppen vom Boden Mohammeds verschwunden sind« (zit. n. dpa in *Schwäbische Zeitung*, Nr. 232 vom 08. Oktober 2001, S. 3). Dieser fundamentalistische, sich an den historischen Ursprüngen orientierende Urgedanke vom »Heiligen Boden«, der von den Ungläubigen entweiht werde – und der auch von der christlichen Kreuzzugsideologie wohlbekannt ist –, wird im Rahmen der fanatischen Durchsetzung dieser Reinheit und Bereinigung als göttlichem Auftrag zur klaren Verpflichtung. Hier sind nun wirklich die religiöse Seite und die politische Seite der Sache zu einer Einheitsfront verschmolzen, wie es der islamistischen Überzeugung und Zielsetzung in ihrem Kern entspricht (s. auch Lewis, 2002, S. 18).

Wenn Bin Laden und seine überzeugten Mitstreiter für ihre Planungen den weltweiten konspirativen Weg gewählt haben, entspricht dies wohl einer realistischen Einschätzung solcher Möglichkeiten im Rahmen der bestehenden Machtverhältnisse. Im – schon erwähnten – Unterschied z. B. zur iranischen Revolution mit Khomeini als theokratischem Herrscher schien der Aufbau eines geheimen internationalen Netzwerkes mit relativ selbständig operierenden Zellen die wirksamste Möglichkeit, in unerwarteten, gut vorbereiteten terroristischen Aktionen die westlichen Mächte real und psychologisch besonders empfindlich zu treffen. Der Anschlag auf die beiden Türme des World Trade Center in New York am 11. September 2001 war sicher der bisherige destruktive Höhepunkt für diesen Al-Qaida-Terrorismus, nicht nur was die Zahl der Todesopfer, sondern auch was die spektakuläre Wahl der Mittel in Form von gekaperten voll besetzten Passagierflugzeugen betrifft. Es ist hier nicht der Ort, die Vielzahl anderer Terrorakte mit ihren schreckliche Folgen anzuführen und zu kommentieren. Es geht vielmehr um die Beurteilung der Psyche der Beteiligten, deren spezielle Motivlage und Psychodynamik in Vorbereitung und Durchführung, ihre singuläre oder gruppenfanatische Einbindung in ein destruktives organisatorisches Räderwerk, das so gut wie keine Möglichkeit der Umkehr mehr offen lässt. Und dies alles vor dem Hintergrund islamischer Gläubigkeit, Auftragsüberzeugung und Konformitätsgefühl mit dem Willen Allahs. – Zur noch intensiveren Verdeutlichung und Analyse dieses Phänomens soll in einem eigenen Abschnitt noch auf dessen realen und motivatorischen Höhepunkt überhaupt eingegangen werden, nämlich den Suizid-Terrorismus, der ja als Phänomen auch das Aktionsfeld von Al-Qaida weit übersteigt (s. u.).

Dass Bin Laden und das Netzwerk Al-Qaida ihre Ziele auf dem Weg einer militanten »islamistischen Internationale« im Verschwörungsstil zu erreichen versuchen, ist das Neue daran, bzw. es ist in den letzten Jahren deutlich ans Licht gekommen (s. o.). Keinesfalls neu, sondern vom Westen nur nicht wahrgenommen oder ernstgenommen, sind die theologisch-fundamentalistischen und die islamistisch-fanatischen Zielsetzungen dieser Organisation bzw. ihrer Anhänger und ihres breiten Sympathisantenfeldes. »Was die neuzeitlichen fundamentalistischen Reformbewegungen durchgehend motiviert«, schreibt K. Kienzler (2002), »ist die Auseinandersetzung mit der westlichen Zivilisation. Das war vom Westen lange Zeit nicht bemerkt worden«. Oberflächliche Beobachter seien der Meinung gewesen, »die islamischen Länder würden sich über kurz oder lang der westlichen Weltzivilisation anschließen«; so aber sei der Geist der westlichen Kultur »in die Rolle des alleinigen Sündenbocks für alle Missstände der islamischen Welt« geraten (ebd., S. 87). Ähnlich weist B. Tibi (2002) auf die Geschichte und die Hintergründe des »Feindbildes Westen« hin und warnt vor dem Gegenbild des »Feindbildes Islam«, vor allem dass wir »den globalen Terrorismus nicht herunterspielen … und solche politischen Aktionen als Wahnsinn einzelner Individuen falsch deuten« dürfen; sie hätten »ihr Leben dafür gegeben, der westlichen Zivilisation, die den islamischen Djihad beendete, symbolisch den Krieg zu erklären« (ebd., S. 171).

Bemerkenswert und für einen Außenbetrachter geradezu irritierend, aber aus der Entwicklung der Konfrontation und ihrer Dynamik heraus durchaus verständlich ist die im Anschluss an die Terrorakte des 11. September 2001 generalisierend negativ und diabolisierend gewordene Sprache auf beiden Seiten des gegnerischen Lagers mit ihren Repräsentanten. Dies zeigt eindrücklich, wie sich die eingangs beschriebene typische fundamentalistische Neigung zur Einfachheit und plakativen Pauschalisierung der Aussagen (vgl. Kap. III.) in ihrer Konkretisierung bis hin zur fast identischen Wortwahl durchsetzen kann, und dies selbst bei weit auseinanderliegenden politischen und religiösen Systemen. So redet Bin Laden gegenüber den USA und dem Westen vom »Reich Satans«, vom »Reich des Bösen« und vom »Kampf des Glaubens gegen den Unglauben«, und G. W. Bush gegenüber islamischen Ländern und Organisationen von der »Achse des Bösen«, dem »Reich des Bösen« und dem »Kampf des Guten gegen das Böse«. Obwohl die beiden Exponenten sonst Welten trennen und es hier nur um den fundamentalistischen Anteil und dessen Sichtbild in der Gesamtkonfrontation geht, scheinen diese Wortanalogien deshalb so bemerkenswert, weil sie die verhängnisvolle Fixierung von undifferenzierten Feindbildern mit gleichzeitiger Dämonisierung mit allen ihren Folgen anschaulich machen. Ähnliches läuft ja auch bei einer Vielzahl von Menschen in den Niederungen alltäglicher Feindbild- und Sündenbock-Fixierungen ab, oft verstärkt durch eine begünstigende eigene Psychodynamik (vgl. Kap. IV. und VI.).

Dass es ebenso nicht angeht, Osama Bin Laden und seine Anhänger einfach zu pathologisieren, wie es vielfach dennoch geschieht, muss besonders hervorgehoben werden und wurde auch von B. Tibi (s. o.) deutlich betont. Gerade bei dieser Gestalt selbst, ihrer religiösen Einbindung und ihrem inneren Werdegang, ebenso auch ihrem konspirativen Netzwerk steht die unbeirrbare fundamentalistische Startebene und die fanatische Durchsetzungs- und Zielorientierung außer Frage, und gewiss auch das »gute Gewissen« in Zielidentität mit Allahs Willen. Dieser Typus zeigt extreme, aber keine pathologischen Konturen. Der Djihad, hier klar als der militante Djihad verstanden (s. o.), ist der markante Ausdruck für diese fraglose religiöse Pflicht des Gläubigen. Genau diese überzeugte Berufung auf die höchste Autorität ist ja, wie bei allen Fanatikern, die Macht besitzen, das Erschreckende und Gefährliche. Viel leichter wäre es für den Außenstehenden, Bin Laden und die Seinen in irgendeiner Weise als psychisch krank, gestört, wahnhaft eingeengt oder persönlichkeitsabnorm deklarieren zu können. Nichts aber spricht für einen »pathologischen Fanatismus« – den es freilich, wenn auch selten, ebenfalls gibt, und auf den wir noch ausführlich eingehen werden (vgl. Kap. VI.). Ebenso wenig passt dieser Top-Terrorist in das Psychogramm eines Kriminellen, wie wir es ja auch schon bei den RAF-Terroristen festgestellt hatten (s. o.).

Hier geht es jedenfalls um viel Beklemmenderes und Aufrüttelnderes: Osama Bin Laden ist – wie auch Khomeini und so viele andere religiös-politische Fanatikergestalten – ebenfalls der Typus des essentiellen, militant-expansiven Ideen-Fanatikers. Als Führergestalt, bei aller ideologischer Abhängigkeit (s. o.), und als überzeugter gläubiger Moslem erlebt er sich als Heilsbringer in Allahs Auftrag für die unterdrückte islamische Welt, und die ihn treibende fanatische Energie, der »Drang zum Extrem«, gewinnt wohl für ihn selbst und auch seine Anhänger den Nimbus eines »Heiligen Eifers« oder »Feuers«. Zweifellos jagt er einem hohen Ideal nach – und wird als Person zum schaurigen Beispiel eben für die »Destruktivität von Idealen« (vgl. Kap. III. und VI.), die ja einen der Wesenskerne des Fanatischen ausmacht.

2) Der Suizid-Terrorismus

Ist schon das Phänomen des rein individuellen Suizids ein menschlich und sozial zutiefst beklemmendes, so eröffnet das Hineinreißen Außenstehender in den eigenen Tod noch ganz andere Abgründe des Erschreckens, der Angst und der Fassungslosigkeit. Für jeden, der das Leben schätzt, wird jede dieser Formen, die Selbstdestruktivität und die mitgewollte Fremddestruktivität, zum Zeichen für die Verletzlichkeit und stetige Gefährdung eben dieses hohen Guts, des Lebens. Und wenn schon in der Ausweglosigkeit, Verzweiflung und Selbstentwertung der individuellen Selbsttötung oft jener aggressive Anteil verborgen enthalten ist, der dann im Umschlag nach innen erst recht den Akt der Autoaggression entbinden kann (s. Freud, 1923/1963, S. 283; Jacobson, 1977, S. 228 und 234; Kritisches hierzu siehe Wolfersdorf, 2000, S. 53), so tritt dieser aggressive Anteil dann, wenn der Tod Anderer mitgeplant oder gar zum Hauptziel der Handlung wird, in besonders erschreckender Deutlichkeit zutage. Doch trotz dieser möglichen psychodynamischen Gemeinsamkeit, dem Umsetzen aggressiver Impulse, trennen Welten den individuellen Suizidenten und den politisch-fanatisch handelnden Suizidenten voneinander, sowohl was das Motivationsgefüge und die Gesamtdynamik, als auch was die soziale Situation und die Außeneinflüsse betrifft (s. u.).

Zum Thema Suizid oder Suizidversuch existiert eine heute nicht mehr überschaubare Fülle von Literatur, vorwiegend psychiatrischer und psychologischer, aber auch soziologischer Art. Das Vorkommen eines etwaigen fanatischen Elements oder Motivs in den meist hochkomplexen suizidalen Abläufen, um das es hier ja geht, fand hierbei und auch bisher verständlicherweise keine

Beachtung. Das Suizidthema blieb, sowohl deskriptiv als auch therapeutisch, individualdynamisch fokussiert, schon deswegen, weil so gut wie immer nur diejenigen Suizidenten in eine Betreuung und Therapie und damit auch Erfassung gelangen, die unter entsprechendem Leidensdruck oder erkennbarer Selbstgefährdung stehen. In der tiefen emotionalen Verzweiflung, Einengung und Antriebsarmut einer Depression z. B. haben aktive fanatische Impulse keinen Raum mehr; dies bestätigt sich durch vielfältige psychiatrische Erfahrungen, auch trotz der erwähnten aggressiven Anteile.

Im Rahmen der meist durch Gruppendruck und Suggestivwirkung bestimmten Formen von kollektiven oder Massensuiziden, von denen schon die Rede war (vgl. Kap. III.), sind solche fanatischen Zielorientierungen schon eher möglich, doch auch hier unterbleibt in der Regel eine aktive Einbeziehung der »Feinde« in den eigenen Untergang. Eine Brücke im psychologischen Zusammenhang zwischen Selbsttötungs- und Fremdtötungs-Motiv stellt der typische Amok-Lauf als »kulturell bedingte rituelle Form des Selbstmordes« dar, mit dem Motiv »Ehrgefühl und Rache« (s. Singer, 1980, S. 18). Und es ist denkbar, dass die Wiederherstellung der Ehre, wie ja auch oft in ganz anderem Kontext, fanatische Impulse mit zu entbinden vermag, so wie dies auch für das verletzte individuelle Gerechtigkeitsgefühl gilt (s. u.).

Der Suizid-Terrorismus, im Sinne einer über den eigenen Tod als Selbstopfer für ein höheres Ziel wirksam und durchorganisiert betriebenen Tötung möglichst vieler anderer Menschen, ist jedenfalls ein neues Phänomen unserer Zeit. Sein Auftreten vor allem im Zusammenhang mit den eskalierenden Auseinandersetzungen der westlichen und der arabisch-islamischen Welt seit Ende des vergangenen Jahrhunderts zeigt, dass hierbei auch Bereitschaften und Identifizierungen eine Rolle spielen, die sich nur aus einer anderen kulturell-religiösen Sozialisation und Einstellung verstehen lassen. Es gibt allerdings nahe liegende Analogien, so z. B. der Einsatz der japanischen Kamikaze-Flieger, die sich mit ihrer Bombenlast auf die amerikanischen Kriegsschiffe stürzten, sowie die Ein-Mann-U-Boote im Zweiten Weltkrieg. Auch hier spielten der Gruppendruck und das vorgegebene Helden-Ideal eine wichtige Rolle (s. Wedler, 2002, S. 43f.), und auch die reine »Freiwilligkeit« wurde durch Nachuntersuchungen nach dem Krieg sehr fraglich (s. Kucklick, 2001, S. 122). Ein offenbar ähnliches religiöses Motiv zwischen den japanischen und den islamistischen Suizidtätern fällt dabei auf: Auch den gläubigen Japanern wurde jenseitige Belohnung zugesagt, indem sie durch ihre Tat zu »unsterblichen Göttern« werden konnten (Meerloo, 1962; zit. n. Singer, 1980, S. 80); dieses religiöse Motiv wurde von anderer Seite aber wieder bestritten (Thamm, 2003, S. 2).

Es gab in der Geschichte immer wieder vereinzelte erweiterte Suizidhandlungen mit Selbstopfer-Charakter, oft auch aus dem Ehr- oder Rache-Motiv heraus. Eine fanatische Ausrichtung – immer gemessen an den Kriterien eines zu erkämpfenden hohen Ideals mit seiner destruktiven Entartung – lässt sich dabei meist nur schwer ausmachen. Dies gilt auch von dem frühesten und berühmtesten Beispiel aus der Antike, nämlich dem im Alten Testament beschriebenen Suizid-Attentat Simsons (oder Samsons), der nach Wiedererlangung seiner Körperkräfte die Festhalle der Philister zum Einsturz gebracht und alle Feiernden mit in seinen eigenen Tod gerissen haben soll (Richter 16, 23–31); dem Bericht nach war sein Motiv die Rache für seine beiden ausgestochenen Augen (V. 28), nicht etwa die Vermehrung der Ehre Jahwes oder der fanatische Einsatz für Israel.

Das Besondere und so extrem Erschreckende am modernen Suizid-Terrorismus erschließt sich erst dadurch in konturierter Weise, dass es vor dem Hintergrund der »üblichen«, »alltäglichen« individuellen Suizidalität und deren Symptomatik bis in den klinisch-pathologischen Bereich hinein, gesehen wird. Diesen Bereich ausführlicher darzustellen, ist zwar hier nicht der Ort. Doch dient es dem Verständnis und der Abgrenzung, herauszustellen, dass sich bei aller Fülle unterschiedlicher Schwerpunkte zu Interpretationen von Suizidalität, ob phänomenologischer, psychiatrischer, tiefenpsychologischer oder soziologischer Art, unter den Experten ein weitgehender praktischer Konsens hinsichtlich der ätiopathogenetischen Einteilungsmöglichkeiten herausgebildet hat. Dies soll hier kurz skizziert werden.

Beim sogenannten *Krisenmodell* liegt der Schwerpunkt auf der unvermittelten oder sich allmählich entwickelnden psychoreaktiven Einengung, mit Verlust der psychischen Kompensationsfähigkeit infolge eines spezifischen Verlust-, Entwertungs- oder sonstwie belastenden Erlebnisses bzw. Schicksals Anschaulich konzeptionalisiert wurde dieses Modell von Ringel (1953) durch die Beschreibung des sogenannten »praesuizidalen Syndroms«, das sich über die Trias einer zunehmenden Einengung, Aggressionsstau und Wendung der Aggression gegen die eigene Person sowie zunehmender Suizidphantasien bis zur Suizidhandlung hin entwickelt (Näheres s. Pöldinger u. Holsboer-Trachsler, 1988, S. 323–327). Eine Erweiterung des Krisenmodells aus tiefenpsychologischer Sicht erfolgte u. a. durch Berücksichtigung der Narzissmustheorie, indem die Suizidalität als »narzißtische Krise« aufgefasst wird (Henseler, 1974, s. Buchtitel). Das Krisenmodell, das insgesamt vielerlei spezielle Ausformungen erfahren hat, kommt dem Laienverständnis der Gründe von Suizidalität am nächsten, weil hier die psychogenetische Verstehungsebene durchgehend beibehalten wird. Die gerne diskutierte Frage des echten Bilanz-Suizids (s. u.) kann wegen dessen extremer Seltenheit hier ausgeklammert bleiben.

Das sogenannte *Krankheitsmodell* fasst Suizidalität und Suizidhandlungen schwerpunktmäßig als Folge bzw. Symptom psychischer Erkrankungen auf, ist also psychopathologisch orientiert und geht von den im engeren Sinn psychiatrischen Erkrankungen aus. Hierzu gehören vor allem depressive Syndrome, denen weit über die Hälfte an Suiziden und Suizidversuchen zuzurechnen ist, dann weiterhin schizophrene Erkrankungen, Angststörungen und Suchterkrankungen, sowie bestimmte Körperkrankheiten und organische Hirnstörungen im engeren Sinn (Näheres s. Wolfersdorf, 2000, S. 54f.). Vor allem die neuere Transmitter-Forschung mit Erkenntnissen zu den biochemischen Veränderungen bei Suizidalität bzw. Suizid überhaupt (Demling, 1996, S. 52ff.), aber auch die zunehmend differenzierten klinisch-psychopathologischen, psychodynamischen und sozialpsychologischen Zugangsweisen und ganzheitlichen Betrachtungen beim individuellen Suizidenten lassen die beiden Suizidalitätsmodelle sich einander annähern bzw. detailliert überlagern. Schon Ringel (s. o.) verwendete den Begriff »krankhafte Entwicklung«. Diese »Integrativen Modelle von Suizidalität« (Wolfersdorf, 2000, S. 67ff.), die auch die Rolle der Persönlichkeitsstruktur und der Genetik mit einbeziehen, bestimmen die heutige Betrachtungsweise in zunehmendem Maße.

Vor diesem Hintergrund der rein individuellen Suizidalität zwischen den beiden Polen Lebenskrise und Krankheit stellt sich die Frage nach dem Wesen und der Psychodynamik des *terroristischen* Suizids in besonderer Weise. H. Wedler (2002, S. 38) hat in Nennung von fünf Merkmalen auf die »zumindest in dieser Dimension neuartige aggressive Kombination« von Faktoren bei solchen Suiziden hingewiesen, die hier in Anlehnung an ihn, aber in z. T. abgewandelter, noch deutlicherer Form wiedergegeben werden. Demnach enthält der Terroristen-Suizid sehr verschiedene Elemente bzw. Arten von Suizid und ist beschreibbar als

- erweiterter Suizid,
- gemeinsamer Suizid (z. T.),
- altruistischer Suizid,
- fanatisch-aggressiver Suizid,
- kriegerisch-strategischer Suizid.

Der sogenannte *erweiterte Suizid* ist ein seit alters bekanntes Phänomen in allen Bereichen der Suizidalität, das immer besondere Betroffenheit und Entsetzen auslöst. Dies vor allem dann, wenn die Motive sichtlich mit aus dem pathologischen Untergrund der Suizidalität selbst stammen, z. B. die ausweglose Zukunftsverzweiflung einer depressiven Mutter, die ihre beiden

Kinder mit in den Tod nimmt, um ihnen ein vermeintlich schlimmeres Schikksal zu ersparen. Auch die nicht direkte intendierte, aber in Kauf genommene Schädigung oder Tötung Außenstehender (z. B. durch Auto- oder Gas-Suizide) wird von manchen zu dieser Kategorie gezählt. Der direkt als Waffe gegen Außenfeinde eingesetzte Suizid, um den es hier geht, verschiebt jedoch in klarer Weise den Schwerpunkt der Motivation auf das Ziel der Tötung, Schädigung und Verängstigung dieser anderen, die dem Feindbild entsprechen. Ob ohne dieses eindeutige destruktive Außenziel, religiös oder politisch bestimmt, ein Anteil an eigener, individueller Suizidalität verbleiben würde – nach Plack (2002, S. 244) »Tatmotiv: Todessehnsucht« –, genau dies ist die offene Frage (s. u.).

Der *gemeinsame Suizid* ist ebenso ein wohlbekanntes, immer wieder vorkommendes Ereignis. Er wurde schon im Zusammenhang mit der Suggestivwirkung von Suiziden auf die Entbindung von Suizid-Epidemien als kollektives Geschehen im Rahmen von Massensuiziden in spezifischen akuten Situationen beschrieben (vgl. Kap. III.). Auch gibt es gewollte gegenseitige suizidale Verstärkungen und sogar Vereinbarungen zum gemeinsamen Suizid aus individuellen Gründen; diese Möglichkeit hat mit den modernen Kommunikationstechniken noch stark zugenommen, so z. B. mit der makabren Einrichtung von Suizidforen im Internet, in denen direkt Suizidpartner gesucht werden (Dlubis-Mertens, 2003, S. A 370). Bei den Suizid-Attentätern ist das Moment der Gemeinsamkeit aber ein untergeordnetes und keinesfalls obligates. Solche Attentate werde, wie die Erfahrung zeigt, sehr oft allein und nur mit entsprechender Hintergrunds-Unterstützung und -Planung durchgeführt. Dass freilich in der gemeinsamen Tateinheit ein gegenseitig motivverstärkendes, stützendes und oft auch nötigendes Element liegt, ist aus vielerlei Bereichen (s. o.) und aus der Verstärkerwirkung der Gruppe und von »Wir-Erlebnissen« überhaupt bekannt (vgl. Kap. III.).

Mit dem sogenannten *altruistischen Suizid* ist ein Suizidmotiv gemeint, das die Selbsttötung zugunsten oder zur Rettung Anderer zum Ziel hat. Unter diesem schon von Durkheim (1897/1973, S. 252 und 270) eingeführten Begriff subsumieren sich, je nach seiner Enge und Weite, herkömmlicherweise recht verschiedene Phänomene. Mit der markanteren Bezeichnung »Opfer-Suizid« (Baechler, 1981, S. 134ff.; Wedler, 2002, S. 40f.) ist noch deutlicher gekennzeichnet, dass der eigene Tod nur deswegen angestrebt wird, wenn durch ihn ein als höher erachtetes Gut, oder konkret das Leben Anderer, geschützt und gerettet werden soll. Das Spektrum reicht von dem Extremfall, dass sich ein Geheimnisträger suizidiert, damit ihm durch die Folter keine für andere schädlichen Informationen erpresst werden können, über die Erfüllung eines Ehrenkodex durch das Harakiri oder den Untergang des Kapitäns mit seinem Schiff, bis zum Grenzfall des »soldatischen Opfertods« zugunsten anderer Kameraden im Krieg; die Grenze liegt dort, wo keine eigentliche Selbsttötung mehr, sondern ein Risikoeinsatz mit Inkaufnahme des so gut wie sicheren eigenen Tods geschieht.

Bei den Suizid-Attentätern darf dieses altruistische bzw. Opfer-Motiv sehr klar mit vorausgesetzt werden. Die Tat gilt, wie aus vielen Dokumenten hervorgeht (s. u.), überzeugungskonform und auch so deklariert, einer höheren Sache, dem Wohl anderer, z. B. generell der Befreiung der moslemischen Mitbrüder aus der Unterdrückung und Demütigung durch westliche Mächte, im einzelnen auch als Vergeltungs-Opfer für die Toten in den eigenen Reihen. Die begleitenden Hass- und Rachegefühle und die aggressiv-sadistischen Vorphantasien zur gelungenen Tat, auch der eigene religiöse Belohnungsaspekt (s. u.) widersprechen dem altruistischen Motivanteil nicht. Es ist kein reines Opfer, aber es ist ein Opfer, ein gewolltes und kalkuliertes. Gerade dies unterscheidet ja den Suizid-Attentäter vom Attentäter üblicher Art, dass er mit dem Selbstopfer auf Selbstrettungspläne von vornherein verzichtet. Damit setze der suizidale Mörder das traditionelle Konzept von Sicherheit und die entwickelten Abschreckungsmechanismen wie Abscheu, den Prozess, die Strafe außer Kraft, betonen Kucklick u. a. (2002, S. 111f.); nichts davon könne ihn treffen, »das steigert die kollektive Wut und Wirkung ins Extrem«.

Mit dem vierten der genannten Suizid-Elemente, dem *fanatisch-aggressiven Suizid*, benennen wir den dynamischen Kern des Phänomens der terroristischen Suizide. Hier sind fanatische Ausrichtung, Fremdaggression und Selbstaggression eine emotional und intentional brisante Mischung eingegangen, aus der einiges an dem sonst so schwer verständlichen Verhalten der Betreffenden besser erhellbar scheint. Während die beschriebene Selbstopfer-Bereitschaft im Untergrund wirksam bleibt, bemächtigt sich das vorhandene aggressive Potential, das aus der Summe von persönlicher Lebensgeschichte, sozialer Umwelt und Feindbild-Indoktrinierung resultiert, der Gesamteinstellung und Zielausrichtung. Der typisch fanatische Impuls hierbei – ob essentieller oder induzierter Genese (vgl. Kap. III.) –, besteht in der eingeengten Fixierung auf einen Höchstwert religiöser und/oder politischer Art und dessen kämpferischer Durchsetzung mit allen verfügbaren Mitteln, und dies in voller Konformität mit den maßgeblichen Instanzen (religiöse Autoritäten und Organisationen, einschlägige Koran-Interpretationen, Herkunftsfamilie, persönliche Glaubensstruktur, eigenes Gewissen). Der fanatisch-aggressive Suizid lebt aus seiner Einbettung in fanatisch-aggressive Denkweisen und Einstellungen und bezieht von dort seine Berechtigung und Handlungsanstöße.

So sind, nach einem Bericht von R. Hercz (2003) aus dem westjordanischen Dorf Beit Oma, die Wände in den Städten und Dörfern mit den Fotos der »Märtyrer« gepflastert, »auf Schritt und Tritt werden die Selbstmordattentäter als Helden gefeiert« (ebd., S. 40). Und als weiteres typisches Beispiel seien Äußerungen des Palästinensers Nizzar Iyan genannt, der in einem Zeitungsinterview 2001 sagte, er sähe »die höchste Erfüllung darin, dass seine Söhne sich als Selbstmordattentäter im Kampf gegen die Israelis opferten«; und nach dem Tod seines 17-jährigen Sohnes Ibrahim, den er »zum Töten abgerichtet« habe, »zum heiligen Killer im Namen Gottes«, äußerte er, er empfinde keine Trauer, »ich empfinde Freude, wirkliche Freude, dass das, was wir geglaubt haben, mein Sohn ein Stück weit realisiert hat« (zit. n. Wirth, 2002, S. 366). Außer solchen familiären Intensiv-Beeinflussungen wurden auch noch andere Rekrutierungsweisen, Indoktrinierungen und Fanatisierungen von Suizid-Attentätern entwickelt (s. u.).

Das letzte der aufgeführten Suizid-Elemente, der *kriegerisch-strategische Suizid*, stellt den neuesten Aspekt und die konsequente Fortentwicklung der Suizidattentats-Taktik dar. Der Suizid als Waffe in einer von beiden Seiten immer wieder als Kriegszustand deklarierten Konfrontation (»Heiliger Krieg« versus »Antiterror-Krieg«) führte schon bisher zu einer verhängnisvollen Eskalation der Möglichkeiten, mit strategischer und logistisch ausgefeilter Planung, wofür die Attentate des 11. September 2001 das bisher schrecklichste Beispiel bilden. Aus islamistischer Sicht stellen solche Vernichtungsaktionen, auch an anderen Orten, mit entsprechender Demütigung und Verunsicherung der Supermacht USA als dem Zentrum westlicher Dekadenz und Hort des »Bösen« eine besonders geeignete Strategie im sonst so ungleichen militärischen und zivilisatorischen Kräfteverhältnis dar. Und wohl zu Recht wird von verschiedenen Seiten befürchtet, dass Suizid-Anschläge »zu einer regelrechten Waffengattung instrumentalisiert« werden können (Thamm, 2003, S. 2).

Alle beschriebenen, den heutigen Suizid-Terrorismus charakterisierenden Aspekte weisen diesen als ein Phänomen aus, das sich in erster Linie vom religiös-politisch intendierten Ziel her, nicht etwa von den einer individuellen, lebensverneinenden Einstellung entspringenden suizidalen Impulsen her verstehen lässt. Es wurde immer wieder versucht, jenen Anteil an Selbstentwertung und Selbstdestruktivität, an »Todestrieb« im Sinne Freuds oder als Folge von Sozialisationsprozessen (Gruen, 2002, S. 142: »die Lust am Untergang«), an »Nekrophilie« im Sinne E. Fromms (Funk, 2002, S. 58ff.; kritisch hierzu: Bierhoff, 2002, S. 38f.), an heimlicher Depressivität oder spezifischer affektiver oder sozialer Einengung herauszufinden, der auch hier wie in der »normalen«, individuellen Suizidalität enthalten sein könnte. Die von der Psychiatrie, Tiefenpsychologie und Persönlichkeitsforschung ausgehende

Betrachtungsweise tut sich schwer, störungsunabhängige Motivbündel in einem suizidalen Verhaltensmuster oder einer deklarierten Selbsttötungsabsicht zu erkennen oder anzuerkennen.

Vielleicht spielt hierbei die immer wieder in den Vordergrund rückende Diskussion um das so seltene Ereignis eines »echten«, nicht auf kognitiver oder affektiver Einengung beruhenden sogenannten »Bilanzsuizids« (s. hierzu Feuerlein, 1980, S. 341, u. Wolfersdorf, 1996, S. 6) und dessen Faszination als scheinbar freiem Willensentscheid eine Rolle. Anders ausgedrückt: Es könnte also sein, dass die Sensibilisierung in Richtung der Aufdeckung klassischer psychodynamischer suizidaler Einengungen mit ihrer eigenen Symptomatik den Blick auf das Vorliegen einer typischen *fanatischen Einengung* mit ihren ebenfalls eigenen kognitiv-ideologischen und affektiv-identifikatorischen Merkmalen trübt oder verstellt. Gerade aber die in der fanatischen Ausrichtung vor allem über die Begeisterung und die narzisstische Selbstüberhöhung mögliche totale Einschwörung auf ein höchstes Ziel (vgl. Kap. III. und IV.), wie sie für fast alle fanatischen Einstellungen typisch ist, bildet die emotionale Basis hierfür.

Damit kommt auch die Frage ins Blickfeld, wie eine derartige Entwicklung bzw. Indoktrination bei einzelnen Menschen möglich ist, die selbst den vorauszusetzenden, elementaren Lebenswillen außer Kraft setzt bzw. in den Hintergrund treten lässt. Diese Frage beschäftigt viele Menschen, und dies aus dem Gespür heraus, dass hier noch eine andere Qualität des Einsatzes vorliegt als z. B. bei der hinreichend bekannten soldatischen Heldenhaftigkeit mit ihren Begleittugenden Mut, Tapferkeit und Opferbereitschaft bis in den Tod. Und so ist es auch nicht verwunderlich, dass hierbei oft der Einsatz von Spezialmethoden, z. B. der Hypnose, vermutet wird. Wir sind hierauf bereits deutlich eingegangen (vgl. Kap. III.). Der von vornherein als Waffe eingesetzte Suizid, bei dem kein Ausweg für die Selbstrettung offen bleibt, lässt sich zwar als letztmögliche Steigerung formal in die Skala der Opferbereitschaft einordnen, über die intrapsychischen Vorgänge vor oder während seines Vollzugs selbst sagt dies jedoch nichts aus. Aufschlussreich, wenn überhaupt, können die subjektiven Äußerungen der Betreffenden sein, bzw. auch die Art und Weise, wie sie zu ihrer Bereitschaft überhaupt kommen, wie sie ausgewählt und dann auf die Tat vorbereitet werden.

Über die Methoden zu Rekrutierung späterer Suizid-Attentäter existieren zahlreiche Berichte. Die Bewegung, vor allem schon Kinder für die Ausbildung zum Selbstopfer auszubilden, setzte bereits während der iranischen Revolution, im Jahre 1981, ein (s. o.). »Bietet eines eurer Kinder dem Iman an!« war damals ein hochwirksamer Aufruf, der innerhalb von zwei Wochen über eine Million Freiwilliger, meist Teenager, anzog; diese Wahl von Kindern und Halbwüchsigen wurde von Khomeini damit gerechtfertigt, »dass über Zwanzigjährige schon von der Korruption satanischer Kultur« angesteckt seien (Taheri, 1987/1993, S. 129). Mit ihrer Eingliederung in die »Partei Allahs« und ihrer Grundausbildung durch die Basidsch (Mobilisierungs-Organisation) erhielten sie das purpurrote Stirnband als Kennzeichen des freiwilligen Martyriums. Ein Großteil dieser »Kinder des Iman« wurde 1982 während des iranisch-irakischen Krieges eingesetzt, um durch die irakischen Minenfelder zu laufen und so durch ihr Opfer den Weg für die Angriffe der Revolutionsgarden freizumachen (ebd., S. 131f.). Ein um den Hals gebundener Plastikschlüssel sollte symbolisch die Pforte zum Paradies öffnen (Kucklick u. a., 2001, S. 119). Analoge Rekrutierungs- und Schulungsmuster wurden später in den palästinensischen Ausbildungslagern praktiziert. In dem israelischen »Regierungsreport zum palästinensischen Kindesmissbrauch« 2002 ist dargelegt, »wie Kinder ein militärisches Training absolvieren«, patriotisch indoktriniert werden und wie mit ihnen z. T. auch geübt wird, »wie sie sich als Selbstmordattentäter ausstatten müssen«; »Plakate und Lobeshymnen für Selbstmordattentäter an den Wänden der Schulklassenzimmer sind die Regel, in denen die Terroristen zu Helden erhoben werden« (zit. n. Bierhoff, 2002, S. 40). Zur Bedeutung dieses die Bereitschaft zum suizidalen Opfertod enorm erhöhenden unmittelbaren sozialen Umfelds mit seinem verpflichtenden Gruppendruck wurden bereits schon andere Beispiele genannt (s. o.). Wie hoch zusätzlich der Einfluss sonstiger sozialer Umstände und Verlockungen anzusetzen ist, lässt sich schwer abschätzen, so z. B. dass schon von Anfang an eher jungen männlichen Mitgliedern armer kinderreicher Familien der Vorzug gegeben wurde und dass die Familien der Hinterbliebenen auch auf attraktive finanzielle und sonstige materielle Vorteile hoffen können (Taheri, 1993, S. 129 u. 132).

Alle schon genannten Teilaspekte des Phänomens weisen auf die Kernfrage hin, wie es de facto möglich ist und was dabei intrapsychisch tatsächlich abläuft, dass junge Männer, und neuerdings vermehrt auch Frauen, Attentate und Terrorakte mittels Suizid verüben. Fest steht, dass die Tat einem einzigartigen Ziel und hohem Gut gilt, das den Wert des eigenen Lebens deutlich übersteigt, und dass die emotionale Verfassung diese geplante Tat dann auch zulässt oder in Gang setzt. Beide Voraussetzungen sind in der typischen fanatischen Ausrichtung erfüllt, und nur vom Verständnis dieser Grundelemente des Fanatischen her, wie sie ja bereits ausführlich entwickelt wurden, lässt sich auch das Suizidattentat verstehen. Der potentielle Täter muss »fanatisches Feuer« gefangen haben, es muss die typische »fanatische Energie« (vgl. Kap. III. und IV.) in ihm entbunden worden sein, die auch zum Durchhalten von Einstellungen, Plänen und Aufträgen befähigt. Interessanterweise macht sich die Diskussion um die eigentlichen »Gründe« und Antriebe bei solchen Tätern einmal an den spezifischen Außeneinflüssen, dann wieder an bestimmten intrapsychischen Strukturanteilen oder gar vermuteten pathologischen Elementen fest. Im ersteren Fall wird auf die Methoden der Rekrutierung, des Gruppendrucks, der Verpflichtung und der »mentalen Programmierung« verwiesen (s. Bierhoff, 2002, S. 37 und 53), bis hin zu Dissoziationstechniken und autosuggestiven Methoden (Kucklick u. a., 2001, S. 123ff.). Im letzteren Fall liegt der Schwerpunkt auf der neurotischen Akzentuierung oder sogar Pathologie, etwa der Wirksamkeit der schon erwähnten »Tatmotive Todessehnsucht« oder »Hass und Selbsthass«; bei Suizidattentätern dränge das »triebhaft Unbewusste eines frustrierten Menschens« nach »Entladung« (Plack, 2002, S. 244 und 246). Ebenso schwanken die Beurteilungen der Täter hinsichtlich ihrer Gewissensfunktion in extremer Weise. Für Hilgers (2001) sind die Terroranschläge »Ausdruck eines durch massive Affekte radikalisierten Über-Ichs«, wobei die Täter »keine unmenschlichen Bestien seien, sondern aus ihrem Gewissen handeln, weil sie sich in Einklang mit ihren höchsten Werten fühlen« (S. 2614f.); Volkan (2001) geht konträr hierzu davon aus, »dass die Täter *kein* Gewissen haben«, sie seien »Menschen ohne jedes empathische Empfinden«, die nur für das Ziel der Vereinigung mit einem Engel im eigenen Tod lebten (ebd., S. 2615).

Die Neigung, Suizid-Attentäter als gewissensarm, gefühlskalt, abgestumpft oder als eine Art Monster zu sehen, ist in der Öffentlichkeit verbreitet. Der reinen Außenbetrachtung entgeht der feine Unterschied zu den typischen Strukturmerkmalen des Fanatikers, wie sie ausführlich beschrieben wurden (vgl. Kap. III. und IV.): ideenfixiert statt bindungsorientiert, zieleingeengt, affektiv rigide, körperfeindlich, konsequent bis zum Letzten. Dass Suizid-Attentäter jedenfalls insgesamt keinem pathologischen Muster und keinem strukturübergreifenden Typus entsprechen, wurde von Merari (2002) an 36 potentiellen Suizid-Attentätern aufgezeigt, die ihr Vorhaben nicht umsetzen konnten, zusätzlich an Familienangehörigen umgekommener Attentäter. Keiner wies psychiatrische Auffälligkeiten oder die typischen Risikofaktoren für suizidales Verhalten auf; alles in allem habe es sich, abgesehen von einer sehr religiösen Einstellung, um »unauffällige Täter« gehandelt (zit. n. Bierhoff, 2002, S. 36). Von Bierhoff wird noch angemerkt, dass dieses Problem, nämlich dass eine spezifische Persönlichkeits- oder Charakterstruktur nicht dingfest zu machen ist, auch von anderen Bereichen, z. B. der Sektenforschung oder von den Milgram-Experimenten bekannt sei (ebd., S. 37). Auch unsere schon vorgenommene Vergleichsdarstellung mit der üblichen individuellen Suizidalität (s. o.) ergab keine Anhalte für entsprechende

Parallelen, vielmehr eine schärfere Abgrenzung der individuellen psychodynamischen Einengung von der typischen fanatischen Einengung.

Wenn etwas in besonderer Weise ins Auge fällt, das den Großteil der Suizid-Attentäter charakterisiert, dann ist es eben die erwähnte intensive religiöse Einstellung und Gebundenheit. Sie wird von außen nicht selten eher als ein Kuriosum wahrgenommen, weil es den westlichen Menschen schwerfällt, die Intensität islamischer Gläubigkeit und die von dieser ausgehenden starken Impulse zu verstehen und entsprechend zu gewichten. Auch wo politische, nationale und ethische Motive für den Einsatz mit eine konkrete Rolle spielen, wie z. B. deutlich bei den Palästinensern oder Tschetschenen, wird die Extremtat durch diese religiöse Einbettung legitimiert, durchgetragen oder gar »geheiligt«. Nur bei den besonders häufigen tamilischen Suizid-Attentaten auf Sri Lanka scheint das ethnisch-nationalistische und soziale Motiv ganz im Mittelpunkt zu stehen (Trippel, 2001, S. 121); nach Laqueur (2001) war das, was von der ursprünglichen revolutionären Inspiration übrig blieb, »militant separatism pure and simple« (ebd., S. 191). Hier freilich gewinnt dann dieses politische Motiv jene religiöse Qualität des »Heiligen«, wie es auch von anderen Zusammenhängen her bekannt ist (vgl. Kap. VI.). Im islamischen Bereich ist es der bis in dieses Extrem des Suizid-Attentats hinein so verstandene »Djihad« (s. o.), der die religiöse Legitimation liefert, auch wenn die Interpretationen des Korans hierzu auf der typischen Selektion beruhen, wie sie für fundamentalistische und fanatische Schriftbegründungen insgesamt charakteristisch ist. Dazu liegt in dem ebenfalls auf Koranzitaten basierenden Glauben, dass dem Märtyrer für Allah – und auch dem aktiven Kämpfer und Suizidtäter – die sofortige Aufnahme ins Paradies zuteil wird, mit allen dort für die »Gotteskrieger« im Besonderen vorgesehenen Freuden, für viele zweifellos ein zusätzliches verlockendes Belohnungsmotiv (s. Suren 4, 96f.; 37, 42; 47, 16; 78, 32f.).

Freilich ist es sehr schwer und in der Regel unmöglich, den Stellenwert des religiösen Elements und der echten Gläubigkeit in dem komplexen Motivbündel von Fremdaggression und Selbstaggression, Indoktrination und Identifikation, Auftragsverhalten und grandioser Selbsterhöhung zu bestimmen. Dies gelingt ja schon im alltäglichen Motivgeflecht des Handelns auf anderen Lebensgebieten, bei denen religiöse Einstellungen eine Rolle spielen, so gut wie nicht, oder annäherungsweise erst dann, wenn wir sehr viel von einem Menschen und seinem Innenleben wissen. Und wiederum läuft die Psychodynamik erfahrungsgemäß in ganz anderer Weise ab, je nachdem ob es sich um einen momentan erzeugten Sturm im fanatischen Mitnahmeeffekt einer »religiösen Erregung« handelt (vgl. Kap. III.)

oder um einen eventuell jahrelangen Prozess einer fanatisch-religiösen Entwicklung mit der Notwendigkeit der Bewahrung äußerer Unauffälligkeit und dennoch exakter Handlungsfähigkeit bis zum Einsatzzeitpunkt. Für letztere Situation kann die Biographie und vor allem das Testament Mohamed Attas, eines der Piloten des Terror-Attentats vom 11. September 2001, als typisch stehen. Gerade die letzte Vorbereitungszeit vor der Tat, mit den peinlich genauen Reinheitsritualen, dem Beten und Rezitieren religiöser Texte, der meditativen Einstellung auf den Auftrag im Namen Allahs und auf die Zeit nach dem Tod (Näheres s. Wirth, 2002, S. 368–372; *Bild* 228/39 vom 29. 09. 2001, S. 1f.) weisen auf den zentralen religiösen Motivanteil, auch mit all seiner Rigidität und Fixiertheit zumindest in unmittelbarer Tatnähe, hin. Dieser wird nicht durch andere Anteile, etwa den Hass auf die westliche, ihm ja wohl vertraute Welt des »Dekadenten« und des »Bösen«, in seiner Wirksamkeit verringert. Die starke persönliche islamische Bindung Attas ergibt sich auch schon lange vor dem Attentat aus dem seiner Diplomarbeit vorangestellten Motto aus dem Koran (Sure 6, 162/163): »Mein Gebet und meine Opferung und mein Leben und mein Tod gehören Allah …« (s. Kucklick u. a., 2001, S. 123).

Die Tatsache, dass der Islam, und konkret der Koran, den Suizid ausdrücklich verbietet (s. Laqueur, 2001, S. 141), stellt nur ein formal-argumentatorisches Problem dar, nicht etwa eines der theologischen und psychologischen Rechtfertigung. Indem der Prozess der Auswahl und der Bestimmung durch die religiöse Gemeinschaft oder den Iman betont wird, erhält dieser Akt die Qualität einer Auswahl durch Allah selbst. Damit greifen all jene Koranstellen und dienen der positiven Begründung, die das Opfer und den totalen Einsatz für Allah betonen (z. B. Sure 4, 96: dass »die für ihn Gut und Blut wagen« und die sich »Aufopfernden« von Allah besonders belohnt werden; s. o.). So gewinnt das im Suizid vollzogene Selbstopfer für die große Sache Allahs, des Islam und der islamischen Völker eine Qualität analog dem soldatischen Opfertod und dem Märtyrertod (vgl. Kap. V.), wie sie auch sonst und überall in der Welt seit je so selbstverständlich als Ausdruck höchster Ziel-Identität, »Glaubensstärke« und »Pflichterfüllung« gefordert werden, ob im religiösen oder im nationalen Bereich.

Das Schreckliche aber, das für unser Empfinden gerade dem Suizid-Attentäter anhaftet, liegt eben nicht in dieser Opferbereitschaft an sich, sondern in dem von vornherein und implizit eingesetzten Opfer des eigenen Lebens als »Waffe«. Das schwer Einfühlbare in dieser Bereitschaft und inneren Einstellung erzeugt dann auch wohl die so unterschiedlichen Bewertungen dieser Menschen, von einer vorbestehenden strukturellen Persönlichkeits-Pathologie bis zur Verführung, Indoktrination und Gruppendruck

(s. o.). Dass aber eine solche Bereitschaft einem typischen fanatischen Element zugeschrieben werden kann – essentiell oder induziert –, eben dem eingehend beschriebenen »Drang zum Extrem« in der Zielverfolgung mit totalem Einsatz auch des eigenen Lebens, bleibt oft außer Betracht. Doch gerade am Beispiel der Suizid-Attentäter kann aufgezeigt werden, dass das Fanatische seine eigene Entwicklungs- und Identifikations-Qualität und seine eigene Psychogenese und Psychodynamik hat. Dies gilt für die palästinensischen Suizid-Attentäter, die aus Rache für analoge militante Akte der israelischen Seite oder überhaupt aus grundsätzlicher Bekämpfung Israels heraus handeln, ebenso wie für die Al-Qaida-Terroristen, die für die Sache Allahs und gegen das »Böse« und die »Ungläubigen« in der Welt und gleichzeitig auch aus Rache wegen der erlittenen Demütigungen der Moslems in den militanten Djihad ziehen.

Noch auf ein anderes, sonst kaum aufgegriffenes Element des Phänomens Suizid-Terrorismus sei hier abschließend hingewiesen: Der Täter löscht mit der Tat bewusst seine eigene Existenz aus. Er kann also persönlich nicht mehr weiter wirksam werden und sich nur in den Folgen seiner Tat weiterwirkend erleben. Dies setzt ein akzeptiertes Wissen und Bewusstsein dessen voraus, dass er nur ein – wenn auch momentan besonders wichtiges – Teil in einem Kollektiv verkörpert, ein Rädchen in einem umfassenden Geschehen, des islamischen Djihad oder der Vergeltung für die seinem Volke zugefügten Verletzungen und Unterdrückungen. Und es setzt die Fähigkeit zur Zurückdrängung und Beherrschung weiter reichender eigener, individueller Aktivitätsimpulse, auch der von Größenideen, narzisstischen Bedürfnissen oder aggressiven Phantasien ausgehenden, voraus. Alles ist mit der einen Tat geschehen, und alle genannten Bedürfnisse müssen in diesem einen Tatenruhm und der einmaligen Heldenverehrungs-Fantasie und Paradies-Vision befriedigt sein. Was das Besondere hieran ist, kommt vor allem dann ins Blickfeld, wenn wir es zu jener anderen großen Gruppe von fanatischen Menschen in Kontrast bringen, die keinesfalls mit einer einmaligen abschließenden Tat zufrieden wären, sondern den Impuls zum Dauerkampf für die Sache in sich tragen, und die ihre Lebensbefriedigung im Akt des Kämpfens und rücksichtslosen Durchsetzens selbst erleben, die auch aus ihren Größenideen heraus niemals ihr Leben selbst mit einem Terrorakt bewusst beenden würden. Ob freilich der Suizid-Attentäter – von der fanatischen Energie und Zielidentifikation her gesehen – der fanatischere Kämpfer ist als der im fanatischen Dauerkampf stehende, lässt sich von diesem Merkmalsunterschied her nicht entscheiden. Für eine solche Bewertung bedürfte es noch anderer Kriterien.

3) Der Nordirland-Konflikt

Wir haben dieses Beispiel einer Verschmelzung oder Verwischung von religiösem und politischem Fanatismus deshalb in die Darstellung aufgenommen, weil man sich in diesem Fall umgekehrt und zu Recht fragen kann, ob hier überhaupt noch Anteile an religiöser Motivation mit wirksam sind. An keiner Stelle geht es ja mehr um den »richtigen« Glauben oder sonstige religiöse Streitfragen. Dennoch, in der langen Reihe blutiger Auseinandersetzungen und terroristischer Gewalttaten ist unentwegt von »Katholiken« und »Protestanten« und deren Organisationen die Rede, nicht einfach z. B. von proirischen oder probritischen Parteigängern. Auch im Selbstverständnis und in den Emotionen der dort direkt am Konflikt Beteiligten spielt die konfessionelle Verschiedenheit als Trennungselement bzw. als Einigungselement durchaus eine untergründige Rolle; die über Jahrhunderte hinweg historisch entstandenen sozialen Unterschiede, mit wirtschaftlicher und politischer Begünstigung der Vormachtsstellung der protestantischen Mehrheit – wer z. B. nicht Mitglied der Staatskirche war, konnte auch kein staatliches Amt begleiten –, tragen in spezifischer Weise zu diesem Bewusstsein bei.

Was meist bei der gegenwärtigen Beurteilung des Konflikts übersehen oder unterbewertet wird, sind die in die kollektive Psyche jeder der beiden Seiten eingegrabenen Spuren eines seit dem 16. Jahrhunderts fortbestehenden, immer wieder neu aufgelebten und bis heute auflebenden konfessionellen Terrors und Bürgerkrieges. Das europäische Festland konnte diese blutigen Phasen nach dem 30-jährigem Krieg hinter sich bringen und sich konfessionell einigermaßen arrangieren. In Nordirland blieb gegenüber dem jeweiligen anderen Lager ein Feindbild erhalten, dessen Züge in ganz andere Tiefen der Identifikation mit der »guten« oder »bösen« Sache reichen, als dies bei einer bloßen politischen Zugehörigkeitsposition der Fall ist. Ein Detailhinweis hierauf mag z. B. sein, dass heute noch bei den protestantischen Umzügen Fahnen mitgetragen werden, die an die Massaker des Jahres 1641 erinnern, wo Tausende von protestantischen Siedlern durch Katholiken innerhalb weniger Tage auf oft grausame Weise umgebracht worden (s. Elvert, 1993, S. 215). Die Oranier pochen unbeirrt und provokatorisch auf ihr Recht, die traditionelle Umzugsroute weiterhin durch katholisches Gebiet zu nehmen, und nur Polizeigewalt kann sie daran hindern.

Selbstverständlich ist dem Großteil der Bevölkerung Nordirlands, auf beiden Seiten, das schreckliche Blutvergießen leid. Für diese sind auch die konfessionellen Unterschiede, die zu politischen geworden sind, kein Grund zur Fehde mehr. Aber die jeweiligen extremistischen Kämpfer, die sich durch die Merkmale der Intensität, der Ausschließlichkeit und der fehlenden Kompromissfähigkeit sowie der totalen Verfolgung ihrer Idee um jeden Preis als fanatisch ausweisen, bestimmen das Geschehen und das Klima bis heute. Da stets gegenseitig »Rechnungen zu begleichen« waren oder jeder Vorteil der einen Seite Benachteiligungs- und Verliererängste der anderen Seite auslöste, setzte sich der Konflikt auch im vergangenen Jahrhundert mit wechselnden Eskalationen fort. Der irische Unabhängigkeitskrieg 1919 bis 1921 und die anschließende Abtrennung Nordirlands schaffte eine neue politische Situation, aber keine Änderung in der emotionalen Basis des Konflikts. Die schon seit damals existierende IRA (die katholische »Irisch-republikanische Armee«) organisierte und radikalisierte sich seit den 50er Jahren zunehmend, mit der Maximalforderung der Abtrennung vom britischen Mutterland und des Anschlusses an die Republik Irland.

Der Konflikt brach mit neuer Heftigkeit ab 1970 aus. Mit dem Mittel blutiger Terroranschläge versuchte die IRA ihr Ziel der Loslösung von der britischen Vorherrschaft zu erzwingen. Sie rief damit umgekehrt die Gegengewalt des britischen Militärs und vor allem der entstandenen protestantischen Ulster-Gegenorganisation (UVF, UFF und UDA) hervor, die ebenfalls mit Terroranschlägen arbeitete; letztere wollen unter allen Umständen die Ablösung vom britischen Königreich und eine Angliederung an die Südirische Republik verhindern, in der die Protestanten dann die Minderheit bilden würden. Seit Beginn der neuen blutigen Konflikt-Eskalation (s. o.) hat es mehr als 3000 Tode in Nordirland gegeben. Der überraschende Gewaltverzicht, den die IRA im September 1994, und sechs Wochen später im Gefolge davon die Mehrzahl der protestantischen Organisationen ausgesprochen hatte, konnte zwar eine trügerische Waffenruhe schaffen, aber nicht die Erinnerung an die erlebten gegenseitigen Bluttaten und den tiefen emotionalen Gegensatz zwischen den Gruppen wirklich überbrücken. Denn auf beiden Seiten nahmen dadurch die Befürchtungen um einen Verlust bisher unaufgebbarer, mit fanatischer Intensität angestrebter Ziele zu. Die Bewertung der gegenwärtigen, weiteren politischen Lösungsversuche ist nicht Gegenstand dieser Darstellung. Jedenfalls schwelt, trotz derzeit äußerer Befriedung – und vor allem auch zunehmenden Friedenswillens der überwiegenden Mehrheit der Bevölkerung – der Konflikt im Untergrund weiter.

Nochmals: Der Nordirland-Konflikt hat, von den Zieldeklarationen her, heute den Charakter eines scheinbar »rein« politischen Konflikts. Er wurde und wird sowohl auf protestantischer als auch auf katholischer Seite zudem nur von einer kleinen Minderheit extremistischer Anhänger mit den Mitteln blutigen Terrors ausgetragen. Diese, bzw. wieder ein Teil von ihnen, lassen aber die deutlichen Zeichen fanatischer Mentalität und Durchsetzungsintensität erkennen. Inhaltlich kann diese Position durchaus als politischer Fanatismus eingestuft werden. Dennoch spielen im Untergrund der Einstellungen alte religiös-konfessionelle Gegensätze und Konflikte mit eine Rolle, die nie zur Ruhe oder zur Bereinigung gekommen sind und die das fanatische Element bei günstiger Gelegenheit immer wieder anheizen. Um einen derartigen Vorgang in der historischen Verschmelzung der beiden inhaltlichen Arten von Fanatismus aufzuzeigen, wurde dieser schreckliche, anachronistische Dauerkampf als Beispiel gewählt.

e) Individuelle Fanatiker: Beispiele

1) Allgemeines

Bei den bisherigen Schilderungen standen diejenigen Typen fanatischer Menschen im Vordergrund, die entweder primär als expansive Ideen-Fanatiker oder sekundär als mitgerissene, angesteckte Teilfanatiker auf die Ausbreitung und die allgemeine Durchsetzung ihrer Ideen ausgerichtet waren. Ob essentieller, ob induzierter Fanatismus: Jeweils kam es zu einer stoßkräftigen, auf Allgemeingültigkeit hin orientierten religiösen oder politischen Bewegung, oft zu einem fanatischen Massenphänomen, und das große Problem des Fanatismus in dieser Welt besteht ja in eben dieser Ausprägungs- und Verlaufsart. Die Existenz von Einzelfanatikern, die nur für ihre persönliche, rein individuelle Überzeugung leben, und die auch nur in einem kleinen Umkreis bekannt und wirksam sind, hat dem gegenüber verständlicherweise eine weitaus geringere Außenbedeutung. Dennoch lassen sich auch an ihnen, trotz der weithin fehlenden Gefährlichkeit, ebenfalls die typischen Merkmale fanatischer Strukturen und Verhaltensweisen aufzeigen. Und die nähere Umgebung solcher Menschen steht manchmal unter enormem Druck und der schwierigen Aufgabe, deren unbeeinflussbares, kompromissloses, oft auch aggressives Denken und Handeln auszuhalten.

Es kamen bisher schon in verschiedenem Zusammenhang bereits solche individuellen Fanatiker zur Sprache. Dem fanatischen Typus nach lassen sie sich, vorwiegend unter dem Kriterium ihrer Wirkungsart nach außen, hauptsächlich den innerhalb des Gesamtspektrums schon dargestellten Gruppen der aktiven, persönlichen Interessen-Fanatiker und der stillen, introvertierten Überzeugungs-Fanatiker zuordnen (vgl. Kap. III.). Beide Male handelt es sich natürlich im allgemeinen Sinn um »Interessen«, und beide Male auch um »Überzeugungen«; die Unterscheidung sollte aber innere Schwerpunkte deutlich machen: Die Vertretung von »Interessen« treibt meist zur äußeren

Verteidigung oder zum Durchsetzungskampf an, auch wenn es nur ganz persönliche, individuelle Interessen sind; eine »Überzeugung« kann in aller Stille, im Innenleben existieren, sie nötigt nicht primär zur äußeren Durchsetzung, trotz ihrer absoluten, unumstößlichen subjektiven Gültigkeit. Beide Male spielen, wie bei den meisten fanatischen Ausprägungen, sogenannte »Überwertige Ideen« eine Rolle, also Einstellungen von abnormer Intensität und Bedeutung, mit starker emotionaler Übergewichtigkeit und Einseitigkeit (vgl. Kap. VI.).

Zu der ersteren Gruppe, der der aktiven Interessen-Fanatiker, gehören vor allem die typischen »Gerechtigkeits-Fanatiker« und »Wahrheits-Fanatiker«. Das Typische bei ihnen liegt meist in einer unverkrafteten persönlichen Kränkung oder Beeinträchtigung, die dann zu einer so enormen und abnormen fanatischen Gegenreaktion führt; oft ist das verletzte persönliche Interesse gleichzeitig – und bezeichnenderweise – Ausdruck eines ideellen Werts, und eben dies verleiht dem Vorgang seine besondere subjektive Gewichtigkeit und Grundsätzlichkeit. An dem unten geschilderten Beispiel von Michael Kohlhaas lässt sich dies besonders gut aufzeigen. Freilich gibt es auch das kleinlich-hartnäckige, oft wirklichkeitsfremde Beharren auf einem bestimmten Anspruch, z. B. in Form des »Querulanten« im Alltagsbereich, der mit einer auch aussichtslosen Angelegenheit über Jahre hinweg die Behörden oder Gerichte beschäftigt. Der psychologische Grundvorgang im Rahmen der Persönlichkeitsstruktur ist jedoch derselbe.

In der zweiten Gruppe individueller Fanatiker, der der stillen Überzeugungs-Fanatiker vom meist introvertierten Strukturtyp, finden sich dem Inhalt nach oft äußerst unterschiedliche Formen, von denen einige im Folgenden noch detailliert dargestellt werden: der klassische »Ernährungs-Fanatiker«, der »Gesundheits-Fanatiker«, der »Kunstfanatiker«, der »Pflichtfanatiker«, der »pädagogische Fanatiker«, dann auch fanatische Abtreibungsgegner und fanatische Pazifisten oder Kriegsdienstverweigerer. Das gemeinsame Merkmal hierbei ist die Radikalität und Unbeugsamkeit in der persönlichen Einstellung. Abgesehen von der formal problematischen Stellung des Merkmals »still« und »introvertiert« innerhalb des Fanatismus-Spektrums überhaupt (s. u. und Kap. IV.), bleibt es eine Frage der inneren und äußeren Dynamik, ob es dabei nicht auch zu fanatisch-aggressivem Aktionismus kommt; dies wird beim »Sportfanatismus« besonders deutlich (s. u.). Vor allem aber können viele »stille« religiöse Fanatiker, wenn sie in ihrer stillen Gewissheit und in ihrem an sich quietistischen Lebensvollzug bedroht werden, eine unbeugsame Überzeugungstreue und einen passiven Kampf bis hin zur Todesbereitschaft entwickeln. So ist es nicht verwunderlich, dass sich auch bei einem Teil der Märtyrer derartige fanatische Züge finden (s. u..).

2) Aktiver Kampf um persönliche Gerechtigkeit: Michael Kohlhaas

Dass die Erfahrung persönlicher Zurücksetzung, Benachteiligung und Kränkung ein unmittelbares Aggressions- und Vergeltungsbedürfnis entbindet, gehört offenbar zur reaktiven Grundausstattung der meisten Menschen. Ist gleichzeitig auch noch das Gerechtigkeitsgefühl getroffen, erst recht, wo dieses sich auch mit den bestehenden gesellschaftlichen Maßstäben deckt, erfährt diese Reaktion noch eine weitere Intensivierung. »Gerechtigkeit« stellt offenbar ein besonders affektbesetztes, elementares Zielbedürfnis dar, sie ist das große visionäre Thema in religiösen Systemen und politischen Utopien, und schon bei kleinen Kindern lässt sich ein besonders empfindlich anspringendes Gerechtigkeitsgefühl in typischen Alltagssituationen beobachten.

Affektive Verdichtungen und entsprechende Verhaltensmuster aus diesem Reaktionskern heraus, soviel Aggressions- und Rachepotenz in ihnen auch wirksam sein mag, sind aber noch keineswegs Ausdruck eines fanatisch-motivierten Kampfes um Gerechtigkeit. Daher sind es auch nicht jene spektakulären und erschütternden Amok-Entladungsreaktionen, ob spontan oder geplant, die aus einem Erleben tiefer Gekränktheit oder Beschämung heraus entstehen können und dann sehr nachhaltige Spuren im Bewusstsein der Bevölkerung hinterlassen: So die damals großes Entsetzen verbreitende Tötungsaktion des Hauptlehrers Wagner an seiner Familie und den Bewohnern des Dorfes Mühlhausen 1913, wobei auch noch eine paranoide Einstellung mit eine wesentliche Rolle spielte (s. Tölle, 1988, S. 174f.), oder neuerdings das gezielte Niederschießen von 16 Menschen, meist Lehrkräften, in Erfurt 2002 durch den Schüler Robert Steinhäuser (s. Esser u. a., 2002, S. 20–28; Freudenreich, 2003, S. 3). Das Motivbündel, bzw. die Psychogenese und die akute Psychodynamik bei Tätern dieser Art, die es immer wieder gibt und die dann allgemein großes Unverständnis, Sprachlosigkeit und oft hilflose Erklärungsversuche auslösen, lässt sich meist nur sehr unzureichend erfassen.

Jedenfalls kann die hier interessierende Frage nach einem möglichen fanatischen Anteil in Tatplanung und Tatziel nicht über bloße Vermutungen oder Analogieschlüsse beantwortet werden. Gerade wenn die von Rachedrang, Machtgefühl, Welthass und verletztem Gerechtigkeitsbedürfnis bestimmte Endstrecke auf die Tat hin im einzelnen schwer klärbar bleibt, muss hier im Einzelfall auch auf die grundsätzlichen Kriterien für das Fanatische geachtet werden: Ob sich dabei die Idee der Gerechtigkeit als hoher Leitwert nachweisen lässt, und ob ihre Wiederherstellung und der Kampf um sie als ideelles Ziel, bei aller tatsächlicher Destruktivität und überbordernder Gewalthandlung, erkennbar bleibt. Zumindest diese phänomenologischen Merkmale müssen, unabhängig von dem allgemein Schockierenden an solchen Taten, aufzeigbar sein.

Ganz anders ist die Frage nach den psychodynamischen oder psychogenetischen Hintergründen bei typischen »Gerechtigkeits«-Tätern zu handhaben. Es liegt ja im Wesen dieser Abläufe, dass dabei das ganze Spektrum an neurotischen Abwehrmechanismen wirksam werden kann und dass somit vieles, oft gerade Wesentliches, in der unbewussten Dynamik des Verdrängten stattfindet. Dies lässt sich nur im Rahmen der psychologischen Erfahrung und Modellbildung aus Indizien indirekt erschließen und bleibt sonst – für alle Beteiligten – im Dunkeln.

Für die Person des *Michael Kohlhaas* hat nun L. Bolterauer (1975) in subtiler Analyse der Quellen Merkmale herausgearbeitet, die für ihn deutliche Hinweise auf die zentrale Psychodynamik enthalten. Dies wurde hier bereits schon in anderem Zusammenhang erwähnt (s. o.). Ausgehend von der Frage, unter welchen Bedingungen sich ein so »überstarkes Gerechtigkeitsgefühl«, »ein Rechtsgefühl, das einer Goldwaage gleicht«, entwickle, kommt er zur Annahme einer typischen »Reaktionsbildung«: dass sehr wahrscheinlich »in der Seele Kohlhaas' selbst ein besonders starker, lange schon verdrängter Hang zu gewalttätiger, hemmungsloser Aggressivität« vorhanden gewesen sei, und dass so »die Charaktereigenschaft der überstrengen Rechtlichkeit gleichsam einen Schutzwall zur Unterstützung der Verdrängung« darstelle (ebd., S. 300f.). Diese – als »idealisierende Maskierung« solcher aggressiver Anteile bezeichnete – Reaktionsform mache es möglich, »mit der Erfüllung eines Gewissensanspruchs zugleich in lavierter Form eine partielle Triebbefriedigung zu verbinden«, und sie erkläre auch das damit verbundene »schweigende Gewissen«, die »Über-Ich-Anomalie« (ebd., S. 298f. u. 302).

Diese überaus aufschlussreiche Analyse könnte manche der so auffälligen Merkmale fanatischen Wesens überhaupt in einem psychogenetisch verständlicherem Licht erscheinen lassen. Wir sind bei der Besprechung der Gewissenssituation bei aktiven Fanatikern, dem schockierenden Phänomen des »guten Gewissens«, bereits hierauf eingegangen (vgl. Kap. III.), ebenso bei der Beschreibung der typischen »Identifikation mit dem Ideellen« (ebd.). Und es schien uns naheliegend, auch für das so auffällige Element der scheinbar unerschöpflichen »fanatischen Energie«, der permanenten Kampfes- und Durchsetzungskraft mit kompromissloser Zielorientierung – des Dranges zum Extrem –, eine Erklärung in der inneren Notwendigkeit ständiger energetischer Gegenbesetzung des fanatischen Ziels anzunehmen, als Möglichkeit zur Stabilisierung der »idealisierenden Maskierung« der Aggressionsimpulse also (vgl. Kap. III. und IV.). Dies wäre eine analoge psychische Situation zur Psychodynamik der Zweifelsunterdrückung bei religiösen Fanatikern (vgl. Kap. IV.). Freilich ist erneut und nachdrücklich davor zu warnen, diese Art von Reaktionsbildungen und Überkompensationsmechanismen prinzipiell allen fanatischen Menschen zu unterstellen.

Die Person und Figur des *Michael Kohlhaas* eignet sich zur Darstellung einer individuellen fanatischen Entwicklung besonders gut. Er steht als klassisches Beispiel für einen »Gerechtigkeits-Fanatiker« vom Typ des essentiellen, aktiven, persönlichen Interessen-Fanatikers. Obwohl das Geschehen schon über 450 Jahre zurückliegt: Der Stoff hat durch die Nacherzählung Heinrich von Kleists (1810/1952) nicht nur eine weltweite literarische Bekanntheit erfahren und seinen Eingang in Theater, Rundfunk, Film und selbst in die Schulbuchlektüre gefunden, sondern er wurde auch in einer Vielzahl von psychologischen und psychiatrischen Darstellungen bearbeitet und analysiert. Er darf als wirklich exemplarisch gelten, gerade weil es immer wieder ähnliche, freilich kleinere, wenig bekannte Beispiele solcher gerechtigkeitsfanatischer Entwicklungen aus Kränkungs- und Beeinträchtigungs-Situationen heraus gibt. Der Ablauf des Geschehens braucht wegen seiner Bekanntheit hier nur noch in seinen psychologischen Schwerpunkten beschrieben zu werden. Die Erzählung v. Kleists fußt auf einer historischen Grundlage, der »märckischen Chronik« des Berliner Schuldirektors Peter Hafftiz (1520–1602). Er berichtet von »Hans Kohlhasen«, einem »Befehder der Chur-Sächsischen Lande« (Näheres zum Historischen s. Fischer-Fabian, 1987, S. 246ff.). Man kann in einen Zwiespalt kommen, welchem Bericht man in der psychologischen Analyse folgen soll, dem literarisch-genialen, ausführlichen und ausgefeilten Kleist'schen Wurf, oder der knapperen, historisch zuverlässigeren alten Chronik. In beidem wird die Grundgestalt sehr markant greifbar, und sie ist bei Kleist auch psychologisch und typologisch in sich stimmig und sehr packend erfasst. Sein Einleitungsabschnitt umschreibt bereits den Kernpunkt der ganzen Sache: »An den Ufern der Havel lebte ... ein Roßhändler, namens Michael Kohlhaas, Sohn eines Schulmeisters, einer der rechtschaffensten zugleich und entsetzlichsten Menschen seiner Zeit«. »Dieser außerordentliche Mann würde, bis in sein dreißigstes Jahr, für das Muster eines guten Staatsbürgers habe gelten können ..., wenn er in einer Tugend nicht ausgeschweift hätte. Das Rechtsgefühl aber machte ihn zum Räuber und Mörder« (Kleist, 1810/1952, S. 597).

Bezeichnend für den inneren Ablauf bei Michael Kohlhaas ist die Eskalation auf menschlicher und psychodynamischer Ebene, seine zunehmende Entwicklung in Richtung des Fanatischen als Reaktion gerade auf die wiederholten Kränkungen und Verletzungen seines Gerechtigkeitsgefühls. Nach der ersten Demütigung, dem Raub seiner beiden Pferde durch die Knechte des Junkers Wenzel von Tronka (historisch: Günther von Zaschwitz, 1532), ihrem Missbrauch bei der Feldarbeit und dann dem Verlangen, auch noch das Futtergeld von sechs Groschen zahlen zu sollen, reiste Kohlhaas zwar unter Wut und mit verletztem Gerechtigkeitsgefühl ab; er war jedoch zum Einlenken bereit, wenn ihm auf juristischem Weg sein Recht zugestanden würde. Bereits zu diesem Zeitpunkt machte er juristische Eingaben, selbst an den Landesherrn seines Widersachers in Sachsen, erfuhr jedoch auf allen Ebenen Zurückweisung und Nichtbeachtung, wobei zusätzliche Demütigungen durch den Standesunterschied zwischen den Adligen und ihm als Bürger erfolgten. Dieses weitere Spannungsfeld machte Kohlhaas in der einfachen Bevölkerung populär, später zum Helden, der gegen die verhasste Obrigkeit um Gerechtigkeit kämpfte.

Der Streit erfuhr seine Steigerung und sein erstes Einmünden in Gewalttätigkeit durch einen »Fehdebrief« von Kohlhaas, »dorin er sich des von Zaschwitz und des ganzen Landes zu Sachsen zum oeffentlichen abgesagten feind erkläret« (Fischer-Fabian, 1987, S. 251). Es begannen die Brandschatzungen, die er meist mit nur fünf bis sechs Getreuen durchführte. Wiederum war er aber zum Einlenken und zur Friedfertigkeit bereit, als ihm auf einem Rechtstag in Jüterbog 1534 eine Ehrenerklärung und eine hohe Abfindung zugestanden wurde. Doch als dieser Vertrag kurze Zeit hernach von der Gegenseite für »null und nichtig« erklärt wurde – ein erneuter Affront und eine neue Kränkung seines Gerechtigkeitsgefühls –, begann das Brandlegen, Rauben und Morden von seiner Seite in vollem Umfang. Auch ein klar mahnender Brief von Martin Luther an ihn, in dem ihm dieser das Bibelwort »Die Rache ist mein, spricht der Herr, Ich will vergelten« vor Augen hielt und ihn mit der lapidaren Aussage konfrontierte: »Unrecht wird durch ander Unrecht nicht zurechtbracht« (ebd., S. 260), konnte ihn nicht umstimmen. Die Angelegenheit führte schließlich auch zum Zuständigkeitskonflikt zwischen dem Kurfürstentum Sachsen und Brandenburg, dann zur blutigen Verfolgung der vielen Anhänger von Kohlhaas, bis es schließlich zu seiner Ergreifung und zur Hinrichtung 1540 durch das Rad kam (bei v. Kleist durch Enthauptung).

Man kann sehr gut die seelische Verarbeitung der laufenden Demütigungen und Kränkungen, die auch in verschiedenen weiteren »Kleinigkeiten« bestanden, nachvollziehen. Diese Identifikation, aber auch das gleichzeitige Erschrecken über die tatsächlichen Konsequenzen, macht wohl die Faszination dieser Erzählung mit aus, der viele immer wieder erliegen. Eine Rolle spielt hierbei auch deren gleichzeitige soziale und sozialkritische Komponente. Keinesfalls geht es hier ja »nur« um ein verletztes Gerechtigkeitsgefühl und um das reine »Rechtbekommen« um jeden Preis. Vielmehr spielt die ohnmächtige Wut des Machtlosen, dazu Hass und Rachedurst gegen die Unterdrücker eine maßgebliche Rolle. Nicht umsonst war Kohlhaas ja in seinem Stammland so populär (s. o.). Derartige Motive brauchen aber für sich, wie mehrfach betont, noch keineswegs zu einer fanatischen Entwicklung zu führen; sie liegen auf ganz anderen Ebenen der menschlichen Reaktionen und Affekte, können aber das fanatische Element enorm anheizen und verstärken.

Die »eine Tugend«, in der Michael Kohlhaas, nach v. Kleists Worten, »ausgeschweift« ist, besteht in einem der höchsten Ideale, der Gerechtigkeit. Und so kann seine persönliche Entwicklung als ein transparentes Beispiel für die »Destruktivität des Ideals« unter dem Zwang zur Konsequenz gelten (vgl. Kap. VI.). Dieser Zwang bzw. Drang aber hat strukturelle, intrapsychische Gründe, speziell in der gerade jetzt unabwendbar gewordenen Überkompensation von Mängeln, Beeinträchtigungen und Kränkungen, die zwar von früher stammen, aber unter dem Druck der neuen Herabsetzungen vehement zur Bereinigung drängen. Der psychogenetische Hintergrund in Form der beschriebenen Reaktionsbildung und der idealistischen Maskierung seines Aggressivitäts- und Hasspotentials würde außerdem verständlich machen, warum er in seinem Feldzug für die allgemeine Gerechtigkeit völlig unzugänglich für kritische und beschwichtigende Stimmen wird, und dass seine »Fehde«, seine rächenden Mord- und Brandtaten, für ihn zwingende edle Taten im Kampf für dieses höchste Gut darstellen. So erlebte Kohlhaas, auch nach der Interpretation von Bolterauer (1975, S. 295), das, was ihm angetan wurde, »als persönliche Beleidigung, als Mißachtung seiner Person, ja als Bedrohung seines gesamten Lebenswertes und Lebenssinnes«. Hierin zeige sich eine »auffällige Verwundbarkeit seines Selbstgefühls«, und die traumatischen Vorfälle hätten eine besonders empfindliche Stelle seiner Persönlichkeit berührt, nämlich »seinen ›Narzißmus‹, sein überstarkes Bedürfnis nach Respektierung seines Wertes«. Ob wir bei Kohlhaas außerdem auch noch die Entwicklung einer »Überwertigen Idee« in den »Größenwahn« oder den Querulantenwahn hinein vor uns haben, wie H. Emrich (1992, S. 42 u. 44) annimmt, muss offen bleiben. Einer weiteren Befundung und psychogenetischen Erhellung der so überschießenden und extremen Reaktionsweisen bei ihm steht einfach entgegen, dass wir über seine sonstigen Einstellungen, Strukturen und innerseelischen Vorgänge aus den Quellen nichts weiteres wissen.

Michael Kohlhaas: nach v. Kleist »einer der rechtschaffensten zugleich und entsetzlichsten Menschen seiner Zeit« (s. o.); ein verletzter, individueller Kämpfer für die Wiederherstellung seiner Gerechtigkeits-Interessen und seines Selbstwerts gleichermaßen; ein aktiver, expansiver Fanatiker mit eskalierender

Durchsetzungsintensität für ein anerkannt hohes Menschheits-Ideal überhaupt; vor allem aber der Prototyp eines Menschen, der das Augenmaß und die Wertevielfalt wegen der fanatischen Perfektionierung eines hohen Einzelwerts, nämlich der »Tugend« der Gerechtigkeit, verliert, und der so – unbeirrbar reagierend, idealisierend, destruierend – in tiefe Inhumanität abstürzt.

3) Radikalität in der persönlichen Einstellung

Es ist zum einen eine Frage der begrifflichen Grenzziehung, zum anderen, und dies weitaus mehr, eine Frage der persönlichen Einstellung und Psychodynamik, wie weit eine intensive, monomane und unbeirrbare, wertbezogene Zielverfolgung auf einem anderen Lebensgebiet ebenfalls dem Themenkreis des Fanatismus zugerechnet werden kann. Wollte man, wie es in einer umgangssprachlichen Ausdrucksweise häufig vorkommt, jede übermäßig einseitige Begeisterung, Aktivität und Nachhaltigkeit in der Identifikation mit einem Interessen- und Lebensgebiet als fanatisch bewerten, würden spezifisch konstituierende Elemente des Fanatischen außer acht gelassen und der Begriff unsachgemäß ausgeweitet. So fordert Bolterauer (1975) ausdrücklich in der Beurteilung der »einseitigen leidenschaftlichen Hingabe« von Künstlern, Sportlern oder Spielern an ihre Sache, das außer dieser Hingabe und Strebung ein anderes Fanatismusmerkmal eindeutig erfüllte sein muss: das typische, »eigenartige, widersprüchliche Aggressivitätsphänomen«, das sich in der schon erwähnten (s. o. und Kap. III.) »rätselhaften Über-Ich-Anomalie« ausdrückt, nämlich »die seltsame Verknüpfung von subjektiv lauterer, idealistischer Gesinnung und objektiv sittlich anstößiger Mittelwahl« (Bolterauer 1975, S. 292). Folgt man diesem Kriterium, so ist damit eine wesentlich strengere und engere Fassung des Phänomens Fanatismus impliziert, der viele gerade der üblicherweise als »individuelle Fanatiker« bezeichneten Menschen nicht mehr entsprechen. Auch für die von uns ausführlich dargelegte Trias der fanatischen Wesenselemente – eingeengte Grundüberzeugung, energetische Intensität, Kampf mit allen Mitteln (vgl. Kap. III.) – ist diese typische Wahl der Mittel fanatischer Durchsetzung, einschließlich aggressiver und destruktiver Art, konstituierend. Der ethische Bewertungsanteil, der hierbei mitschwingt, ist wohl unvermeidlich; denn für den Fanatiker heiligt der Zweck fraglos alle Mittel.

Damit aber erscheint die bisher als eigene Fanatiker-Kategorie aufgeführte Gruppe der »stillen, introvertierten Überzeugungs-Fanatiker« in einem kritischen Licht und muss hinterfragt werden. Zwar erscheint dieser Typus wie selbstverständlich auch immer schon in den herkömmlichen klassischen Einteilungen, so bei K. Schneider und anderen Psychiatern, als

»matte« Fanatiker oder bei Rudin als »blasse« Fanatiker (vgl. Kap. IV.). Dies, weil hier als Schwerpunktkriterien vorwiegend die Überzeugungsfixiertheit, die Unbeirrbarkeit und die nachhaltige Aktivitätsenergie bzw. Kreativität gelten, und nicht so sehr ein etwaiges aggressives Element. Doch schon eine derartige adjektivische Kurzbenennung wie »matt« oder »blass« geht ja gerade an dem enormen energetischen Potential solcher Menschen völlig vorbei. Der Unterschied liegt nicht in diesem Potential an sich, sondern in der Zielrichtung seines Einsatzes, speziell eben der Durchsetzungsbereitschaft und der Wahl der Mittel hierzu. Deutlicher: Der beschriebene Drang zum Extrem überspringt in der fanatischen Zielrealisierung eine »Verhältnismäßigkeit der Mittel«. Jedes Mittel ist durch die vertretene Sache geheiligt. – An dieser Markierungslinie wird auch wieder der Unterschied zwischen Fundamentalismus und Fanatismus konkret deutlich.

– Ethischer Fanatismus: Abtreibungsgegner, Kriegsdienstverweigerer

Gerade am Beispiel hoher ethischer Werte, wie dem Wert des Lebens selbst, lässt sich das hier auftretende Problem aufzeigen. So kann ein *Abtreibungsgegner,* wenn er unter Berufung auf das lapidare Tötungsverbot und aus grundsätzlicher Achtung des werdenden Lebens strikt gegen jegliche Art von Schwangerschaftsabbruch eingestellt ist, zunächst als fundamentalistisch bezeichnet werden. Die dabei oft genannte Angst vor einem ethischen »Dammbruch«, falls in diesem einen Punkt irgendwelche einzelne Zugeständnisse gemacht würden, gehört ja gerade mit zu den Fundamentalismus-Kriterien (vgl. Kap. III.). Auch die aktive Bekundung einer solchen Einstellung nach außen, etwa in Wort und Schrift und durch Wahrnehmung des Demonstrationsrechts, liegt noch im fundamentalistischen Bereich.

Als grenzgängig zum Fanatischen muss dann aber wohl bereits eine persönliche Diffamierung von Menschen gelten, die eine permissivere Einstellung zum Schwangerschaftsabbruch vertreten und die dann gezielt einzeln oder global z. B. als »Mörder«, »gottlos« oder »ehrfurchtslos« gebrandmarkt werden. Folgen schließlich gewalttätige Aktionen mit Bedrohung von Existenz und Leben solcher Menschen – wie z. B. in den USA mit Bombenanschlägen 1984 und auch seither mit einzelnen Morden geschehen (s. French, 1990, S. 31) –, dann zeigt sich die Grenzlinie zum Fanatismus bereits überschritten. Bezeichnend und weithin typisch ist dann auch, dass mit der Wahl der Mittel gerade jener Wert, um den so fanatisch gekämpft wird, nämlich die Unantastbarkeit der Würde und des Lebens anderer, gezielt verletzt wird. Die Wahl der Mittel rechtfertigt sich typischerweise auch hier aus dem Ziel, gerade weil es ein sehr hohes ethisches Ziel darstellt.

Diese ethische Zweigleisigkeit entspricht direkt der bereits dargelegten »Über-Ich-Anomalie« (s. o.), zum Teil auch dem Begriff des »Formfanatikers« nach J. Rudin (vgl. Kap. III.). So darf hier deshalb wohl zu Recht von einem »ethischen Fanatismus« gesprochen werden, bei dem der eingangs angesprochene »luziferische Sturz« (vgl. Kap. I.) von hohen Wertidentifikationen in tiefe Inhumanität besonders deutlich wird.

In diesen Bereich gehört auch das heiße Thema des *fanatischen Pazifismus* und der Kriegsdienstverweigerung. Es ist hier nicht der Ort, die religiösen, kulturethischen und vielerlei individuellen Hintergründe für eine pazifistische Einstellung überhaupt zu benennen oder gar zu analysieren und zu bewerten. Schon die großen Unterschiede in der Radikalität, vom rigoros-kompromisslosen bis zum politisch-situativen Pazifismus sowie dem großen Sammelbecken der »Friedensbewegung« zeigen, wie differenziert das Phänomen betrachtet werden muss. Hier geht es, analog zur radikalen Abtreibungsgegnerschaft (s. o.), um die Position eines klar fundamentalistisch fixierten Pazifismus als individuellem Bekenntnis, und dann um die Frage, wo die Grenze zum Fanatischen überschritten wird. Auch in der sogenannten »Neuen Friedensbewegung« im unmittelbaren Vorfeld des Irak-Krieges (Februar 2003), in der sich überkonfessionell viele Menschen in Antikriegs-Demonstrationen zusammengefunden haben, trafen sich radikal-fundamentalistische Pazifisten mit politisch-situativen Pazifisten zu derselben Aktion; im Aufruf der 220 Theologen beider Konfessionen mit Berufung auf ihre Glaubensüberzeugung: »Krieg darf um Gottes willen nicht sein!« (*Publik-Forum*, Nr. 3/2003, S. 16f.) konnten sich auch alle beteiligten Gruppen im Prinzip wiederfinden. Doch individuell trennt fortlaufend eine deutliche innere Grenzlinie die – kleine – Gruppe der radikal-pazifistisch, also fundamentalistisch fixierten von der – viel größeren – bedingt pazifistisch, also politisch orientierten Gruppe der aktuellen Kriegsgegner. Nur die ersteren sind im weiteren psychischen Prozess denn auch Fanatismus-anfällig, wenn aus der unerschütterlichen Überzeugung und der Angst vor jeglicher möglichen Verletzung des hohen Werts des Lebens zusätzlich ein aggressives Element der Durchsetzung erwächst, das z. B. in sehr hartnäckige Diffamierungen Andersdenkender oder in diverse gewaltbereite Blockadeaktionen einmünden kann.

Einenteils handelt es sich bei diesem Themenkreis um typische Ausdruksformen individueller Überzeugungen, zum anderen werden hierbei auch vielfältig bekannte Gruppenmechanismen aktiviert, sodass man diesen Bereich auch unter den größeren Zusammenhang von religiösen, politischen oder gemischt religiös-politischen Bewegungen einordnen könnte. Dies trifft auch für manche, zum Teil durchaus subtil militante Aktivistengruppen unter der großen Zahl der überzeugten Atomkraft-Gegner zu oder auch für einzelne Unternehmungen von radikalen Umweltschützern, auch im Rahmen der unter so hohem Ansehen stehenden Greenpeace-Aktionen. Sie alle bewegen sich oft im Grenzbereich des Fanatischen; und manche Teilnehmer sind zweifellos auch fanatische oder fanatisierte Persönlichkeiten im Sinn der hier vertretenen Definition.

Wiederum bleibt hier die Art der Durchsetzungsaggressivität und die Grundeinstellung in Bezug auf die beschriebene »Verhältnismäßigkeit« der Mittel ein Trennungskriterium. Passive Sitzblockaden auf der einen Seite und aktive Gewalt auch gegen Personen auf der anderen Seite könnten z. B. diese Grenzlinie etwas näher konkretisieren. Dennoch bleiben solche Außenkriterien immer unbefriedigend, auch wegen ihrer Mehrdeutigkeit. Und die entscheidende psychische Dynamik im Untergrund, die ja eine besonnene Abschätzung von »Verhältnismäßigkeit« und ethischer Vertretbarkeit überhaupt erst möglich machen und zulassen könnte, entzieht sich meist unserer Beurteilung.

Als konkreter Ausdruck der radikal-pazifistischen Einstellung darf die – gesellschaftlich und politisch teils positiv akzeptierte, teils emotional negativ besetzte – *Kriegsdienstverweigerung* gelten. Doch gerade auch sie bedarf in diesem Zusammenhang einer differenzierten Betrachtung. Das Thema zeigt international die verschiedensten Ausprägungen, und ebenso unterschiedlich war und ist das oft schreckliche Schicksal derjenigen, die sich zur konsequenten Verweigerung entschließen. Durch die grundsätzliche positive Regelung dieser Möglichkeit in der BRD (Art. 4, Abs. 3 GG 1949, S. 13), die zu den Ausnahmen gehört, kam es zu einer Entschärfung des bis dahin für die Betroffenen fast immer tödlichen Überzeugungs- und Verhaltens-Konflikts. So ist es auch jetzt schwieriger, konsequent fanatische Kriegsdienstverweigerer von der großen Gruppe derer zu unterscheiden, die aus Gewissensgründen, aus Respekt vor jeglichem menschlichen Leben oder dem biblischen bzw. biblizistisch-fundamentalistischen Tötungs-Verbot, oder auch aus anderen persönlichen Gründen bzw. aus einer situativen Urteilsbildung heraus eine Waffenausbildung oder -anwendung ablehnen. Dass es auch institutionelle Beratung zur optimalen Vertretung der Verweigerungsrechte gibt, z. B. seitens der Kirchen, belegt das breite Spektrum des Bereichs, um den es hier geht. Schon H. Thielicke (1966) hat in seiner »Theologischen Ethik« eine differenzierte Darstellung des Unterscheidungsproblems unternommen und dabei vorausgesagt, dass dieses zunehmen werde, »je stärker das Bewusstsein individueller Verantwortung sowie politischer Mündigkeit verbreitet« sei (ebd., S. 649).

Eine ethische Bewertung einer solchen Einstellung an sich, die auch früher meine eigene war und der ich große Achtung entgegenbringe, steht hier nicht an. Es geht um die Frage, wann und in welcher Form sich in der

Gewissensverweigerung, »zum Kriegsdienst mit der Waffe gezwungen« zu werden (GG, Art. 4, Abs. 3), fanatische Persönlichkeitsanteile auswirken bzw. deren konsequentes Durchhalten bestimmen können. – Am Beispiel der gut abgrenzbaren, sich aller positiven gesellschaftlich-staatlichen Kooperation verweigernden religiösen Gemeinschaft der »Zeugen Jehovas« lässt sich die Einstellung auf ein religiöses Extrem und damit der typische Drang zur Konsequenz auch bei diesem Thema relativ deutlich darstellen. Natürlich bestand und besteht auch hier ein enormer innerer Gruppendruck zur Übernahme der spezifischen sektiererischen Glaubensinhalte (s. o.), doch dies konstituiert auch sonstige fanatische Gruppen und Massenbewegungen in Form der typischen Gleichrichtung von Zielen und Emotionen. Die unbeugsame Fixierung auf die totale Kriegsdienstverweigerung führte schon, was wenig bekannt ist, vor dem Dritten Reich in den USA zu Konflikten mit der Justiz und zu zahlreichen gewalttätigen Übergriffen seitens der Bevölkerung, und während des Zweiten Weltkrieges kam es in England zur Verhängung von Gefängnisstrafen. Der Leidensweg der »Zeugen Jehovas« erfuhr während der NS-Herrschaft in Deutschland seinen Höhepunkt durch brutale Verfolgung, KZ-Haft, Folter und Hinrichtungen. Auch in den kommunistischen Staaten lief eine Verfolgungswelle an (Näheres s. Hutten, 1989, S. 117ff.).

Bemerkenswert ist, wie selbst die gegnerischen Zeugen, z. B. in den KZs, die zum Teil verklärte Selbsthingabe der zum Tod Verurteilten bewunderten, und dass der Leibarzt Himmlers in einem Brief sie als »unerhört fanatische, opferbereite und willige Menschen« bestaunte und darüber reflektierte, welche zusätzliche Stärke es jetzt im Krieg bedeuten würde, wenn man ihren Fanatismus für Deutschland einspannen könnte (ebd., S. 119f.). – Unabhängig von solcher durchgehender Martyriumsbereitschaft an sich (s. u.) ist dieser Verweigerungs-Fanatismus immer ein passiver, duldender geblieben, und es gab nie, wie auch bei anderen individuell motivierten Kriegsdienstverweigerern nicht, eine Einmündung in eine aggressive Einstellung oder Verhaltensweise. Unter den Gesichtspunkten der Typologie (vgl. Kap. IV.) wäre er somit von der Ideenseite her den expansiven (missionarischen) Fanatikern, von der Verhaltensseite her aber den stillen (duldenden) Fanatikern zuzuordnen, im Sinn eines der genannten Mischtypen. Fanatische Durchhalteenergie – oder in der internen Sprache »Glaubensstärke« – ist aber fraglos in hohem Maß bei beiden Ausprägungen wirksam.

– Spezifische Fanatismen: Ernährungs-, Sport-, Kunst-Fanatismus

Die Schwierigkeiten einer Grenzziehung zwischen überstarken Identifizierungen mit einem persönlichen Lebensziel bzw. einer »Überwertigen Idee« und einer bereits fanatischen Einstellung im engeren Sinn wurden schon oben angesprochen. Speziell das Problem der »Überwertigen Ideen«, vor allem in Abgrenzung zum pathologischen Bereich, wird später noch gesondert zur Sprache kommen (vgl. Kap. VI.). Menschen, die in Begeisterung, mit Einsatz aller ihrer Kräfte, mit kreativen Impulsen und überwältigender Inspiration hohen Einsatz auf einem bestimmten Gebiet leisten und durchhalten, gehören unbestritten zu den mit Recht bewunderten positiven Gestaltern und Erneuerern in unserer Kultur. Oft freilich bleiben die hier eigentlich wirksamen Triebkräfte und Motivationshintergründe, auch für die Betreffenden selbst, im Dunkeln oder im Halbdunkeln. Man muss sehr viel von einem Menschen wissen, um hier Fehleinschätzungen und voreilige Zuordnungen vermeiden oder auch neurotische Elemente im Gesamt einer geglückten Lebensgestaltung positiv werten zu können.

Gerade bei den auf sehr spezielle Lebensgebiete begrenzten und nicht von hohen ethischen Werten und Idealen bestimmten, aber dennoch mit enormer Energie verfolgten Zielen ist die Forderung nach behutsamer Beurteilung wohl besonders berechtigt, weil hier sonst sehr rasch negative Etikettierungen drohen. Dies schließt natürlich nicht aus, typische psychodynamische Abläufe und bekannte neurotische Mechanismen auch auf solchen Leistungsgebieten zu benennen, gerade auch zur Unterscheidung von primärer Einstellung und zugehöriger sekundärer Argumentation. Denn auch hier kann sich z. B. der beschriebene intrapsychische Vorgang der Überkompensation auswirken und das Wissen um ihn dann zum besseren Verständnis einer extremen Zielfixierung beitragen. So weist E. Fromm (1980/1976) darauf hin, dass z. B. die Askese »mit ihrem ständigen Kreisen um Verzicht und Entsagen« möglicherweise nur »die Kehrseite eines heftigen Verlangens nach Besitz und Konsum« sein kann; und er führt weiterhin »fanatische Vegetarier« an, »die destruktive Impulse verdrängen«, oder »fanatische Abtreibungsgegner, die ihre Mordgelüste verdrängen«, auch »Tugendfanatiker«, die ihre eigenen »sündigen« Neigungen nicht wahrhaben wollen (ebd., S. 86). Dass das konstante Aufrechterhaltenmüssen einer derartigen Überkompensation insgesamt ein möglicher Erklärungsanteil für die Nachhaltigkeit und den hohen Pegel an »fanatischer Energie« sein könnte, wurde schon angesprochen (vgl. Kap. IV.).

Unter den spezifischen Fanatismen und den ihnen zugrunde liegenden fundamentalistischen Einstellungen spielt z. B. das Gebiet der *Ernährung* eine gewichtige Rolle. In Anbetracht seiner elementaren praktischen Bedeutung verwundert nicht, dass es hier fixierte Überzeugungen in großer Zahl und Differenziertheit gibt. Sie haben, aus den verschiedensten Gründen, in der heutigen Zeit Konjunktur. Nicht die aus persönlicher, eigener Ernährungserfahrung und medizinischer Konsequenz erwachsenen Besonderheiten sind hier gemeint, sondern vorwiegend – gemäß der Fundamentalismus-Kriterien – die radikale Übernahme von Überzeugungen nicht weiter hinterfragbarer Ernährungs-Autoritäten oder -Systeme. Diese können inhaltlich vom Vegetarismus bis zum radikalen Schlankheitsideal gehen. Die Grenze zum Fanatischen ergibt sich aus den Zielsetzungen und wiederum aus der Wahl der Mittel: ob der Betreffende seine Ernährungs-Ideologie mit ihren alltäglichen einschneidenden Konsequenzen für sich selbst praktiziert, vielleicht auch schon missionarisch propagiert, oder ob er damit Nötigungen und Zwang auf andere ausübt; dies kann in Form eines »Ernährungs-Terrors« in der eigenen Familie geschehen, darüber hinaus aber auch durch Drohungen oder Behinderungen auf der gesellschaftlichen Ebene, z. B. auch konkret im Raum der Ernährungswirtschaft – alles mit dem guten Gewissen, einem hohen Wert und einer guten Sache zu dienen. Glücklicherweise haben solche Ernährungs-Fanatiker keine Macht und gewinnen kaum eine militante Anhängerschar. Dadurch werden sie eher als Kuriosum denn als Gefahr wahrgenommen.

Dass Begeisterung für *Sport*, bestimmte Sportarten und Sportveranstaltungen, vor allem auch intensive Identifikationen mit Sport-Heroen oder -Mannschaften ein enormes Maß an psychischer Beteiligungsenergie entbinden können, ist bekannt. Immer wieder augenfällig sind dabei vor allem die auftretenden Gruppenphänomene mit ihren z. T. fatalen mitreißenden Effekten in einer emotional verdichteten Atmosphäre. Die bekannten »Fan-Clubs« – die gemeinsame sprachliche Wurzel im Stamm »Fan« (vgl. Kap. III.) kann die emotionale Nähe zum Thema deutlich machen – zeigen hierbei eine Bandbreite von der harmlosen, naiv-intensiven jugendlichen Identifikation mit einem Sport-Idol oder -Verein bis hin zur verbissen-aggressiven, exzessbereiten Parteigängermentalität mit eingeengter Feindbild-Wahrnehmung des »gegnerischen Lagers«. Im Zusammenhang mit der Besprechung der Suggestivwirkung bei psychischen Epidemien und des situativen ekstatischen Mitgerissenwerdens wurde schon dargelegt, wie leicht eine solche affektive Erhitzung in modernen Konzert- oder Fußballveranstaltungen in äußere aggressive Attacken gegen Einrichtungen oder Personen einmünden kann (vgl. Kap. III.).

Die Frage, wie weit hier die aufbrechende Aggressivität und Exzessbereitschaft auf der Entbindung »einfacher« aggressiver Destruktivität oder Gewaltlust beruht, und wie weit und ab wann sie als Ausdruck fanatischer Einstellung und Zielidentifikation gewertet werden muss, bleibt im Einzelfall schwierig zu beantworten. Leicht ist es, wenn eigens zur Entfesselung von Krawallen angereiste »Hooligans«, die gar keine ideelle und intensive Beziehung zu dem Sportgeschehen haben, zur Beurteilung anstehen, wie z. B. bei den gewalttätigen Übergriffen gegen französische Polizisten anlässlich der

Fußball-Weltmeisterschaft in Lens 1998. Schwieriger wird es, wenn ein Fan einen Spieler »an den Haaren zieht« oder ein Fan-Club den Eindruck von »wilden Tieren« erweckt (s. Sickenberger, 2003, S. 27). Es empfiehlt sich jedenfalls, die formalen Beurteilungskriterien für das spezifisch Fanatische (vgl. Kap. III.) hier eher eng zu ziehen. Die Versuchung ist groß, wegen der anfänglichen ideellen Begeisterung auch die Folgeexzesse als fanatisch motiviert anzusehen und die einfache, bloß affektiv entbundene Gruppenaggressivität und -Destruktivität als eigentlichen Schwerpunkt zu übersehen. Als fanatisch sollte daher solche Aggressivität nur bewertet werden, wenn sie merklich der Durchsetzung eines hohen, ideellen Ziels im Sportbereich dient, insofern also auch zukunftsorientiert bleibt. Dass Fanatismus seinem Wesen nach immer die »Gefahr von oben« ist, nicht die »Gefahr von unten« (vgl. Kap. I. und III.), kann gerade auch hier die klärende Kriteriums-Leitlinie bleiben.

In den Zusammenhang spezifischer individueller Einstellungen und Zielsetzungen fanatischer Art gehören u. a., meist sehr isoliert, auch noch bestimmte Ausrichtungen auf dem Gebiet der *Kunst*. Diese können sowohl in den künstlerischen Aktivitäten selbst, als auch im Beurteilungs- und Bewertungsraum gegenüber vorhandenen Kunstwerken zum Ausdruck kommen. Nicht zum Thema »Kunst-Fanatismus« im engeren Sinn gehörig sind andererseits die fanatischen Bilderstürmereien aus religiösen Motiven allgemein (vgl. Kap. V. und VI.), weil diesen eine Ablehnung bildhafter Darstellungen an sich zugrunde liegt und nicht eine bestimmte, alles andere ausschließende Kunstauffassung. Als relativ einfühlbar erweist sich, wenn ein Künstler selbst, unter den Impulsen seiner Inspiration und Kreativität, ganz von seinen eigenen Zielvisionen mitgerissen wird und seine eigene Kunstrichtung in zunehmender Ausschließlichkeit und Unduldsamkeit verteidigt und dann vielleicht auch aggressiv vertritt. Solche Einstellungen sind oft grenzwertig zum Fanatischen, und kreative Energie und fanatische Energie entspringen wohl einem ähnlichen psychobiologischen Ursprungspotential. Um so mehr wohl ist daher einem solchen Künstler gegenüber Beurteilungssorgfalt in der Anwendung von Fanatismus-Kriterien angesagt, um ihn nicht vorschnell mit dem Etikett »fanatisch« abzuwerten.

Eine ganz andere Dimension eröffnet sich demgegenüber im äußeren Beurteilungsraum von Kunst, d. h. wenn andere den Wert oder Unwert eines Kunstwerks, oder gar dessen Zuordnung zur Kategorie »Kunst« überhaupt, auf Grund ihrer eigenen Kunstkriterien beurteilen wollen. Gerade weil auf diesem Gebiet bekanntermaßen viel Willkür bzw. Subjektivität in der Handhabung der Kategorien »Kunst«, »keine Kunst«, »Kitsch« oder »entartete Kunst« (s. u.) herrscht, können sich hier auch besonders leicht, unterschwellig oder deutlich, fundamentalistische bzw. fanatische Ausrichtungen der

Beurteiler – im öffentlichen oder im privaten Raum – Geltung und Anhänger verschaffen. Vorwiegend ideologisch fixierte diktatorische Systeme mit Universalitätsanspruch auf alle Lebensgebiete neigen zu kunstfanatischen einseitigen Ausrichtungen bis hin zur aggressiven Verbietung und Ausmerzung von entsprechenden Kunstwerken. Als besonders klares und abstoßendes Beispiel darf der aktive, deutlich fanatisch geführte Kampf gegen sogenannte »entartete Kunst« im Nationalsozialismus gelten, zu der moderne Malerei und bildende Kunst ebenso gezählt wurden wie »entartete Musik«; parallel hierzu lief die Favorisierung und Etablierung sogenannter »völkischer Kunst« oder »Kunst aus Blut und Boden« als allein akzeptierter Stilrichtung (Näheres s. Thamer, 1986, S. 457ff.). Der Kunst-Fanatismus in seiner möglichen Bandbreite stellt somit ein Beispiel dafür dar, wie sich ein seiner Art nach anscheinend isolierter, individueller Fanatismus durch Gruppeneffekte oder Gewaltherrschaft zu einer massiven Bedrohung der Kunstwerke, Kunstrichtungen und Künstler anderer Couleur auswirken kann.

Mit der Beschreibung »spezifischer Fanatismen« wurden innerhalb der großen Bandbreite des Phänomens Fanatismus überhaupt bestimmte Ausprägungen inhaltlich erläutert, die im Alltag zwar für den Einzelnen wichtige und richtungsgebende, vom Lebensgebiet her aber doch begrenzte Bedeutung haben. Ihr mögliches Gefährdungs- und Ausbreitungspotential für die Allgemeinheit bleibt insgesamt gering und ihre Anhängerschar meist klein. Dies gilt jedenfalls im Vergleich zu den bekannten globalen Auswirkungsmöglichkeiten von religiösem oder politischem Fanatismus bzw. der Verschmelzungsform von beidem. Auch für die Gruppe der »Individuellen Fanatiker« im Ganzen, einschließlich des persönlichen Gerechtigkeits-Fanatismus, trifft dies zu. Im kleinen Umkreis, wie familiäres, berufliches und sonstiges soziales Beziehungsfeld, kann sich eine solche fanatische Einstellung freilich bis zu einer extremen »Tyrannei der Werte« (vgl. Kap. VII.) und einem rücksichtslosen Verhaltensdiktat ausweiten. Im Wirkkreis eines aktiven, expansiven Fanatikers, egal welcher Art, büßt das Leben so gut wie immer seine Leichtigkeit und Unbeschwertheit ein und wird zum Kampffeld.

4) Märtyrertum und Fanatismus

Das Phänomen, dass Menschen für ihren Glauben und ihre Überzeugung, für eine unverlierbare Sache und einen hohen ideellen Wert auch das eigene Leben herzugeben bereit sind, zieht sich als Faktum durch die Weltgeschichte. Dass es so etwas überhaupt gibt, belegt, dass das eigene Leben in diesem Fall nicht mehr als das höchste Gut angesehen oder erlebt wird, dass etwas Höherwertiges dessen »Opferung« verlangt und dass sich ein inneres Einverständnis mit diesem elementaren Wechsel in der Wertehierarchie vollzogen hat. Es müsste eigentlich unsere ständige Verwunderung hervorrufen, dass der psychobiologisch programmierte, ureigenste Lebenswille auf solche Weise einer noch stärkeren Macht zu weichen hat. Das eigene Leben geringer achten zu können als das Leben Anderer oder das Bekenntnis zu einem Glauben, und diese Einstellung dann auch noch wirklich bis in den Tod durchzuhalten, setzt eine enorme, tiefgreifende innere Dynamik, oftmals eine turbulente Selbstauseinandersetzung mit höchster Ambivalenz, oder einen allmählichen Prozess auf Entschlossenheit, Entsagung und Ergebung hin voraus. Die Umwelt erlebt in der Regel nur die Außenseite dieses Geschehens: die Tatsache des akzeptierten Todes für etwas subjektiv Höherwertiges.

Will man, um was es ja hier geht, den speziell fanatisch motivierten und begründeten Märtyrertod ins Auge fassen, so bedarf der Begriff einer dringenden Vorklärung. Seine Verwendung in Literatur und Diskussion zeigt eine große Unschärfe, die sicherlich nicht zu beseitigen, höchstens einzugrenzen ist. Ein relativer Konsens besteht darin, dass mit dem »martys« (griech. »Zeuge«), wie schon seit der Antike, der »Blutzeuge« gemeint ist, also der für seine Überzeugung wirklich den Tod erleidet; freilich wird auch manchmal erlittene Folter, Qual, Verfolgung und Benachteiligung hierin einbezogen. Märtyrertum in dieser Form ist aus fast allen Religionen bekannt, und dies um so mehr, je stärker »Jenseitshoffnungen lebhaft wirksam« sind; im Judentum und dann im Christentum erfuhr die Idee des Martyriums eine besondere Steigerung, indem sie durch die eschatologischen Strömungen »in die Nähe der messianischen Hoffnung« gerückt wurde (s. Bernoulli, 1929, S. 1835). Im Urchristentum und in der Zeit der ersten Christenverfolgungen, und in dieser Tradition bis heute, hat der Märtyrertod eine besondere Wertung und Weihe dadurch gefunden, dass er als ein Zeichen der konsequenten Nachfolge Jesu bis in dessen eigenen Kreuzestod hinein angesehen wurde; »Nachfolger Christi ist der Märtyrer, indem er sein Leben hingibt«, wobei diese »freiwillige Ohnmacht« kein Machterwerb mehr ist, sondern »einfacher Gehorsam, bis in den Tod« (Van der Leeuw, 1956, S. 553 und 261). Die sich in großer Zahl findenden sogenannten Märtyrerakten, die in die Heiligenverehrung allgemein eingingen, legen Zeugnis für die bleibende Hochschätzung von Märtyrern als »Blutzeugen« ab. Auch in der jüdischen Tradition wird den Märtyrern »die größte Bewunderung zuteil« (s. Fromm, 1967); sie wurden »als Vorbilder menschlicher Lebensführung besonders wertgeschätzt«, und der Märtyrer gilt als »ein Zeuge dafür, daß der Mensch eine Höhe erreichen kann, in der die Wahrheit stärker als alle Gewalt ist« (ebd., S. 181f.).

Im Rahmen der brutalen Christenverfolgungen der ersten drei Jahrhunderte mit ihrer aus dieser Konfrontation sich ergebenden Verstärkung des

Zusammenhalts und der Glaubensintensität der christlichen Gemeinden kam es nicht selten zu einem deutlichen Drang zum Märtyrertod, teils auch bis zur aktiven Form in Gestalt von Gruppensuiziden. Während solches Verhalten auf der einen Seite befürwortet wurde, z. B. durch Tertullian, erfuhr es durch andere, z. B. Augustin, eine zunehmende Ablehnung (s. Singer, 1980, S. 61–70). Letztere Linie hat sich im Christentum durchgesetzt, am klarsten hinsichtlich des Suizids. »Geblieben ist eine zunehmende Verurteilung des Suizids, die in verschiedenen Konzilien ihren Niederschlag fand«, wobei dann freilich solche glaubensmotivierten Suizide häufig »in der Maske des Massenmartyriums einhergingen« (ebd., S. 63). Die Ächtung des Suizids, besonders die »theologische Ächtung des religiösen Selbstmordes«, schließt so bis heute »jegliche Todes- und Opfersehnsucht bei einem potentiellen Märtyrer« ein, sie »gilt als Infragestellung des Martyriums« (Niewiadomsky, 2002, S. 253).

Die heftigen, jahrhundertelangen Auseinandersetzungen um die Bestimmung der Grenzlinie zwischen dem abgelehnten Suizid und dem hoch geachteten Martyrium – auch in heutigen Verfolgungssituationen wie z. B. der Bekennenden Kirche oder der Juden unter dem Nationalsozialismus – haben in der Regel die Frage außer acht gelassen, wie weit fanatische Einstellungen und Impulse das jeweilige Martyrium mit bestimmt haben könnten. Hier käme ja ein ganz anderes psychologisches bzw. psychodynamisches Element in die Motivstruktur mit hinein, eben der schon beschriebene »Drang zum Extrem«, der ein – bewusstes oder unbewusstes – Aufsuchen der zum Märtyrertod führenden Situation begünstigt oder überhaupt erst innerlich in Gang setzt. In einer Frömmigkeitsstruktur, die besonders von einer expliziten Kreuzes- und Leidenstheologie mit Analogie zum Märtyrertod Jesu geprägt ist, erfährt ein solcher Drang dann noch eine besondere innere Berechtigung, er schließt den Weg der Nachfolge, des Vollkommenheitsstrebens, der Leidensbereitschaft mit der letzten Gehorsamserfüllung und Glaubensbewährung ab. Natürlich ist es weder bei früheren Martyriums-Epidemien noch bei heutigen Gläubigen mit solchem unbeirrbarem Bekenntnisdrang oder Bekenntnismut möglich, ein derartiges fanatisches Motiv ohne genaue Kenntnis der Person im einzelnen konkret zu bestimmen. Sein Mitwirken ist aber häufig zu vermuten. Und dass dem Gläubigen in der offiziellen kirchlichen und theologischen Beurteilung das »gewollte Martyrium« »verboten« ist (Thielicke, 1964, S. 25), stellt zwar eine klare Position dar, aber diese kann verständlicherweise das, was in der untergründigen psychischen Einzeldynamik geschieht, von ihrer voluntaristisch-imperativen Ebene aus nicht erreichen.

Eine solche klare und »offizielle« Trennung nun von passiv erlittenem Martyrium und aktiv intendiertem Martyrium bis hin zum eigentlichen Suizidmartyrium gibt es im *Islam* nicht. Gerade diese Auseinandersetzung sei

»im Islam nicht entschieden«, sagt Niewiadomsky (2002, S. 77), und das habe der Westen »bis heute nicht wahrhaben wollen: Er hat Selbstmordattentäter als skurrile Fanatiker betrachtet, aber übersehen, dass die Lehre vom Selbstmordmartyrium eine enorme spirituelle Kraft für Kleingruppen sein kann« (ebd., S. 253). Die interpretative offizielle Ermöglichung des Attentat-Suizids, trotz des im Islam sonst klar verbotenen Suizids – wie wir es schon im Abschnitt über den Suizid-Terrorismus besprochen haben (vgl. Kap. V.) –, wird vor diesem traditionellen Hintergrund besser verständlich und auch von den meisten Moslems als weniger widersprüchlich erlebt. Und wie immer führen dann Motivationszusammenhänge, die ein fanatisches Element mit seiner eingeengten und selektiven Zielvorgabe enthalten, erst recht zu einer diesem Ziel entsprechenden, nicht als Widerspruch erlebten Rechtfertigung. So weist O. Kahre (2002), der die Hadith- und Koran-Wurzeln des Suizidverbots im Islam nochmals verdeutlicht, speziell auf eine solche methodisch angelegte Fanatisierung hin und zitiert das Beispiel, dass 15 % der palästinensischen Kinder im Alter zwischen zehn und elf Jahren auf Grund eines solchen »Drill« davon schwärmen würden, später »Märtyrer« zu werden (ebd., S. 22f.). Ähnliches schilderte A. Taheri (1993) aus dem iranischen Schulungszentrum der Hisbollah und berichtet von den dort anzutreffenden »Unmengen von Kindern und Halbwüchsigen mit weißen Stirnbändern, auf denen der Spruch ›Sucher des Martyriums‹ prangt« (ebd., S. 125); Ausgewählte für das Martyrium, die die Schulung durchlaufen haben und dann »Kinder des Iman« geworden sind, erhalten das purpurrote Stirnband (ebd., S. 131; vgl. auch Kap. V.).

Eben dies, das Martyrium zu suchen oder zu ersehnen, und erst recht eine Gedanken- und Wortverbindung wie »Selbstmordmartyrium«, erfuhr in der christlichen Tradition eine klare Verneinung (s. o.), und gerade dies wiederum hat umgekehrt in der islamischen Tradition seit je eine breite Zustimmung erfahren. Eine solche Bewertung zu verstehen und zunächst einmal auch so zu akzeptieren, ist die Verständnisgrundlage für all die Konkretisierungen und Einstellungen, die aus ihr folgen: so auch die Bereitschaft, im Djihad sowohl aus religiösen Gründen die bedrohte Reinheit des Islams zu verteidigen, als auch Vergeltung für die durch den »Westen« erlittenen Kränkungen und Demütigungen zu üben (s. o.) – beide Motive vereint in der aktiven Rolle des »Suizid-Märtyrers«.

Dass es gleichzeitig eine breite gegenläufige Strömung im Islam gibt, die sowohl von der theologischen Begründung als auch von der menschlichen Einstellung her die aktive Martyriumssuche und erst recht den Martyriums-Suizid verwirft (s. z. B. Amirpur, 2001, S. 2; Khoury, 1991, S. 17f. und 89f.), ist für das objektive Bild des heutigen Islam wichtig. Aber in keiner Weise lässt sich abschätzen, wie lange es brauchen wird, um die alte Martyriums-Tradition mit ihrer gegenwärtig so beklemmenden Neubelebung zurückzudrängen, die sie in den islamistischen Strömungen erfahren hat. Der Koran jedenfalls kann in der Vielfalt seiner Interpretations- und Zitiermöglichkeiten – analog denen der Bibel – für jede der Einstellungen das entsprechende Berufungszitat liefern. Neben klassischen Djihad-Sätzen, wie z. B. »Bekämpft sie, bis ihr Versuch (die Versuchung) aufgehört hat und Allahs Religion gesiegt hat« (Sure 2, 194), stehen Friedens-Sätze, wie z. B. »Wenn sie von euch ablassen und nicht bekämpfen, sondern euch Frieden anbieten, so erlaubt euch Allah nicht, sie anzugreifen« (Sure 4, 91).

Für eine fanatische Ausrichtung und Zielsetzung insgesamt bleibt im Islamismus das Kämpfen und Durchsetzen um jeden Preis, wie es eingehend beschrieben wurde, wesensimmanent, und mit dieser psychischen Realität haben wir es zu tun. Das Martyrium – gewollt oder erlitten – stellt hierbei zweifellos den denkbar höchsten Punkt in der Skala des Einsatzes für die Sache, politisch oder religiös, dar. Hier kommt wiederum, getrieben von der fanatischen Energie, der »Drang zum Extrem« zur vollen Auswirkung. Und je religiöser die Motivlage, nicht zuletzt aus der Belohnungs-Erwartung heraus (s. o.), um so mehr festigt sich meist die extreme Ausrichtung. Nach der Charakteristik von W. Laqueur (2001) scheint es klar zu sein, »that the Islamic martyrs are deeply religious but rather primitive, possessing at best an average intelligence and imagination«; gleichzeitig aber betont er, dass es viele junge Menschen gäbe, auf die diese Charakterisierung zutreffe, und die Frage offen bleibe, worin das Besondere gerade dieser Fraktion liege, die als Suizidkandidaten zu betrachten seien (ebd., S. 142). Damit stehen wir wiederum vor der Frage des Spezifikums, das den fanatischen Drang zum Extrem ausmacht, auslöst und bis zuletzt unterhält.

Es wäre sicher ein Irrtum, anzunehmen, an der Gestalt des Märtyrers – aus welcher Religion oder politischer Gruppierung auch immer – sei Fanatisierung oder fanatische Entwicklung exemplarisch abzulesen oder gar psychologisch in besonderer Klarheit aufzuzeigen. Nur ein Teil der Glaubens- und Überzeugungs-Märtyrer aus Vergangenheit und Gegenwart waren und sind Fanatiker, und es bedarf einer subtilen Analyse vieler Lebenseinzelheiten, um die Rolle der Persönlichkeitsstruktur, ebenso sonstige Elemente und Gewichtungen in der meist komplexen Motivstruktur einigermaßen sehen und würdigen zu können. Viele jüdische, christliche und muslimische Heiligengestalten, und noch weit mehr namenlose Gläubige wurden zu Märtyrern aus »einfacher« Glaubenstreue oder auch rein fundamentalistischer Ausrichtung – welche Dynamik und Bindung auch immer hier im Hintergrund zur Wirkung kam. Fanatische Züge im eigentlichen Sinn müssten jeweils belegt werden.

So waren auch die Märtyrer aus der Gruppe der Widerstandskämpfer im Dritten Reich, deren Werdegang und konkretes Handlungsdilemma ja im einzelnen gut bekannt ist, keine Fanatiker; sie durchlitten im Gegenteil gerade jene Gewissenskonflikte und differenzierten Motivabwägungen, deren Fanatiker in ihrer allgemeinen Wert- und Ziel-Einengung eben nicht mehr fähig sind (vgl. Kap. III.). Selten auch geschieht der soldatische »Heldentod« aus Fanatismus, selbst wenn einzelne Mitglieder der Gruppe durchaus zielkonforme fanatische Einstellungen haben können. Dieser Tod wird nicht angeboten oder gar gesucht, er wird erlitten, und zwar als schlimmstmöglicher Preis, als »Opfertod« für militärische oder politische Ziele, mit denen die eigene Identifikation sogar sehr niedrig sein oder völlig fehlen kann. Im Sprachgebrauch begegnet dafür bezeichnenderweise auch nie der Begriff »Märtyrer«. Weniger deutlich ist demgegenüber der Unterschied zum typischen »Helden«, schon durch die Gemeinsamkeit, dass beide Mal das Risiko des Todes individuell in Kauf genommen und das verfolgte Ziel höher eingeschätzt wird als das eigene Leben. Doch die innere Struktur dieser Risikobereitschaft zeigt andere Züge. E. Fromm (1967/2002) hat dies am Beispiel des griechischen Helden so beschrieben, dass für diesen »der Ruhm, das Erobern, das Demonstrieren von Männlichkeit und Geschicklichkeit« entsprechende Ziele waren; der Held allgemein würde das »Ideal des Überlebens« und der »physischen Selbstbehauptung« verkörpern, der Märtyrer hingegen verkörpere »die größte spirituelle, oder, anders gesagt, menschliche Selbstbehauptung«; er simplifiziert dies am Beispiel der jüdischen Zeloten in der Antike, die er dem Fanatismus zuordnet und die trotz der heroischen Verteidigung Jerusalems bis zum eigenen Tod von der jüdischen Tradition »nie den Ehrenplatz eines Märtyrers« erhalten hätten (ebd., S. 182f.). – Aber gerade solche Beispiele zeigen auch die Schwierigkeiten, die sich für die Bewertung und Gewichtung der Gesichtspunkte bei diesem Thema ergeben.

Um es abschließend nochmals in lapidaren Formulierungen zu verdeutlichen: Nicht jeder Märtyrer im allgemeinen Sprachgebrauch ist ein Fanatiker oder hat fanatische Anteile. Es braucht in der Regel viel Wissen um eine Person oder eine Gruppe, um die Elemente des Fanatischen klar zu erkennen und die eingehend beschriebenen Kriterien hierfür – die fundamentalistische Fixierung, die hochenergetische Zielverfolgung und den Kampf mit allen Mitteln für dieses Ziel (vgl. Kap. III.) – erfüllt zu sehen. Damit ist über die psychische und strukturelle Todesnähe und Todesbereitschaft, die jemand schon mitbringt, nichts ausgesagt. So können sich depressive, masochistische, selbstdestruktive und narzisstische Persönlichkeitszüge ebenso wie desolate soziale Verhältnisse, Traumatisierungen und Kränkungen in Richtung Todesbereitschaft verstärkend auswirken, bis zum erhöhten Risikoverhalten und zum vermehrten Aufsuchen von Gefahrensituationen. Zu Recht wird dies auch häufig für islamistische oder politische Suizid-Attentäter diskutiert (s. o.). Ähnliches Verhalten ist ja auch z. T. von Soldaten bekannt, die sich z. B. in einer persönlich-familiären Ausweglosigkeit befinden und dann ein besonders risikogeneigtes Verhalten in Fronteinsätzen zeigen.

So muss man also auch bei dieser Frage – wie bei der Fanatiker-Frage selbst – zu der deutlichen Aussage kommen: Märtyrer ist nicht gleich Märtyrer. Und um bei einem Menschen dann auch noch von einem fanatischen oder fanatisch motivierten bzw. provozierten Märtyrertod sprechen zu können, bedarf es erst recht eines fundierten Einblicks in dessen Überzeugungsdynamik, Motivation, soziale Lage und Persönlichkeitsstruktur.

VI. Übergänge und Abgrenzungen zum Fanatismus

a) Entwicklung vom Fundamentalisten zum Fanatiker

1) Gemeinsam wirkende Bedürfnisse

Wie schon erwähnt (vgl. Kap. III.), fällt auf, dass in der öffentlichen Diskussion sowie auch in mancherlei Darstellungen oft kein oder wenig Unterschied zwischen Fundamentalismus und Fanatismus gemacht wird. Offenbar besteht eine gewisse allgemeine Grundannahme über ähnliche oder gemeinsame treibende psychische Kräfte, die hier im Spiel sind.

Nun gibt es ja auch, wie schon aus den einführenden Darstellungen und Definitionen von Fundamentalismus und Fanatismus klar wurde (vgl. Kap. III.), bestimmte Bedürfnisse, die einenteils die fundamentalistische Einstellung charakterisieren, gleichzeitig aber auch in der fanatischen Haltung eine grundlegende Rolle spielen. Dies betrifft insbesondere die beschriebenen psychischen Bedürfnisse nach Sicherheit (mit Aufhebung aller Ungewissheiten) und nach Identifikation (mit totaler Übereinstimmung mit der Idee), aber auch die nach Perfektion (also Vollkommenheit der Zielsetzung) und nach Einfachheit (also Reduktion auf wenige Prinzipien). Es geht letztlich, hier wie dort, um die Unanfechtbarkeit sowie um die klare Ausrichtung der Überzeugung und Zielsetzung. Hinter dieser Absicherung steht aber, dies ist ja bisher verschiedentlich zum Ausdruck gekommen, die Angst vor dem möglichen Verlust des eigenen Fundaments, die Bedrohung durch Pluralität und Inkonsequenz, aber auch durch konkrete »Feinde« in der Außenwelt.

Diese Angst ist verständlich und liegt sowohl beim Fundamentalisten als auch beim Fanatiker in den eingehend erläuterten Persönlichkeitszügen und in der entsprechenden Psychodynamik begründet. Dazu erfährt sie noch eine laufende Verstärkung durch eben den hohen Identifikationsgrad, die Verschmelzung des eigenen persönlichen – inneren und äußeren – Schicksals mit dem Verlauf der vertretenen Sache. Natürlich braucht diese Angst nicht in bewusster Weise wahrgenommen zu werden. Die perfektionistische Identifikation, mit der sie begleitenden Gewissheit, stellt ja eben die überkompensatorische Bewältigung der Angst dar, in ihr liegt der eigentliche psychodynamische Vorgang (vgl. Kap. III. und IV.). Da jedoch die Angst bestehen bleibt, muss deshalb auch der Kampf um die Sache ein permanenter bleiben.

Was, bei gleichartigen psychischen Bedürfnissen in der Ausgangsbefindlichkeit, aus dem »typischen« Fundamentalisten schließlich den »typischen« Fanatiker werden lässt, ist vor allem das hinzukommende energetische Element, die Intensität der aktiven Zielverfolgung, das Bedürfnis nach konsequenter Durchsetzung mit allen Mitteln sowie die beschriebene Gewissenskonformität der Handlungen. Auch die stillen, introvertierten Überzeugungsfanatiker können, wenn es für sie nötig wird, die entsprechende energetische Intensität und Zielverfolgung entwickeln. Ohne Beachtung dieses speziellen Elements der »fanatischen Energie« wird Fanatismus nicht verständlich (s. u. sowie Kap. III. und IV.).

2) Die Überkompensation von Zweifeln, persönlicher Unsicherheit und Triebanteilen

Die beschriebene Angst um den Verlust der Gültigkeit persönlich wichtiger Positionen, wie sie in der fundamentalistischen Einstellung zum Ausdruck kommt, hat eine »Außenseite« und eine »Innenseite«. An der Außenseite laufen die Abwehrkämpfe gegen die Bedrohung durch gesellschaftliche Entwicklungen und durch Vertreter von liberalen und pluralistischen Strömungen; an der Innenseite hingegen wird die Bedrohung aus der eigenen Psyche erlebt, der heimliche Zweifel an der vertretenen Sache, religiös gesprochen die »Anfechtung«, dazu die Unsicherheit über die eigene Rolle und den eigenen persönlichen Wert. Dass diese Kehrseite besteht, eben die jedem Menschen innewohnende Unvollkommenheit und Beschränktheit, kann auf der Ebene persönlich wichtiger Wahrheiten für manchen geradezu unerträglich werden. In diesem Punkt nun trifft sich die fundamentalistische und die fanatische Einstellung: Beide Male kommt es zu heftigen Abwehrreaktionen in Form von Überkompensation.

Diese Vorgänge wurden schon eingehend bei der Besprechung der psychodynamischen Ebene in der fanatischen Existenz hervorgehoben (vgl. Kap. IV.). Hier sind sie auch meist besonders markant, doch liegt auch den intrapsychischen Vorgängen bei der rein fundamentalistischen Ausrichtung ein analoger Kompensationsvorgang zugrunde, nur eben in Richtung der besonderen, fixierten argumentativen Absicherung. Der Fanatiker hingegen wird durch die spezifische energetische Intensität und den Konsequenzdrang zu einer aktiv kämpferischen und konsequenten Durchsetzung angetrieben, die ihn seine innere Mangelsituation nicht mehr bewusst erleben lässt. Vermutlich hängt die Entbindung der fanatischen Energie sehr stark mit eben dieser Abwehr der inneren Unsicherheit zusammen. Die Rolle, die gerade der heimliche *Zweifel* an der vertretenen Sache in diesem Zusammenhang spielt, wurde schon ausführlich besprochen, unter Darlegung der markanten Formulierungen von C. G. Jung und J. Rudin hierzu (vgl. Kap. IV.).

Nun folgt auch aus der unterschiedlichen psychischen Ausgangssituation, die schon den essentiellen Fanatiker vom induzierten Fanatiker unterscheidet (vgl. Kap. III.), eine unterschiedliche Dynamik mit ihren entsprechenden Auswirkungen. Der induzierte Fanatiker wird ja in einer bis dahin relativ angepassten sozialen und psychischen Situation durch eine faszinierende Idee oder Person angesteckt und sodann in die fanatische Einstellung hineingerissen. Dies geschieht erfahrungsgemäß um so eher, je mehr schon eine fundamentalismusgeneigte Ausgangsposition vorliegt. Trotz des inneren »Antwortgebens« – der von uns mit der Ausrichtung von Eisenfeilspänen im Magnetfeld verglichenen Konformität – bleiben bei ihm aber viele andere Lebensbezüge erhalten. Zu ihnen, z. B. den Einbettungen in Familie, Freundeskreis, Beruf, künstlerischen Interessen, baut sich eine Spannung auf, in der sich immer wieder innere Widersprüche und so auch Zweifel regen. Besonders deutlich zeigt sich dies bei einem bestimmten Typus von »Mitläufern« in politischen Systemen mit Gleichschaltungstendenz. Diese werden von P. Brückner (1969) so beschrieben, dass sie sich einer monopolistischen Ideologie erst »anpassen« und dann »angleichen«, im Sinn einer »Harmonisierung«; weil aber in dieser Situation eine gewisse Unruhe und auch Schuldgefühle erhalten bleiben, würden Mitläufer dem »Prozess einer Maximalisierung ihrer Überzeugungsstärke« unterliegen, die sie »dogmatischer, starrer machen kann als manchen Anhänger ›der ersten Stunde‹« (ebd., S. 153f. u. 159).

Diese Beobachtung und Interpretation fügt sich, ohne dass sie jetzt weiter vertiefbar ist, voll in unsere Darstellung der Überkompensationsvorgänge zunächst im fundamentalistischen, dann erst recht im fanatischen Bereich ein. Auch aus dem religiösen Bereich ist es sehr wohl bekannt, dass eine im Kern der Person harmonisch und fest verankerte Glaubenshaltung weit mehr Offenheit, Gelassenheit und Echtheit ausstrahlt als ein Verhalten, das sich in ständiger Selbstbestätigung und hektischen Beteuerungen des eigenen Glaubens ereifern muss (vgl. Kap. III. und VII.). Nimmt letztere Intention weiter zu, dann wird der eigene Zweifel ständig durch ein Übermaß von Aktivität, Kampfeseinstellung und nach außen gerichteten Schlagworten gewissermaßen »überschrien« und »überfahren«. Schließlich kann der eigene Zweifel auch noch direkt an der Außenfront, im Anderen, im »Feind« bekämpft werden: In ihm wird dann die Ungläubigkeit gegenüber der »wahren« Lehre erbittert attackiert, als Projektion auf den »Ungläubigen« und den »Sündenbock« also (vgl. Kap. IV.).

Auf einer analogen Ebene der Kompensation bzw. Überkompensation liegt der Bewältigungsversuch von *persönlichen Mängeln* oder von Misserfolgen im bisherigen Leben. Die Untersuchung vieler Lebensläufe von Fanatikern – »großen«, historisch bekannten und »kleinen«, unscheinbaren – zeigt, dass sehr häufig ein enormer Kontrast zwischen der großartigen fanatischen Existenz und den erlebten Misserfolgen und Unzulänglichkeiten im privaten und beruflichen Leben besteht. Typische Einzelbeispiele hierfür wurden zum Teil ausführlich beschrieben. Schon kurz nach dem Ersten Weltkrieg hatte z. B. der Psychiater G. Stertz (1919) verschiedene, durch fanatische Verhaltenselemente auffällig gewordene Menschen untersucht und festgestellt, dass es »durchweg«, mit nur einer Ausnahme, »persönliche Reibungen und Kränkungen« waren, die den Stein ins Rollen brachten und den »hohen Affekttonus« unterhielten (ebd., S. 588). Ähnliche Beobachtungen und Untersuchungen liegen auch von anderer Seite vor (s. u. a. K. Bonhoeffer, 1923, S. 600). Und wir hatten schon erwähnt, wie kränkend, aber wie gleichzeitig nachhaltig anstachelnd Hitler die Wiener Jahre der Arbeitslosigkeit und Männerheimaufenthalte und vor allem seine zweimalige Ablehnung an der dortigen Kunstakademie erlebt hat (s. o.). Ebenso ist bekannt, wie sich Saddam Hussein aus seiner trostlosen, ungeborgenen Kindheit heraus durch frühe sadistische und aggressive Gewalttätigkeit Furcht und Bewunderung verschaffte (s. Stockdorfer, 1991, *Münchener AZ* vom 26./27. 01.; Enzensberger, 1991, *Der Spiegel,* Nr. 6 vom 04. 02. 1991, S. 26f.); er setzte sich auch später mit seinem barbarischen Verhaltensstil weiter durch, wie es hinreichend belegt ist, – allerdings muss er weitgehend als Machtmensch, nicht als Fanatiker eingestuft werden, denn es findet sich in seinem Motivationsfeld keine idealistisch geprägte Überzeugung und keine Bezogenheit auf spezielle hohe Werte.

In den Kontext der Überkompensationsformen, die eine fanatische Entwicklung aus fundamentalistischen Basiseinstelllungen heraus anstoßen können, gehört auch die als *neurotische »Reaktionsbildung«* beschriebene Abwehr eigener starker Trieb- und Aggressivitätsbedürfnisse durch überstarke, einseitige Identifikation mit dem entsprechenden Gegenideal (vgl. Kap. III.). L. Bolterauer (1975) hat diese Möglichkeit am Beispiel von Michael Kohlhaas als typischem Gerechtigkeits-Fanatiker mit überempfindlichem Gerechtigkeitsgefühl aufgezeigt (vgl. Kap. V.); der expansive, hassgeladene Kampf für die Wiederherstellung der Gerechtigkeit auch mit den verwerflichsten Mitteln erlaube dabei, diese primäre Aggressivität unter einer »idealistischen Maskierung« und daher mit »gutem Gewissen« auszuleben (s. ebd.). In der rein fundamentalistischen Einbettung einer überstrengen Rechtlichkeit würden die Triebhintergründe nicht ausagiert werden können, die aktive fanatische Kampfsituation jedoch macht den Ausbruch in erlaubter Weise möglich. In dieser Überkompensation der abgelehnten eigenen strukturellen Aggressivität durch eine Totalidentifikation mit dem

Gerechtigkeitsideal wird dann auch dieser maskierte Triebanteil nicht mehr als eigener wahrgenommen.

Freilich gibt es unzählige Lebensläufe mit solchen psychischen Mechanismen und ungünstigen, misslichen sozialen Bedingungen, die keinesfalls zu Entwicklungen in die fanatische Richtung führen. Aber – wie schon mehrfach dargetan – wenn andere Elemente aus der Persönlichkeit selbst begünstigend hinzukommen, kann der Prozess in diese Richtung angestoßen sein. Ein solches generell begünstigendes Element ist nun gerade auch eine vorbestehende fundamentalistische Einstellung an sich, mit ihren geschilderten eigenen Hintergründen, und eben wegen der ja auch schon primär gegebenen breiten Überschneidungen der Bedürfnisse im fanatischen Vorfeld.

3) Die Destruktivität des Ideals unter dem Zwang zur Konsequenz

Wir stehen mit diesem Vorgang mitten im Kernbereich der fanatischen Entwicklung, dort, wo die für den Außenstehenden oft so unfassliche Einseitigkeit der persönlichen Ausrichtung ihren Anfang nimmt. Es wurde schon mehrfach darauf hingewiesen, dass die eigentliche Gefahr des Fanatismus nicht im Losbrechen niederer Instinkte und krimineller Regungen, im Ausleben von angestauter Aggressivität oder von Machtbedürfnissen besteht. Die Gefahr liegt im Bereich der höchsten Werte, im Drang nach der Reinheit einer Lehre, nach der unumstößlichen Verbindlichkeit ethischer Normen, nach der totalen Verwirklichung von menschheitsbeglückenden Ideen.

Was passiert auf dieser hohen Ebene der Ideale und Werte, bzw. was passiert in den betreffenden Menschen, wenn es zur fanatischen Ausuferung kommt? Der wesentliche Vorgang lässt sich beschreiben als Verlust des Maßes, des Blicks für den Stellenwert eines bestimmten Ideals, also dessen notwendige Begrenztheit. Es kommt zur *Verabsolutierung eines einzigen Wertes* – z. B. der Gerechtigkeit, des Gehorsams, der Reinheit oder der Hingabe an eine Sache –, der dann auf die jeweilige konkrete Situation hin radikal angewendet und durchgesetzt wird; dies nicht nur für die eigene Person, sondern auch bei Anderen: So entsteht religiöse und politische Unterdrückung, Entmündigung, Bildersturm, Sittenterror und Ausrottung. Ausgangspunkt ist die beschriebene Identifikation mit dem »Ideellen« (vgl. Kap. III.), unter der fatalen Überzeugung, dass nur die perfekte, vollkommene, also extreme Verwirklichung des Ideals vertretbar und akzeptierbar ist.

Dass die Identifikation mit Idealen und Wertschätzungen, konkret auch die Ausrichtung auf erstrebenswerte Leitbilder und Vorbilder, zur gesunden persönlichkeits- und gemeinschaftsbildenden Entwicklung gehört, darf wohl als anerkannt gelten. Die Problemperspektive hierbei besteht nun aber darin, dass Wertnormen den Charakter von Idealnormen annehmen. Dies bedeutet, dass wir, speziell in der Erziehung, stets vor letztlich unerfüllbaren Gesinnungs- und Verhaltensforderungen stehen, die jedoch dennoch aufrecht erhalten werden. Eine solche »fundamentalistische« Erziehung nun erträgt der Großteil der Menschen dennoch relativ schadlos. Die gesunde und ausgewogene, auf die Beharrung im Lustvollen angelegte psychische Natur der meisten Betroffenen puffert die extremistischen Anteile an diesen Werten von selbst ab, sonst wäre ja eine diesbezügliche Neurotisierung noch um ein Vielfaches häufiger.

Doch eine solche Bewältigungsfähigkeit trifft eben nicht auf alle zu. Für bestimmte Menschen bleibt der Zwiespalt zwischen Sein und Sollen qualvoll bestehen, und sie werden so zu immer weiteren, aber letztlich vergeblichen, ethischen Anstrengungen getrieben. Es sind dies einmal Menschen mit einer besonderen Sensibilität für Werte, für Überragendes, für Vollkommenes überhaupt, zum anderen aber Menschen, die unter einem starken Drang zur Kompensation von mangelhaftem Selbstwertgefühl, von persönlichen Defiziten, von erlebter Zurücksetzung stehen. Wir stoßen hier auf die schon beschriebenen narzisstischen Persönlichkeitsanteile und das elementare Bedürfnis zu deren Ausgleich, in die »narzisstische Omnipotenz« hinein (vgl. Kap. III.).

Das Gefährliche an diesem Vorgang, den W. Schmidbauer (1980) die *»Destruktivität von Idealen«* genannt hat, beruht nun eben auf der genannten Vorgabe einer totalen Erfüllung, vor allem auf dem »Alles oder Nichts« der erhobenen Forderung (ebd., S. 23ff.). Die Lösung des erlebten Zwiespalts kann für die einen dann in die resignative oder gar depressive Richtung gehen, für die anderen aber umgekehrt in die überkompensatorische, fanatische Richtung: in die radikale Verwirklichung um jeden Preis also. Es ist folgerichtig, dass sich eine solche totale Erfüllung, eine derartig absolute Identifikation nur auf ein ganz bestimmtes Ziel, auf ein einzelnes hochgesetztes Ideal beziehen kann. Damit haben aber neben ihm keine anderen Beanspruchungen, vor allem keine gleichrangigen Ansprüche mehr Platz. So bleibt nur die vollkommene »Gerechtigkeit«, nicht auch noch »Rücksicht« oder »Großzügigkeit«, nur die vollkommene »völkische Reinheit«, nicht auch noch die Beachtung der »Lebensrechte« Anderer möglich.

Der Zwang zu Konsequenz zeigt sich also im Ideal bereits vorgebahnt, und er setzt sich in dem psychischen Vorgang selbst direkt durch. Die Konsequenz wird so schon für sich zu einem eigenen hohen Wert, und die besondere Hochschätzung des »Konsequentseins« schon in der allgemeinen Wertehierarchie, wie wir sie im Alltag auf allen Lebensgebieten erfahren, entspricht dem. So braucht es auch keine allzu große Verwunderung darüber, dass radikale Forderungen, ja Radikalität allgemein, so oft in unserem religiösen und politischen Leben in Erscheinung treten, dazuhin auch recht oft ausdrücklich bejaht und in ein positives Licht gestellt werden. Vor allem *religiöse* Systeme nun sind stets und besonders in der Gefahr, »radikal« zu fordern und deshalb »Radikalität« zu fördern. Diese Radikalität macht sich dann an bestimmten Einzelwerten und Einzelforderungen fest. Es kommt insgesamt zu dem, was der Philosoph N. Hartmann (1926) als »Tyrannei der Werte« bezeichnet hat (vgl. dazu Kap. VII.).

Warum es gerade auf *religiösem* Gebiet zu den intensivsten und umfassendsten Formen der Radikalität und der Konsequenzforderung kommt, wurde schon eingehend besprochen (vgl. Kap. III.). Gottes Sache gilt immer als absolute Sache. Hinreichendes Anschauungsmaterial geben ja die große Zahl der asketischen, leib- und weltfeindlichen Bewegungen, bestimmte Formen des Mönchtums, des Pietismus, der Mystik und des Märtyrertums, die verschiedenen psychischen Epidemien und radikalen sozialreligiösen Gruppierungen in Vergangenheit und Gegenwart. Typischerweise sind die biblischen Berufungsstellen hierzu in religiös-radikalen oder schon religiös-fanatischen Bewegungen ebenfalls nach Radikalität selektioniert; dem entspricht so auch ein einseitig schroffes Jesusbild (»... jeder unter Euch, der nicht absagt allem, was er hat, kann nicht mein Jünger sein«; Luk. 14, 33). Dabei wird aber diese Einseitigkeit und Selektion keineswegs als solche wahrgenommen, sondern als *die* zentrale Wahrheit erlebt.

Bezeichnenderweise neigt auch, wie schon dargelegt (vgl. Kap. III.), die *politische* Radikalisierung um so mehr zu einer Fanatisierung, je mehr den vertretenen Idealen gleichzeitig auch – unterschwellig emotional oder schon verbal – religiöse Qualität zukommt. Religiöser Glaube und politischer Glaube sind sich auf der psychologischen Ebene sehr nahe; vollkommene Nachfolge und eifernde Frömmigkeit einerseits, bedingungsloser Gehorsam und radikaler Kampf um eine bessere Welt andererseits entsprechen sich. Auch historisch haben sich die zentralen politischen Ideologien unserer Zeit, wie oft beschrieben, aus religiösen Idealen, Geboten und ethischen Traditionen entwickelt – sie suchen alle das Paradies auf Erden. Und im psychischen Untergrund handelt es sich weithin um dieselben elementaren Vorgänge.

Es scheint aus eben diesen Gründen enorm wichtig, gerade politische Wertbestimmungen auf solche – heimliche oder offene – religiöse Qualitäten hin abzuhorchen, weil an ihnen der Grad der Fanatisierungsgefahr ablesbar ist. Die Verbindung des Wortes »heilig« in politischen Zusammenhängen – »Heilig Vaterland in Gefahren«, wie das als »Deutscher Schwur« bekannte Lied von Rudolf Alexander Schröder (schon von 1914 stammend!) angefangen hat – sollte uns daher in höchstem Maße alarmieren. Ähnliches gilt für die mit religiöser Inbrunst und Sehnsucht geladenen Symbolworte »Freiheit«, »Gerechtigkeit«, »Brüderlichkeit«, aber auch »Vaterland«, »Blut und Boden«, »Reinheit der Rasse«, und wiederum: der Kampf »bis zum letzten Blutstropfen«.

Je stärker der innere Zwang zur Konsequenz – der Drang zum Extrem – auf Grund der beschriebenen intrapsychischen dynamischen Prozesse an Macht gewinnt, und je mehr sich hierin ein Durchsetzungsbedürfnis meldet, desto mehr mündet eine noch fundamentalistische Fixierung in fanatischen Aktionismus ein. Dann übernehmen andere Persönlichkeitszüge, wie sie schon beschrieben wurden, die Führung. Dies um so mehr, je breiter der Raum ist, den diese in den betreffenden Menschen schon primär inne haben. Bei essentiellen Fanatikern geschieht dies naturgemäß eher als beim induzierten Fanatiker. Letzterer fühlt sich, wie schon oben dargelegt, noch anderen, regulierenden Werten und Normen verpflichtet, er bleibt noch mehr in die Vielfalt und Fülle des Lebens eingebunden. An dieser Stelle wird auch die früher schon getroffene Unterscheidung zwischen einem »harten« und einem »weichen« Fanatismus (vgl. Kap. III.) sinnvoll und wichtig.

Die schon in Kurzfassung formulierte allgemeine Unterscheidung zwischen Fundamentalismus und Fanatismus (vgl. Kap. III.) kann auch hier zur Markierung der dynamischen Übergangsstelle zwischen beiden dienen: Der Fundamentalismus *begründet* die Lehre und stellt ihre *Verbindlichkeit* her, der Fanatismus *kämpft* für diese Verbindlichkeit und versucht sie *durchzusetzen*. Diese zwei verschiedenen Ebenen und Bewegungen müssen, trotz so vielfältiger Durchmischungen der Vorgänge, im Prinzip auseinander gehalten werden. Andernfalls lassen sich die beiden Begriffe nicht mehr hinreichend konturiert gebrauchen.

b) Fanatismus als Ausdruck psychischer Krankheit

1) Unterscheidungskriterien von Normalität, Abnormität und psychischer Krankheit

Es kann hier nur darum gehen, zu diesem Problem einige Punkte klarzustellen, die für unsere eigenen Fragestellungen wichtig sind. Eine umfangreiche psychologische und psychiatrische Literatur beschäftigt sich mit dem Gesamtthema, und die Komplexität der Materie ist offensichtlich. Wenn aber die genannten Unterscheidungen, selbst auch ohne die gebotene Sachkenntnis, im alltäglichen Sprachgebrauch üblich sind, wird es unumgänglich, die nötigen Abgrenzungen zu schaffen. Als typisch darf z. B. die so häufige

Verwechslung von »abnorm« und »krank« gelten, die dann dazu führen kann, dass ein fanatischer Mensch unbesehen als »krank« und fanatisches Verhalten als »krankhaft« eingestuft wird, einfach auf Grund der vorliegenden Normabweichung.

Aus guten Gründen – eben um vorschnelle Wertungen und falsche diagnostische Einordnungen zu vermeiden – ist es zum verbindlichen Konsens in der Fachwelt geworden, von »normal« und »abnorm« zunächst nur im Sinn der reinen statistischen Häufigkeitsverteilung zu reden. Das »Normale« benennt das, was als allgemein, als regelhaft, als üblich gilt und der statistischen Durchschnittshäufigkeit entspricht; mit dem »Abnormen« ist gemeint, was den allgemein üblichen Rahmen sprengt, was aus der Regel fällt, was besonders auffällig ist, was selten vorkommt. Dies gilt für alle Lebensvorgänge und Lebensbereiche. Die Grenze zwischen den Durchschnittswerten und den jeweiligen Polen an Abweichungen ins »Abnorme« hinein bleibt fließend, und sie ist im vorliegenden Thema weithin von den konventionellen Gewichtungen von Intensitäten und Einseitigkeiten abhängig, besonders auch vom kulturellen und gesellschaftlichen Rahmen (Näheres hierzu s. u. a. Jaspers, 1959, S. 305ff.; Glatzel, 1977, S. 14ff.; Scharfetter, 1986, S. 472–474; Saß, 1995, S. 216). Ob solche Normabweichungen aber auch gleichzeitig ein Zeichen von Krankheit darstellen, liegt auf einer ganz anderen Beurteilungsebene (s. u.).

Speziell nun bei der Ideenwelt eines Menschen – also dem Bereich, in dem auch fanatische Ausrichtungen und Zielsetzungen ihren Kern haben – lassen sich Abnormitäten zunächst einmal auf die außergewöhnliche Bedeutung beziehen, die diese Gedankengänge für den Betreffenden habe. Hierfür hat sich in der Psychopathologie seit langem die Bezeichnung »*Überwertige Ideen*« herausgebildet. Damit wird eben die abnorme Intensität und das emotionale Übergewicht dieser Ideen hervorgehoben, ohne dass damit eine Beurteilung des Inhalts vollzogen ist (s. u.). In der genaueren Bestimmung des Begriffs gibt es freilich Unterschiede. Das Phänomen bleibt aber psychopathologisch nur dann einigermaßen umgrenzbar, wenn nur der sogenannte »katathyme Ursprung«, also die »Umbildung seelischer Inhalte unter der Wirkung eines Affekts« (Weitbrecht, 1973, S. 31) hierunter verstanden wird. So fassen es auch andere Autoren auf. Möller (1992, S. 75) spricht von »aus einem gefühlsmäßig stark besetzten Erlebniskomplex hervorgehende (katathym bedingte) Ideen, die das gesamte Denken in unsachlicher und einseitiger Weise beherrschen«. E. Bleuler (1972, S. 51) betont außer der völligen Verwachsenheit mit der Persönlichkeit auch die besondere Dauer der Idee. Einen allgemeineren Rahmen stecken Faust u. a. (1995, S. 958) ab, wenn sie die »Überwertigen Ideen« als »stark gefühlsbetonte Überzeugungen/Vorstellungen, die vom

Denken eines Menschen völlig und hartnäckig-dauerhaft Besitz ergreifen«, definieren.

Einigkeit besteht jedenfalls darin, dass solche »Überwertigen Ideen« aus bestimmten, für die Persönlichkeit subjektiv wichtigen Erlebnisweisen erwachsen und dabei einen einzigartigen, alle anderen Ideen dominierenden Stellenwert bekommen. Sie stehen zwischen den »normalen«, alltäglichen Überzeugungen und Glaubensformen einerseits und dem eigentlichen Wahn als Krankheitsphänomen (s. u.) andererseits. Sie gibt es selbstverständlich auch in nicht fanatisch vertretenen Bereichen, z. B. bei Künstlern, Erfindern, großen Denkern. So betonen auch V. Faust u. a. (1995) ausdrücklich, dass solche Ideen »auch positiver Natur« sein können, und nennen dazu als Beispiele »Erfindung, Entdeckung, Aufklärung, Missionieren usw.« (ebd.).

Andererseits sind jedoch eben fanatisch vertretene Ideen in ihrer Ausschließlichkeit, Affektbesetztheit und Unbeeinflussbarkeit sowie ihrer Verschmelzung mit der Person geradezu der Prototyp solcher Überwertiger Ideen. Nochmals sei betont: Der Inhaltskern besteht oft in einem anerkannten Wert, einem erstrebenswerten Ziel; die Entwicklung ins Abnorme geschieht über dessen zunehmende Ausschließlichkeit und emotionale Fixiertheit. Ob die Überwertige Idee dann in eine eigentliche fanatische Einstellung einmündet, bestimmt sich von den sonstigen, wichtigen, eingehend besprochenen Kriterien für das Fanatische her, natürlich auch vor dem Hintergrund der begünstigenden Persönlichkeitsstruktur (vgl. Kap. IV.). Gerade bei der Entwicklung Überwertiger Ideen kommt auch der Rolle der »übernachhaltigen Wesensart« im Sinn von K. Leonhard (1968, S. 61f.) als Typus einer »akzentuierten Persönlichkeit« besondere Bedeutung zu, wegen des hierfür bezeichnenden, nur langsamen Abklingens von wichtigen Affekten. So kann ein gerechtes Anliegen zum Gerechtigkeitsfanatismus, eine sinnvolle Ernährungsidee zum Ernährungsfanatismus werden (vgl. Kap. V.), oder ein intensives religiöses Anliegen zum religiösen Fanatismus auf diesem Gebiet.

Gegenüber dieser Art der Entwicklung von einer »normalen« Ideenwelt zu einer »abnormen« Ideenwelt hebt sich eine andere Form der Normabweichung deutlich ab: die des *Wahns*. Wenn psychopathologisch von der Kategorie »Wahn« die Rede ist, so ist damit, nach allem Konsens, ein Symptom psychischer Krankheit gemeint. Dabei wird nicht etwa das »richtig« oder »falsch« des Inhalts zum Kriterium, sondern die Art der Entstehung und der Einbettung in andere Krankheitssymptome. Auch die teilweise Verstehbarkeit der Wahninhalte aus dem Erlebnis- und Verarbeitungshintergrund der Persönlichkeit heraus – gerade z. B. bei religiösen oder sexuellen Inhalten, bei Verfolgungs- oder Größenideen (s. u.) –, spricht nicht gegen ihren Zusammenhang mit einem viel umfassenderen psychischen

Krankheitsprozess. Oft, aber keinesfalls immer, handelt es sich hierbei um schizophrene Erkrankungen.

Ch. Mundt (1995) weist freilich in diesem Zusammenhang ausdrücklich darauf hin, dass es »äußerst schwierig« sei, eine Definition des Wahns »mit sicherer Abgrenzung gegen Glauben, Fanatismus, mystisches Denken und Erleben sowie bestimmte Zwangsphänomene« zu erstellen; zur Genese des Wahns nennt er die zwei heute meist akzeptierten Möglichkeiten: einmal die »psychotische Entordnung der Sinnbezüge« mit daraus resultierender »eigenweltlicher Neuordnung«, und zum anderen »das allmähliche Übermächtigwerden eines Themas in Biographie und Persönlichkeit« (ebd., S. 97f.). Bei der Entwicklung aus »Überwertigen Ideen« handelt es sich meist um ein solches Übermächtigwerden eines persönlich wichtigen Themas, wobei die Frage im einzelnen noch schwieriger oder gar nicht zu klären ist, warum und warum gerade jetzt diese intrapsychische emotionale Eskalation geschieht. Hier wuchern nur zu oft Vermutungen und Spekulationen der Außenbetrachter unter einer bestimmten psychodynamischen Modellvorstellung. Das Wahnproblem ist jedenfalls insgesamt ein hoch kompliziertes (zum allgemeinen Stand der diesbezüglichen Konzepte in der Psychiatrie s. auch Berner, 1986, S. 719–735).

Der faszinierende Zwischenbereich zwischen den Überwertigen Ideen und dem klaren Wahn als Krankheitssymptom hat seit langem zu Überlegungen und Untersuchungen angeregt, das entsprechende psychodynamische Geschehen in eben diesem Bereich zu fassen und auch zu benennen. Immer ging es um die Frage der »Wahnentwicklung«, das heißt der psychisch mehr oder weniger verstehbaren Umwandlung einer noch kritik- und zweifelsfähigen Überwertigen Idee in eine unkorrigierbare, expandierende Wahnwelt von absoluter Gewissheit hinein. Als auch psychiatriegeschichtlich besonders markantes Beispiel ist der sogenannte »sensitive Beziehungswahn« nach E. Kretschmer anzuführen, aber ebenso der Querulantenwahn oder bestimmte Formen von Liebeswahn, Eifersuchtswahn oder Größenwahn (Näheres s. Tölle, 1988, S. 174ff.). Diese verschiedenartigen Formen, einschließlich der alten Bezeichnung »Paranoia«, werden heute meistens unter dem Begriff der »wahnhaften Störungen« (ICD-10: F 22,0) zusammengefasst, wobei als gemeinsames Merkmal die chronische Verlaufstendenz gilt (s. Gaebel, 2002, S. 359), was aber wohl eher als fragliches Kriterium gelten darf. Man beobachtet auch hier zum Teil sehr unterschiedliche Verläufe, von einigen Monaten bis zu vielen Jahren, »in tragischen Einzelfällen das ganze Leben«, wie es V. Faust (2002, W/S. 6) differenziert darstellt, einschließlich auch der Möglichkeit einer Rückbildung.

Im Rahmen solcher Wahnentwicklungen zeigen sich nun auch öfters wiederum fanatische Anteile, das heißt Ideen-Fixierungen mit entsprechender Dynamik und entsprechendem Verhalten, auf die die Fanatismus-Kriterien, wie eingehend dargelegt (vgl. Kap. III.), auch tatsächlich zutreffen. Hier finden sich dann auch viele der gängigen fanatischen Themen und Ausrichtungen wieder, sowohl aus dem individuellen Bereich als auch aus dem großen Themenbereich des Religiösen oder Politischen. In solchen Fällen ist dann auch die Bezeichnung »fanatischer Wahn« oder »pathologischer Fanatismus« (s. u.) zutreffend und differenzierend, sowohl phänomenologisch als auch inhaltlich. Es bleibt aber auch hier wieder festzuhalten, dass es sich bei diesem Zwischenbereich um eine schmale psychopathologisch-psychologische Grauzone handelt, und dass die überwiegende Zahl fanatischer Menschen eben nicht dem pathologischen Bereich zugeschlagen werden kann!

Bei den typischen fanatischen Fixierungen mit abnormer, ausschließlicher Dominanz einer »überwertigen Idee« können auch manchmal bestimmte formale Kriterien, die für die Abgrenzung vom Wahn sonst noch gelten, ihre Griffigkeit verlieren: das Merkmal der sogenannten »absoluten Gewissheit« z. B., oder auch das der »Unkorrigierbarkeit«; beide scheinen ja auch für die fanatisch vertretene Idee zuzutreffen, zumindest vom groben Außenerleben her. Doch bei der differenzierteren Untersuchung zeigen sich auch hier deutliche Unterschiede. Abgesehen davon, dass es sich bei der »Unkorrigierbarkeit« und bei der »Gewissheit« um zwei psychologisch ganz verschiedene Merkmale handelt – erstere bezieht sich auf die Verlaufsachse, also eine Längsschnittbetrachtung, letztere auf einen zeitlichen Querschnittsbefund, also die jetzige psychische Konstellation (Näheres s. Hole, 1971, S. 146) –, variieren beide meist mit der übrigen individuellen Symptomatik und deren Determinanten, speziell beim psychotischen Wahn. Die typische fanatische Ideenwelt hingegen behält ihre Nachhaltigkeit und Fixierung meist unabhängig vom sonstigen psychischen Zustand und Befinden des Betreffenden, bleibt dafür aber viel mehr gruppen- und ideologiebezogen, das heißt prinzipiell offener gegenüber Außeneinflüssen. Dies trifft verständlicherweise vor allem für den Prägnanztypus des »induzierten« Fanatikers (vgl. Kap. III.) zu.

2) Religiöser Fanatismus und religiöser Wahn

Im Folgenden soll versucht werden, speziell auf dem religiösen Gebiet noch konkreter und beispielbezogener die Unterschiede zwischen fanatischem Verhalten und entsprechenden Wahnformen zu verdeutlichen. Religiösen Fanatismus gibt es ja, wie gezeigt, in den verschiedensten Ausprägungen, vom extravertierten, lautstarken, aktiv-missionarischen bis zum introvertierten, stillen, hartnäckig-versponnenen Menschen. Auf dieser Linie liegen nicht wenige Heilige, Märtyrer, Mönche, Prediger, dazu Angehörige von sektiererischen und enthusiastischen (»schwärmerischen«) Gruppen, Menschen mit Sendungsbewusstsein und prophetischem Geist, total durchdrungen von ihrem Auftrag. Rein inhaltlich können die vertretenen Glaubensüberzeugungen, wie es ja im großen Umfang der Fall ist, auch Teil eines nichtfanatischen »normalen« Glaubenslebens sein. In ihrer fanatischen, also »überwertigen« affektiven Besetzung werden sie dann eben zum Zentrum und Ziel fanatischer Fixierung. Dies betrifft, wie schon ausgeführt, aber immer nur eine kleine Gruppe von Menschen mit entsprechender Persönlichkeitsstruktur. Und die Zahl von Wahnkranken mit fanatischem religiösem Einschlag ist noch einmal um vieles geringer.

An drei Beispielen religiös motivierter Verhaltensweisen, die einen sehr ähnlichen Konkretisierungspunkt zeigen, soll die Unterscheidung noch transparenter gemacht werden. Die Beispiele sind stilisiert, also vieler individueller Details entkleidet, doch dürfen sie als realitätstypisch im Feld religiöser Verhaltens- und Erlebnisweisen gelten:

Eine einfache, konventionell gläubige katholische Frau verrichtet in der traditionellen Andachtsecke ihres Zimmers regelmäßig ihre Gebete mit Rosenkranz. Trotz einer gewissen Steigerung der Intensität, aus verstehbaren Schicksalsanlässen heraus, bleibt sie in ihr soziales Feld wie bisher eingebettet und in ihren Pflichtenbereich integriert. Weitere Auffälligkeiten gibt es nicht. – Hier liegt ein regional typisches religiöses Verhalten vor, eine häusliche Frömmigkeitsübung, die sie über Jahre hinweg, zusammen mit dem Kirchgang, so pflegt. Es besteht kein Zweifel, dass diese Frau völlig im Bereich des Normalen liegt, dass sie keineswegs als fanatisch, geschweige denn als psychisch krank eingestuft werden kann.

Eine andere, jüngere Frau, ebenfalls mit einer traditionellen religiösen Erziehungsbasis, wird durch den Besuch eines Kreises aus der Pfingstbewegung religiös neu angeregt, fängt in ihrer nächsten Umgebung recht aufdringlich zu missionieren an, nimmt an vielen religiösen Veranstaltungen teil, stellt ihr Leben auf mehr Bedürfnislosigkeit und auf völlige »Reinheit« um und liest nur noch religiöse Schriften. Im Gespräch zeigt sie sich deutlich dialogunfähig, nur auf dogmatische Formeln festgelegt, in der Gewissheit, jetzt den wahren Glauben erlangt zu haben. Auch sie errichtet nun eine Andachtsecke im Wohnzimmer, hält dort laut und demonstrativ-missionarisch betend mehrmals täglich eine längere Andacht ab und versucht auch intensiv und nachhaltig, die Angehörigen dazu zu bewegen. Außer dem Religiösem hat sie keine weiteren Interessen mehr, pflegt auch nur noch wenige Kontakte, ausgenommen mit Angehörigen ihrer religiösen Gruppe. Sonst ist jedoch nichts weiter Auffälliges an ihrem Verhalten auszumachen.

– Hier haben wir es, was sich auch in den Gesprächskontakten mit ihr zeigt, mit einem bekehrungsartig angestoßenen Frömmigkeitsimpuls zu tun, der in eine eifernd-aktive, leicht expansive, fanatisch-religiöse Einstellung vom Typ eines »weichen« Fanatismus einmündete. Es handelt sich hier diagnostisch zwar um eine sogenannte »abnorme religiöse Entwicklung«, aber nicht um einen religiösen Wahn oder eine sonstwie definierbare psychische Krankheit.

Im dritten Beispiel errichtet ein junger Mann, durchschnittlich religiös erzogen, jedoch seither ohne besondere kirchliche Kontakte, ebenfalls in seinem Zimmer eine Andachtsecke, in Form eines Altars. Vorausgegangen war seit zwei Wochen ein Nachlassen der Arbeitsleistung, misstrauisches und manchmal leicht erregbares Verhalten am Arbeitsplatz, dort auch unvermittelt das Reden über Gott und Christus. Er beginnt, seine Wohnungstür zu verrammeln, fällt den Nachbarn durch seltsames Beobachtungsverhalten auf, hat ständig die Jalousien geschlossen und hält bei Kerzenschein Andachten vor seinem Altar ab; diesen hat er mit religiösen Symbolen sowie Darstellungen von kultisch-religiösen und sexuellen Handlungen geschmückt. Er bricht schließlich alle persönlichen Kontakte ab, fällt aber durch sporadisches »Predigen« auf, verwahrlost jedoch in seinem Zimmer zunehmend und stört die Wohnungsnachbarn durch nächtliche laute Musik. In den späteren Gesprächen sind auch Sinnestäuschungen, Verfolgungsideen und Vergiftungsängste zu erkennen, dazu jedoch die wahnhafte Gewissheit, von Gott »zu Höherem« berufen zu sein, um die Menschheit zu retten; dies werde ihm auch durch entsprechende »Stimmen« eingegeben. – Aus dieser knappen Schilderung, die durch manche anderen auffälligen Merkmale der Lebensführung zu ergänzen wäre, ist schon deutlich der allgemeine Stilbruch, der pathologische Riss durch die bisherige Lebenskontinuität und Verhaltensvertrautheit zu spüren. Es handelt sich um den erstmaligen akuten Beginn einer Psychose aus dem schizophrenen Formenkreis mit Anteilen von religiösem Berufungs- und Erlöserwahn. Die Art der religiösen Äußerungen zeigte nach Intensität, Hartnäckigkeit und Zielfixiertheit, aber auch in der Gebärdensprache deutlich fanatische Züge, jedoch blieben diese im längeren zeitlichen Verlauf auffällig inkonstant.

Die genannten drei Beispiele unterscheiden sich, trotz der beschriebenen Ähnlichkeit bei den Andachtsverrichtungen im Zimmer, in deutlicher Weise voneinander. Das dritte Beispiel sollte in seiner markanten Form vor allem den greifbaren Unterschied zu den beiden anderen verdeutlichen, als eine Symptomatik, die klar einer typischen religionspsychopathologischen Phänomenologie zugeordnet werden kann. Vor allem wird dabei auch die schon genannte Einbettung in andere Krankheitssymptome deutlich. Es gibt freilich auch »reine« Wahnentwicklungen ohne sonstige psychotische Symptomatik (s. o.). Hier bereitet es schon wesentlich mehr Schwierigkeiten, und manchmal gelingt es gar nicht, nur von den Wahnkriterien selbst her eine Unterscheidung zwischen einer extremen fanatischen Frömmigkeit, z. B. mit Berufungsgewissheit, und einer eigentlichen Wahnentwicklung zu treffen. Dasselbe gilt für verschiedene »Bekehrungserlebnisse«, an die sich dann zunehmend abnorme Verhaltenselemente anlagern, sei es in Richtung des religiös Fanatischen oder aber des religiös Wahnhaften (s. hierzu auch Weitbrecht, 1948, S. 128ff.).

Wichtig scheint uns die abschließende Feststellung, dass ein »pathologischer Fanatismus«, der wegen seiner Einbettung in erkennbare psychische Krankheitszustände diese Bezeichnung verdient, gerade nicht die typische Zielstrebigkeit, vor allem auch Nachhaltigkeit, Dauer und Konsequenz des klassischen Fanatikers entwickelt. Die pathologischen Eigengesetzlichkeiten verhindern gerade dies, sie zeigen Unstetigkeit und Energiebrüche, wechselnde Affektlagen und unerwartete anderen Symptombildungen. Die großen religiösen Fanatiker der Weltgeschichte, und viele der kleinen Fanatiker, die es unter den religiösen Eiferern der verschiedensten Arten gibt – sie sind gerade keine kranken Menschen. Sie bewegen sich »nur« auf der Ebene außergewöhnlicher abnormer Einstellungen und Verhaltensweisen, und eben dies macht sie so wirksam oder auch so gefährlich.

3) Politischer Fanatismus und politischer Wahn

Mehrfach wurde bisher schon das Bedingungsgefüge beim Zustandekommen von politischem Fanatismus beleuchtet. Auch hier lässt sich nun eine Grenze und ein Grenzbereich zum Pathologischen hin aufzeigen, jenseits dessen nicht mehr von fanatischer Fixierung politischer Ideen und Zielsetzungen gesprochen werden kann, sondern Wahnkrankheit beginnt. Die Kriterien liegen letztlich analog wie beim religiösen Fanatismus. Die primär hohe idealistische Zielsetzung bei den meisten politischen Fanatikern, die Überzeugung vom Kampf für eine bessere Welt und eine glücklichere Menschheit, lässt diese oft so verstiegen und »wahnwitzig« argumentieren, dass der ganze Komplex für den Außenstehenden wie ein Wahn erscheinen mag. Dennoch bleibt auch hier diese Grenze in der Regel durchaus erkennbar.

Im Folgenden soll eine kurzgefasste Krankengeschichte verdeutlichen, wie typischer politischer Wahn mit fanatischen Anteilen aussehen und in die übrige Symptomatik eingebettet sein kann: Der Patient war schon ab seinem 29. Lebensjahr mehrfach durch verschiedene Straftaten aufgefallen, meist unter Alkohol. Mit 51 Jahren wurde er in der Haftanstalt psychisch auffällig und daraufhin klinisch-psychiatrisch behandelt. Er äußerte eine Vielfalt von Beziehungs-, Verfolgungs- und Weltverbesserungsideen und zeigte unstetes, querulatorisches Verhalten. Die Diagnose lautete auf eine paranoide Psychose vom schizophrenen Typus. Es folgten weitere Straftaten und weitere Klinikaufenthalte. Zunehmend entwickelte der Patient Größenideen, beschimpfte Ärzte und Pfleger, auch mich selbst, als »Nazimörder«, schrieb ständig an Behörden und an höchste Personen im Staat, verfasste politische Pamphlete, die er an Kirchentüren und sonstigen geeigneten Stellen anschlug. Er bezeichnete sich darin, ebenso auch mündlich, als »general weltfriedens-marschall« oder als »admiral«, als »erretter aller nationen aus aller not«, er habe auch den Dritten Weltkrieg verhindert und »hunderte heldentaten« begangen. Er legte sich eine Fantasie-Uniform mit Orden zu, war überzeugt, eine Nato-Armee zu befehligen und das »fundament der gerechtigkeit« einzuführen. Im Gespräch redete er sich, meist zunehmend bedrohlich werdend, fanatisch-hitzig in seine Themen hinein, zeigte sich unbeeinflussbar auf diese fixiert, war auch völlig krankheitsuneinsichtig. Perioden starker Umtriebigkeit und Erregung wechselten mit solchen relativer Ruhe ab.

In dieser knappen Schilderung wird, und zwar schon unabhängig von der Irrealität der geäußerten Ideen, der atmosphärische Unterschied und die andersartige Einbettung in den Gesamtzusammenhang gegenüber dem klassischen politischen Fanatiker deutlich. Wir spüren hier auch mit Betroffenheit, wie ein schreckliches, in Entstehung und Verlauf nicht mehr verstehbares Krankheitsgeschehen einen Menschen völlig aus seinem bisherigen Leben herausreißen und ihn zum abgelehnten Außenseiter und zum unentwegten sozialen Störer machen kann. Da das Verhalten des geschilderten Patienten immer wieder ganz deutliche typische fanatische Züge trägt, scheint die Bezeichnung »pathologischer Fanatismus« hier wirklich berechtigt.

Es versteht sich aber auch, dass von diesem fanatisch besetzten Wahnsystem so gut wie keine ansteckende Wirkung auf andere Menschen ausgeht, also kein »induzierter« Fanatismus, gar ein politischer »Massenfanatismus«, von ihm seinen Ursprung nehmen kann. Wahn isoliert, so auch dieser Wahn, der ohnehin völlig auf die eigene Person bezogen ist. Die Fälle, bei denen eine solche Übernahme durch Andere doch erfolgt, sind sehr selten und beschränken sich dann auf eng verbundene einzelne Personen (sogenannter »symbiontischer Wahn«, »folie à deux«; s. Mundt, 1995, S. 98). Hinzuweisen ist auch noch auf die unterschiedliche zeitliche Perspektive: Der Wahn zeigt sich subjektiv schon gegenwärtig in seiner Irrealität inhaltlich erfüllt, der Fanatismus hingegen hat seine Irrealität, die politische Utopie, in die Zukunft verlagert.

Gerade vor diesem psychopathologischen Hintergrund wird erneut und besonders deutlich, dass der wirklich gefährliche, auch ansteckende und mitreißende Fanatismus nicht der von kranken oder gestörten Menschen ist, sondern der von gesunden Menschen: solchen freilich, deren Drang zum Extrem in Richtung des Abnormen geht, und deren individuelle Eigenart dabei noch durch ihre Persönlichkeitsstruktur und Psychodynamik eine entsprechende Verschärfung erfährt. Und gerade auch weil sie von der Umwelt als gesund erlebt werden, vermögen sie ihre so starke Faszination und Überzeugungskraft zu entwickeln. Sie alle sind nicht als psychisch krank, schon gar nicht als wahnkrank einzustufen: Robespierre, Lenin, Hitler, Karadzic, Khomeini, Bin Laden, ebensowenig das weit überwiegende Gros ihrer Anhänger – und gerade deswegen konnten und können sie die Züge eines besonders gefährlichen, expansiven Fanatismus entwickeln.

VII. Gegenbewegung zum Fanatismus

a) Kampf gegen die Tyrannei der Werte

1) Die Wertevielfalt als eigener Wert

Die Frage ist unausweichlich, was gegen das weltweite Erstarken fanatischer Bewegungen, überhaupt gegen das Element des Fanatischen, getan werden kann. Man mag sie resignativ und fatalistisch beantworten, mit Hinweis darauf, dass es Fanatismus immer gegeben hat und ebenso auch geben wird, eben auf Grund der hier ja beschriebenen psychischen Strukturen und Reaktionsweisen von Menschen. Man kann sie aber auch aktiv und kreativ beantworten, mit dem umgekehrten Hinweis, dass Fanatismus immer Bedingungen zu seiner Entstehung braucht, innere und äußere, und dass diese Bedingungen veränderbar sind. Ich kann um das erstere wissen und mich dennoch zum zweiten bekennen. Angelpunkt hierfür ist vor allem, dass die überwiegende Mehrzahl der Menschen, die fanatisch werden, »induzierte« Fanatiker, »Teilfanatiker«, fanatische »Mitläufer« oder »weiche« Fanatiker sind – Menschen also, die außer den fanatischen Eigenschaften auch noch ganz andere, menschliche Eigenschaften der verschiedensten Art aufweisen (vgl. Kap. III.). Eben um das Einflussnehmen auf diese großen Gruppen geht es. Gäbe es die induzierten Fanatiker nicht, dann hätten – es wurde schon gesagt – die wenigen essentiellen Fanatiker keine Macht.

Der Drang zum Extrem nun, als Ausdruck der fanatischen Intensität, Ausschließlichkeit und Konsequenz, findet besonders darin seine Realisierung, dass er einzelne, isolierte Werte, oder überhaupt nur einen einzigen besonderen Wert, zum Zielpunkt macht; dann aber eben total, konsequent, vollkommen. Wir haben dies an verschiedenen Beispielen aufgezeigt.

Der »Gerechtigkeitsfanatiker« z. B. (vgl. Kap. V.) kann deshalb nur dann diese Art von Fanatiker sein, wenn er neben dem absolut gesetzten Wert der »Gerechtigkeit« keinen anderen, sonst anerkannten menschlichen Wert mehr gelten lassen kann, keine Großzügigkeit, keine Güte, keine Vergebung, keine Rücksichtsnahme, kein Verständnis, keine Kompromissbereitschaft. Ebenso kann der religiöse Fanatiker nur dann die rigorose Ausbreitung seines speziellen Glaubens oder die Herstellung einer gottgewollten asketischen Lebensordnung als einzigen Zielwert anstreben, wenn er andere Werte wie Glaubensfreiheit, innere Wahrhaftigkeit, Echtheit, Akzeptanz menschlicher Unterschiede, Kreativität oder spielerische Lebenslust ausblendet bzw. bekämpft. Und wegen des hochgesteckten Einzelwerts der »Rassenreinheit«, angewendet auf die Schaffung eines »gesunden Volkskörpers« oder einer »ethnisch gesäuberten« Zone mit der gleichzeitigen Missachtung des Lebens- und Heimatrechts jedes Menschen mussten während des Dritten Reiches Millionen von Juden sterben, wurden später auf dem Balkan Tausende von Menschen vertrieben, gequält oder umgebracht, und finden an vielen Orten der Welt blutige Verfolgungen statt.

Wir stehen bei einer derartigen Einengung und Zerstörung der Wertevielfalt, diesem fanatischen und fatalen Werte-Monismus, vor einem Phänomen, das seine anschauliche Benennung als »Tyrannei der Werte« gefunden hat. Der Begriff stammt, wie schon früher erwähnt (vgl. Kap. VI.), ursprünglich von dem Philosophen N. Hartmann (1926): Jeder Wert, wenn er einmal Macht gewonnen habe über eine Person, habe »die Tendenz, sich zum alleinigen Tyrannen des ganzen menschlichen Ethos aufzuwerfen, und zwar auf Kosten anderer Werte«; solche »Tyrannei der Werte« zeige sich schon deutlich in den einzelnen Typen der geltenden Moral. Er erwähnt als Beispiel ebenfalls den »Fanatismus der Gerechtigkeit«, der keineswegs bloß der Liebe, geschweige denn der Nächstenliebe ins Gesicht schlage, sondern »schlechterdings allen höheren Werten« (ebd., S. 524).

Erhaltung oder Herstellung von Wertevielfalt – Vielfalt von Idealen, ethischen Zielgrößen, Glaubensformen und Lebensweisen – darf somit als direkte Gegenstrategie gegen Fanatismus gelten. Dies halte ich für eine enorm wichtige Feststellung, mag sie auch zunächst zu vereinfachend oder zu abstrakt anmuten. Sie trägt eine weitreichende Brisanz in sich, gerade für die hochgesteckten Gültigkeitsansprüche vieler religiöser und politischer Systeme. Denn sie bedeutet auf weite Strecken den gewollten und deklarierten Verzicht auf strikte Allgemeingültigkeit, auf Absolutheitsanspruch und rigoristische Konsequenz in Wahrheitsfragen und Lebensnormen. Es geht, wie es Amos Oz (2004) formuliert, »um den alten Kampf zwischen Fanatismus und Pragmatismus, zwischen Fanatismus und Pluralismus« (ebd., S. 38).

Gerade nun die Vielfalt der je für sich wichtigen Werte als eigenen Wert zu deklarieren – also den heute so viel kritisierten Wertepluralismus (vgl. Kap. II.) als besonders erstrebenswertes und schützenswertes Phänomen anzusehen –, muss freilich Widerspruch erregen. Dies besonders, wenn es ins Konkretere geht. Hierin liegen ja auch erhebliche und zum Teil weitreichende Auswirkungen auf die Pädagogik beschlossen, speziell auf den Umgang mit der Polarität Vollkommenheit-Unvollkommenheit (s. u.). Anerkennung von Wertepluralismus als wichtige antifanatische Strategie bedeutet heute außerdem noch mehr, nämlich positive Akzeptanz einer pluralistischen Gesellschaft überhaupt – genau derjenigen Erscheinung also, die ja ihrerseits heute mit als Teilursache gegenwärtiger fundamentalistischer und fanatischer Gegenströmungen gilt (s. o.).

Die konkreten Folgerungen hieraus sind beträchtlich, und sie betreffen in vorderster Linie gerade die religiöse Welt. So waren und sind die Kirchen, noch mehr viele kleine Gruppierungen und Sekten, bis heute – offen oder heimlich – vom Einzelideal zumindest der »richtigen« Lehre, wenn nicht gar der »reinen« Lehre beherrscht; dies gerade und typischerweise bis in kleine Details hinein, an denen sich jeweils eben die »Wahrheit« festmacht. Wenn man bedenkt, welche Kämpfe es im Gefolge des Streits um die »richtige« Eucharistie- und Abendmahlsauffassung in der Vergangenheit gab, welche glaubens- und kirchentrennende Rolle sie bis zum heutigen Tag spielt, kann man ermessen, welche Absetzbewegung vom Ideal der »reinen Lehre« und der bestimmbar »richtigen« Frömmlichkeit hier vonnöten sein wird. Das schon erwähnte Beispiel vom Abendmahlsstreit zwischen Luther und Zwingli als zweier unüberbrückbarer fundamentalistischer – nicht aber fanatischer – Positionen (vgl. Kap. III.) stellt nur einen kleinen, anschaulichen Beitrag zu dieser Thematik dar.

Gerade die umgekehrte Wertschätzung also, nämlich die der Mehrdeutigkeit von Auslegungen, der Pluralität in Glaubensfragen, des bewussten Verzichts auf definitive Festlegungen, wird hier zum Thema. Was in diesem Fall gesinnungsmäßig zu überwinden sein wird, hat der Philosoph O. Marquard (1986, S. 21f.) anschaulich als die »rasend gewordene Rechthaberei der Eindeutigkeit« bezeichnet; die jeweiligen konfessionellen Bürgerkriege seien »hermeneutische Bürgerkriege« gewesen, »weil man sich dort tot schlug um das eindeutig richtige Verständnis eines Buches: nämlich der »Heiligen Schrift«; aber auch die »neukonfessionellen Bürgerkriege«, nämlich die modernen Revolutionen seit 1789, seien hermeneutische Bürgerkriege geblieben, »weil man sich dort tot schlug und tot schlägt um das einseitig richtige Verständnis der einen einzigen eindeutigen Weltgeschichte«. Damit zieht der Autor eine Linie in den politischen Raum hinein, wo er zu Recht dieselbe »Tödlichkeitserfahrung« durch das Ideal der Eindeutigkeit aufzeigt und hieraus vehement für die Aufwertung der »Mehrdeutigkeit« als Toleranzhaltung plädiert (vgl. auch Kap. VII.).

Anerkennung der Wertevielfalt, und damit von Lebensfülle, ist letztlich immer ein Weg der »Mitte« innerhalb der Wertekonkurrenz und der möglichen Extrempositionen. Dies war schon die alte Weisheit der Griechen, und dieselbe Weisheit, dasselbe Erfahrungswissen steckt in der bekannten »Goldenen Regel«, die von den großen Hochreligionen bis hin zu den modernen philosophisch-ethischen Systemen anzutreffen ist: dass nämlich die eigenen Lebensbedürfnisse und Handlungsgrundsätze so gehalten sein sollen, dass sie zur Allgemeingültigkeit erhoben und gleichzeitig allgemein akzeptiert werden können. H. Küng (1990) hat in seinem Entwurf zu einem

»Weltethos« ebenfalls klar auf diesen ethischen »Weg der Mitte« abgehoben und ihn sowohl auf die religiöse Welt als auch auf die gegenwärtige gesellschaftliche Situation hin näher konkretisiert (vgl. auch Kap. VIII.); es geht ihm dabei im Grundsatz um einen »vernünftigen Weg der Mitte zwischen Libertinismus und Legalismus« (ebd., S. 83f.). Ich möchte dies noch erweitern auf den Weg der Mitte zwischen Wertebeliebigkeit und Wertediktatur.

Auch die hier gemeinte Wertevielfalt hat ihre Verbindlichkeit, und sie hat auch durchaus definierbare Fundamente. Vielfalt darf also keineswegs mit Beliebigkeit gleichgesetzt werden. Dies gilt ja besonders für die Erziehung, sei es auf konkrete ethische Verhaltensweisen wie auch auf erste religiöse Verankerungen hin. Aber diese Art der Gründung auf einem Fundament zum Existieren überhaupt verträgt sich nicht mit ängstlich einengendem Fundamentalismus – eben das Element der Angst, als Angst vor dem Verlust des Fundaments, stellt ja ein Grundmerkmal des Fundamentalismus dar (vgl. Kap. III.). Gemeint ist vielmehr eine Haltung, die von einer existentiellen Kernverankerung her – z. B. im Religiösen oder im Politischen – eine bewusst vollzogene Offenheit und ernsthafte Toleranz anderen Positionen und Menschen gegenüber praktiziert. So schwierig dies im Konkreten oft sein mag, es geht um die generelle Ausrichtung auf eine lebbare Wertevielfalt als eigenem Wert. Vom harten Fundamentalismus, und erst recht vom fixierten, harten Fanatismus, muss, nach all dem Gesagten, eine solche Haltung freilich fast immer abprallen (s. u.).

2) Der Mut zur Unvollkommenheit

Wenn der gefährliche Drang zum Extrem gerade darauf ausgerichtet ist, einen einzelnen Wert, ein bestimmtes Ziel in vollkommener Weise zu erreichen, dann müsste zur Vermeidung dieses Extrems eben diese Vollkommenheit selbst, als Lebensziel oder Erziehungsziel, in Frage gestellt, gar aus der Liste des Erstrebenswerten gestrichen werden. Dies mag logisch klingen. Doch freilich ist diese Logik von einer Art, die – trotz der Erkenntnis, die sich in ihr ausdrückt – gleichzeitig heftige Bedenken auf den Plan rufen muss, dies schon wegen der Allgemeinheit der Formulierung. Dennoch: Diesem Gedanken als Herausforderung haben wir uns zu stellen.

Es ist klar, wovon hier konkret zu reden sein wird. »Vollkommenheit«, »totale Hingabe«, »radikaler Einsatz«, »unverbrüchliche Treue«, »Alles oder Nichts« – höchste Bekenntnisse und eine lange Liste einzelner hoher Werte und Ziele ließen sich hieran anschließen, die alle den heimlichen oder offenen Vollkommenheitsimperativ in sich tragen (vgl. Kap. IV.). Vorwiegend sind es religiöse Forderungen, auf denen dieser Akzent ruht (s. u.), aber auch säkularisierte rigorose Formen von Ethik oder politische Zielsetzungen mit Maximalcharakter. Wird also eine Ausrichtung auf das »Vollkommene« einer Sache, ob in Erziehung, religiöser Unterweisung oder politischer »Schulung«, somit gleichzeitig zu einer untergründigen psychischen Vorbereitung und Prägung auf späteren möglichen Fanatismus hin, damit also schon im Ansatz gefährlich?

Die Brisanz der Fragestellung ist überdeutlich, vor allem die Brisanz für den religiösen Bereich. Sollen also ethische oder religiöse Zielsetzungen mit Idealcharakter grundsätzlich vermieden werden? Hätte die religiöse und ethische Pädagogik bewusst eine eigene Wertvorstellung von der »Unvollkommenheit« zu vertreten, in Abkehr also von allen Formulierungen mit radikalen Perspektiven? Gilt es gar, in deutlicher und durchgehender Weise eine »Theologie der Unvollkommenheit« oder aber eine »Ethik der Unvollkommenheit« zu entwickeln? Ist damit nicht der »Halbheit«, der »Lauheit«, der bequemen Zurückhaltung das Wort geredet, werden damit nicht eben intensives Engagement, volle Begeisterung und echte Hingabe in der Praxis von vornherein unterbunden? Und wie wäre der Menschentyp beschaffen, der dann keine Fanatismusanfälligkeit mehr zeigen würde – wäre dieser Typ generell wünschenswert?

Diese Fragenreihe soll zunächst dem kritischen Nachdenken über mögliche oder unmögliche antifanatische Strategien überhaupt dienen. Man kann spüren, dass jegliche einfache Antwort, jedes Ja oder Nein, unangemessen wäre, dass dies der Komplexität der Einzelsituationen im Leben niemals gerecht würde. Es ist deutlich, dass diese unsere Welt ja ideelle Zielsetzungen und Vorgaben braucht, dass fehlendes Engagement, Gleichgültigkeit und Resignation, Trägheit und mangelnde Hingabe an große Aufgaben heute ebenfalls eine immense Gefahr für unsere humane Lebenswelt bedeuten. So haben z. B. auch A. Haynal und Mitautoren (1980) in ihrer Fanatismus-Studie geradezu diesen Mangel (»un manque d'idéaux«) für das besondere Idealisierungsbedürfnis (»besoin d'idéaliser«) der Jugendlichen verantwortlich gemacht (ebd., S. 90). Und die Persönlichkeitsstruktur dessen, der nach der Erfahrung und den typischen Wesensmerkmalen am geringsten fanatismusanfällig wäre, wurde schon beschrieben: Es ist eben der, den schon die antike Temperamentenlehre als »Phlegmatiker« bezeichnet hat, der also wenig anregbar ist, alles langsam und gleichmütig angeht, der das Bestreben hat, in seiner Ruhe und im Gewohnten zu verharren (vgl. Kap. IV.).

Dennoch: Die Frage steht unausweichlich vor uns, ob und wie gegen die Entstehung fanatischer Einstellungen und Bewegungen etwas getan werden kann. Und zwar – gemäß der vorliegenden thematischen Ausrichtung – nicht als Maßnahme im politischen oder sozialen Raum, sondern im psychologischen Raum, von den Hintergründen her, die den verhängnisvollen Drang zum Extrem bestimmen. Wie ist dem entgegenzusteuern, dass die hohen Normen und sozialen Verpflichtungen, die in der Menschheitsentwicklung entstanden sind, nicht entarten und zur »Tyrannei« werden? Oder, um mit W. Schmidbauer (1980) zu reden: »Das Ideal hat den Menschen gezähmt. Wie kann der Mensch das Ideal zähmen?« (ebd., S. 287). Dass es dabei nicht einfach um eine »etwas weniger« auf Ideale und Werte bezogene oder gar »ideal-lose« Erziehung und Welt gehen kann, nur, weil Ideale singulär entarten können, bedarf erneut keiner weiteren Erläuterung.

Nichts kann zunächst auch die eingehend beschriebenen, meist unbewussten psychodynamischen Vorgänge bei fanatisch anfälligen Menschen beseitigen: die Überkompensation des eigenen Zweifels, die aktionistische Ergänzung der narzisstischen Defizite, die Projektionen eigener Mängel auf die feindliche Außenwelt, die idealistische Maskierung eigener aggressiver Triebbedürfnisse als neurotische Reaktionsbildung, noch weniger die typischen strukturellen schizoiden, zwanghaften oder hysterischen Ausformungen und Verstärkungen (vgl. Kap. IV.). Dies wäre psychagogischen oder psychotherapeutischen Maßnahmen vorbehalten – doch Fanatiker kommen nicht in Psychotherapie, sie halten sich ja für völlig in Ordnung und auf der richtigen Linie, auf die sie ja meist auch die anderen Menschen so total wie möglich zwingen wollen. Die vorgetragenen Überlegungen beziehen sich auf das fanatische Vorfeld, auf die ideologische und institutionelle Basis perfektionistischer Glaubens- und Lebensformen und deren unkritische Akzeptanz, gar noch deren Hochschätzung.

Und es versteht sich auch von selbst, was mit dem »Mut zur Unvollkommenheit« gerade nicht gemeint sein kann: die Befürwortung von mehr Gleichgültigkeit, Unexaktheit, Schlamperei, Laissez-faire-Haltung und Mittelmäßigkeit dort, wo gute und perfekte Leistung sachgerecht notwendig ist und verantwortet werden muss – nicht also der Ingenieur, der eine nur unvollkommene Statikberechnung für ein Bauwerk liefert, der Feinmechaniker, dem ein Millimeter hin oder her egal ist, der Mediziner, der seine Sorgfaltspflicht bei der Medikamentendosierung vernachlässigt. Hier ist die Forderung möglichster Perfektion, also das Ideal der Vollkommenheit, aus der Sache heraus geboten und unverzichtbar, und Pannen können sich katastrophal auswirken. Die unbedingte Verlässlichkeit von Menschen in wichtigen Lebenssituationen ist eine der notwendigen Vertrauensgrundlagen dieses unseres Lebens, auch wenn es sich dabei immer nur um unvollkommene Menschen handeln kann.

Die Grenze zu den Bereichen, in denen der Mut zur Unvollkommenheit gefragt ist und ebenfalls lebensnotwendig wird, liegt vielmehr dort, wo die Ideologiebildung beginnt. Diese ist kenntlich an der starren Identifizierung mit Idealen und an deren Verabsolutierung, wie wir es hier in verschiedenem

Zusammenhang beschrieben haben. Genau dieser Art von Identifizierungsbereitschaft wäre entgegen zu wirken. Es geht, wie W. Huth (1984) es ausdrückt, um die Entwicklung des Erwachsenen zu einer Haltung der »Teilidentifikation«, gegenüber den »Totalidentifikationen« der Jugendlichen, die für ihn noch einen »legitimen Transitzustand« jugendlicher Ideologiebildungen darstellen (ebd., S. 200). Die Fanatismusanfälligkeit Jugendlicher, die vor allem auf dem elementaren Bedürfnis erster eigener Identitätsfindungen beruht, ist ja auch allgemein höher und intensiver (vgl. Kap. IV.). Der Fanatismus der Erwachsenen wirkt sich dennoch weit gefährlicher aus, nicht nur wegen des Zugangs zu entsprechenden Machtpositionen, sondern vor allem, weil eben diese innere Überleitung zu »Teilidentifikationen« als Reifeprozess nicht gelungen ist. Solche Menschen können den »reifen« Mut zur Unvollkommenheit nicht aufbringen, was wiederum mit der eingehend dargelegten narzisstischen Überkompensation im Rahmen der Selbstwertprobleme sowie den verschiedenen anderen psychodynamischen Mechanismen zusammenhängt (vgl. Kap. IV.). Und überindividuell trifft sich dies wieder mit der Flucht in die »narzißtische Omnipotenz«, die H.-E. Richter (1979, S. 31) als den »Gotteskomplex« beschrieben hat (vgl. Kap. III.).

Von besonderer Brisanz muss das, was hier mit dem »Mut zur Unvollkommenheit« ausgesagt werden soll, für den *religiösen Bereich* sein. Religiöse Fanatiker konnten sich ja zu allen Zeiten auf die Vollkommenheits- und Absolutheitsforderungen in Schrift (Bibel, Koran) und Tradition (Verkündigung, Dogmatik, Gruppen- und Ordensbildung) berufen. Es handelt sich zwar typischerweise immer um selektive Vorgänge, also um die schon erwähnte einseitige Auswahl von entsprechenden Zitaten auf Grund der Gesamteinstellung und des persönlichkeitsspezifischen Drangs zum Extrem. Deren potentielle Wirksamkeit auf fundamentalistische und fanatische Positionen ist aber einfach psychologische Realität, und dies um so anhaltender, je selbstverständlicher eben das »Vollkommene« als unfraglich bleibende, hochrangige und »offizielle« religiöse Zielsetzung gilt.

Die klassischen *biblischen* Belege sind bekannt: Jesus-Worte, die zur absoluten Nachfolge unter Absage an alle bisherigen Lebensbindungen auffordern (z. B. Luk. 14, 26–33; vgl. auch Kap. V.), die Vollkommenheitsforderung in der Bergpredigt (»Ihr nun sollt vollkommen sein, wie euer himmlischer Vater vollkommen ist«, Matth. 5, 48), alle Äußerungen, die Glaube und Frömmigkeit als eine extreme, rigorose Lebensanstrengung unter Ausschließlichkeitsbedingungen qualifizieren. Selbst das klare Entweder-Oder mit der Verwerfung aller gemäßigten Positionen hat seine Berufungsstelle (»weil du aber lau bist und weder kalt noch warm, werde ich dich ausspeien aus meinem Munde«, Offbg. 3, 16). Zitate aus dem Alten Testament, die für die fanatische Radikalität in Beschlag genommen werden können, gibt es ebenfalls in entsprechender Häufigkeit.

Im *Islam* finden sich analoge Schriftberufungen und Schriftbegründungen für extreme perfektionistische Haltungen, wobei hier die nicht hinterfragbare Verbalinspiration des Koran eine um so umfangreichere theologische Interpretations-Wissenschaft erzeugt hat. Als der bessere Moslem gilt jedenfalls der, der die »Hingabe«, die »Ergebung« in Allahs Willen und Gebote, am vollkommensten praktiziert. Wer »wahrhaft gottesfürchtig« sein und die »Gerechtigkeit« erfüllen will, ist der, »der voll Liebe von seinem Vermögen gibt«, »der Gefangene löst«, »Almosen spendet«, »der geduldig Not und Unglück und standhaft die Schrecken des Krieges erträgt« (Sure 2, 178). Dieser Weg zum ethisch Vollkommenen ist auch in der beschriebenen Lehre vom »Großen Einsatz«, als einer der bestehenden Djihad-Auffassungen, im Sinn der täglichen moralischen und geistigen Anstrengung des Gläubigen enthalten (vgl. Kap. V.). Und in der mystischen Welt des Sufismus steht, wie ebenfalls ausgeführt (ebd.), dieser große Djihad im großen Prozess der Umwandlung der eigenen »gefährlichen Seele« zur »Seele im Frieden«. Erst recht freilich im militanten Djihad mit seinen Extremausprägungen, bis hin zur Selbsthingabe und zur Erfüllung des Willens Allahs in Form von Suizid-Attentaten, ist subjektiv die »vollkommene Hingabe« sowie die »vollkommene Nachfolge« erreicht.

Die Inbesitznahme solcher isolierter Zitate oder Äußerungen zur Rechtfertigung religiös-fanatischer Ausrichtung lässt sich nicht mit dem Hinweis aus der Welt schaffen, dass es ja ganz andere Auffassungen von Religionsausübung und von Glaube, ebenso von Nachfolge – z. B. die »andere« Seite bei Jesus (s. u.) – gibt. Das fanatische Bedürfnis nach dem Extrem wird dies ignorieren, zumal die isolierte Berufung auf einzelne Zitate auch sonst im theologischen Raum üblich und akzeptiert ist. Aktuelle Beispiele solcher fataler psychologischer Auswirkungen von isolierten, abhängig machenden Perfektions- und Nachfolge-Worten liefern die geschilderten autoritären Sekten (vgl. Kap. V.).

Man kann sich nun auf den Standpunkt stellen, dass es unvermeidlich sein und bleiben wird, dass religiöse Fanatiker sich auf solche einzelnen Schriftstellen einseitig berufen. Die überwiegende Mehrzahl aller Gläubigen oder religiös gebundenen Menschen lebe ja ohnehin in einer religiös-säkularen Kompromisssituation, in der eine Abstimmung mit einer großen Zahl anderer Interessen und Werte – theologisch gesprochen: in religiöser Halbheit, Unentschiedenheit und Trägheit – erfolge. Die Aufgabe in unserer Zeit sei viel eher, diese Massen aufzurütteln und eben in Richtung von mehr entschiedener Nachfolge, Konsequenz und von mehr religiös-ethischem Wagnis zu bewegen. Auch wenn dies richtig sein mag – unser Thema hier ist nun einmal der Fanatismus, und es gilt damit eben jener Gruppe von Menschen, bei denen dieser psychische Prozess deutlich ins Extrem läuft. Die Zahl der Fanatiker auf der Welt ist ja gegenüber der Zahl der Nichtfanatiker auch durchaus klein, in umgekehrter Relation freilich zu ihrer Gefährlichkeit.

Vor allem handelt es sich bei ihnen oft um Menschen, die im christlichen Glauben nicht von dessen befreiendem und erlösendem Aspekt – dem Evangelium als Botschaft der Liebe – berührt und erreicht werden (s. u.), sondern vom Leistungs- und Gesetzes-Aspekt und den rigoristisch-extremistischen Zielvorgaben für die Frömmigkeitshaltung. Es ist vor allem das idealistisch-ideologische Verständnis oder Missverständnis des Religiösen, das sich hier aufbaut; und dieses wirkt sich auch weiter in die säkularisierten Lebensbereiche mit ihren untergründigen religiösen Elementen hinein aus, auf die bekannten politischen Weltbeglückungs- und Erlösungslehren also, in denen wiederum die »wahre Lehre« und die »einzig richtige Gesellschaftsform« fanatisch durchgesetzt werden soll und in denen die individuelle Freiheit nichts gilt.

Der »Mut zur Unvollkommenheit«, das ausdrückliche Bekenntnis zum Verzicht auf perfekte Erfüllungsansprüche, seien sie religiöser, ethischer oder politischer Art, dazu die Förderung der Fähigkeit zur konstruktiven Synthese aus der Vielfalt konkurrierender Werte: das ist antifanatische Gegenstrategie. Ihr Feld liegt weit im Vorfeld des Fanatismus: in der Erziehung, in Familie und Schule, in der politischen Kultur, im persönlichen Vorbild, in der öffentlichen Diskussion und nicht zuletzt in Theologie, religiöser Verkündigung und praktischer Unterweisung. Es ist ein überaus mühsamer Weg, eine Haltung, die viel Widerstand erzeugt – dabei steckt in ihr eine große Kunst: die Kunst der lebensfreundlichen Kompromissbildung ohne Preisgabe des Wesentlichen.

b) Intensität in der Humanität

1) Glaube und Fanatismus

Für nicht wenige gilt ein intensiver »Glaube« an eine Sache oder an eine Person – ob religiös, ob politisch, ob ganz persönlich ausgerichtet – schon als Zeichen fundamentalistischer oder gar fanatischer Einstellung. Das Missverständnis ist naheliegend, es resultiert schon aus dem so uneinheitlichen Sprachgebrauch, aus den verschiedenen Bedeutungsgehalten für ein und dasselbe Wort »Glaube«. Wir können dem hier im einzelnen nicht nachgehen. Wichtig ist aber, brauchbare Unterscheidungskriterien psychologischer

Art zwischen »normalem« religiösem Glauben und seiner durchschnittlichen und verträglichen Einbettung in das Leben einerseits und der fanatischen Fixierung und kämpferisch-rigorosen Vertretung von Glaubens- und Überzeugungsinhalten andererseits herauszustellen.

Abgesehen von der Frage, wie weit wir Menschen alle und allgemein auf bestimmte Lebensfundamente »glaubend« oder »vertrauend« bezogen sind (vgl. Kap. III.) und wie wichtig ein solcher Stabilisator für unsere gesunde Existenz ist: Der religiöse Glaube im engeren Sinn vermag zweifellos ein besonderes Fundament für eine verlässliche und beglückende Lebensverankerung zu schaffen, die dann in ihrer Gelassenheit und ihrem Geborgenheitsgefühl keiner permanenten hektischen Absicherung oder rigorosen Durchsetzung bedarf. Voraussetzung ist freilich, dass die religiöse Sozialisation und Glaubensbildung einigermaßen angstfrei und ohne spezifische Neurotisierung ablaufen konnte. Sowohl in den klassischen psychoanalytischen Konzepten zur frühen Sozialisation als auch im Rahmen der modernen Bindungstheorie, die die »sichere Bindung als Schutzfaktor« für das ganze weitere Leben hervorhebt (Brisch, 2001, S. 40), wird die Bedeutung grundlegender, verlässlicher und emotional tragender Vertrauensbildung für eine gesunde Entwicklung betont, zu der auch Glaubensfähigkeit im breiten Sinn gehört.

In seiner religiösen Ausprägung entspricht der hier gemeinte Glaube, worüber in den heutigen Theologien durchaus Einigkeit besteht, in seinem Kern dem personalen »Vertrauen« (fiducia), dem »Sich-verlassen-Können«, und gerade nicht einem abgerungenen Glauben an bestimmte »Glaubensinhalte« oder gar deren »Fürwahrhalten« oder Fixieren gegen die Zweifel im Untergrund. Eben diesen Unterschied (theologisch: »fides qua creditur« gegenüber »fides quae creditur«) und seinen Zusammenhang mit dem »Urvertrauen« im Sinn von E. Erikson hatten wir schon bei der Besprechung der psychologischen Hintergründe des Fundamentalismus deutlich herausgestellt (vgl. Kap. III.).

Fundamentalistische Fixierung und Anklammerung an Glaubensinhalte, sowie fanatische Ausschließlichkeit und Durchsetzung um jeden Preis: Sie können beide dieses nicht leben: ruhendes Vertrauen, inneres Gegründetsein, Gläubigkeit ohne Absicherungsbedürfnis, Zulassen der Offenheit nach außen, lockeres Umgehen mit unvollkommenen und unvollständigen Wahrheiten. Denn beide Male spielt die ausführlich beschriebene Psychodynamik der Überkompensation von Angst oder von Zweifel (vgl. Kap. IV. und VI.) eine antreibende Rolle: der Angst vor dem Verlust der Fundamente, die in der fundamentalistischen Absicherung gebannt wird; dem Zweifel an der Sache und dem Selbstzweifel zur eigenen Person, der in der fanatischen Rigorosität und Durchsetzung unterdrückt und hart überfahren wird. Diese

Angst des Fundamentalisten »vor dem Verlust seiner Identität« ist so auch für W. Huth (1995, S. 14) die durchgehende Konstante bei der beschriebenen »Flucht in die Gewissheit«. Demgegenüber erweist sich personaler »Glaube« im oben dargestellten Sinn als spürbar anders geartet.

Auch wenn sich natürlich in der Allgemeinfrömmigkeit der Typus des eher auf feste »Wahrheiten« bezogenen und autoritätsgebundenen Glaubens weit verbreitet zeigt und dieser durch die kirchlichen Verkündigungen, Lehrinhalte und dogmatischen Festlegungen – entgegen besserer Absicht – in der Praxis weithin auch gefördert wird, so ist dieser damit dennoch seiner intrapsychischen Dynamik nach noch keinesfalls ein fanatismusgeneigter Glaube. Und je mehr er Elemente des Vertrauens-Glaubens in sich trägt, um so weniger zeigt er fanatische Anfälligkeit; er wird, im Gegenteil, zu einem Bollwerk gegen Fanatismus. Denn diese Menschen brauchen fanatisches Eifern und Kämpfen nicht, weil sie sich in diesem Glauben geborgen und ruhend fühlen und weil auch ihr Ich- und Selbstgefühl der Fundierung in diesem Sinn entspricht (s. o.).

In wohltuender Weise lässt sich gerade an der Person *Jesu* verdeutlichen, was das Wesen eines nicht fanatischen Glaubens, überhaupt einer in sich ruhenden, trotz aller Kontraste ausgewogenen und menschlich offenen Religiosität ausmacht. Besonders auffällig ist ja die enge Verbindung männlicher und weiblicher Züge, damit auch väterlicher und mütterlicher Anteile bei ihm im Reden und Handeln. H. Wolff (1975) hat hier von der außergewöhnlichen »Integration« oder »Individuation« Jesu gesprochen und ihn für die damalige Zeit als »Mann von hochentwickelter Anima« bezeichnet (ebd., S. 174). Den schroffen, radikalen, gesetzlich absolut fordernden und ausgrenzenden Äußerungen – auf die sich religiöse Extremisten ja so gerne berufen (s. o.) – stehen einfühlsame, akzeptierende, ganz auf die Situation bezogene und großzügig-barmherzige Passagen und Szenen gegenüber, die von den religiösen Fanatikern typischerweise ignoriert werden. Beispiel hierfür ist nicht nur die Grundbotschaft von der Gnade Gottes und der Erlösung, sondern gerade die konkrete menschliche Haltung der liebevollen Annahme gestrauchelter Menschen im Einzelfall, wie z. B. bei der Ehebrecherin (Joh. 8, 3–11), oder die souveräne Rückführung strenger gesetzlicher Regelungen auf ihren hilfreichen Sinn, wie z. B. bei den Sabbat-Geboten (Mark. 2, 23–28). Die – auch unter Einbeziehung literarkritischer Ergebnisse – in ihrem Kern so sehr überzeugende und faszinierende Grundeinstellung Jesu auf Versöhnung, Heilung, Wertschätzung und Feindesliebe hin atmet alles andere als den Geist fanatischer Zielfixiertheit und Unversöhnlichkeit.

Es kann und soll hier ja nur perspektivisch angedeutet werden, welche Art von Menschenbild und seelischer Verfassung die Welt Jesu von der Welt religiöser Fanatiker trennt, und dass dies aber exemplarischen Charakter hat. Bei Jesus herrscht gerade nicht die typische Atmosphäre des fanatischen Eiferers, der religiösen Zwangsbeglückung und Heilsnötigung, bei aller Schroffheit und Radikalität vieler Worte. Dies wird besonders dann deutlich, wenn man die vielen, hier zum Teil beschriebenen religiösen Systeme und rigorosen Maßnahmen dagegensetzt, in denen um der »reinen Lehre«, der »Ehre Gottes« oder der Herstellung von »Sittenreinheit« und »Kirchenzucht« willen in fanatisch fixierter Überzeugung ungezählte Menschen gedemütigt, unterdrückt oder getötet wurden.

Im *Islam* lässt sich die analoge Polarität in Geschichte und Gegenwart aufzeigen. Schon in der Person Mohammeds begegnen schroffe, radikale Kampf- und Abgrenzungstendenzen neben weichen, versöhnlichen, akzeptierenden menschlichen Zügen, obwohl dieser, ganz anders als Jesus, in der äußeren Existenz gleichzeitig auch noch Politiker und Heerführer war. Diese zwei Seiten haben sich deutlich im Koran niedergeschlagen. Vor allem aber die beschriebenen, so diametral unterschiedlichen Djihad-Auffassungen und -Interpretationen sowie der Gegensatz zwischen den lebendigen sufistischen Frömmigkeitstraditionen einerseits und der so erschreckenden Gesetzesrigorosität und schroffen Durchsetzungsmentalität islamistischer Extremisten andererseits (vgl. Kap. V.) spiegeln solche polaren Ausrichtungen im religiösen Selbstverständnis und in der Glaubensstruktur wider.

Ebenso bestehen in der *jüdischen* Glaubens- und Frömmigkeitstradition vom Alten Testament bis heute differente Haltungen zwischen dem quietistisch-toleranten und dem kämpferisch-gesetzesrigorosen Pol, die sich je auf entsprechende Thora-Interpretationen und Talmud-Traditionen beziehen. Schon die komplexe, teils extrem feindliche, teils tolerante Begegnungsgeschichte des Judentums mit dem Christentum und mit dem Islam lässt es verständlich erscheinen, dass auch hier beide Strömungspole stets ihre Anhängerschaft hatten. In der Neuzeit zeigen die Ausprägungen der chassidischen Frömmigkeitsbewegung (Näheres hierzu s. Friedlander, 1998, S. 34) und anderer stiller Gemeindetraditionen einerseits und die Erstarkung gesetzesrigoroser, Talmud- und Halacha-treuer Gemeinden, vor allem aber die Gründung jüdischer militanter und fanatischer Untergrund- und Terrorbewegungen andererseits (Näheres s. Kepel, 2001, S. 203ff.), wie breit sich auch im Judentum diese Spanne stets gezeigt hat und zeigt. Es ist hier nicht der Ort, auch steht es mir nicht zu, die Auswirkungen der Holocaust-Erfahrung, als dem so schrecklichen modernen Höhepunkt des uralten Antisemitismus auf die verschiedenen heutigen jüdischen Grundeinstellungen, zu denen auch die Ideologie der Wehrhaftigkeit des Staates Israel und ebenso der »Staats-Terrorismus« gegen palästinensische Extremisten gehört, zu bewerten.

Jedenfalls wird auch hier offensichtlich, wie aus gleichen Basisdokumenten, aus gleich gültiger »Heiliger Schrift« und aus gleichen Glaubenstraditionen so enorm unterschiedliche psychische Realisierungen von »Glaube« resultieren, mit entsprechenden weitreichenden Konsequenzen für Lebensführung und Gruppenbildung. Die Begründungen hierfür, so auch für die entsprechenden Berufungszitate, sind allemal selektiv. Vielleicht zeigt sich hier eine den »Buch«- und »Wahrheits«-Religionen insgesamt immanente, letztlich tragische Eigenheit: die ständigen Differenzen und der unausweichliche Kampf um die »richtige« Wahrheit und damit auch die »richtigen« Handlungen und die gültige Lebensführung.

Freilich kann man – und diese Feststellung scheint mir wichtig – selbst bei sehr extrem anmutenden Frömmigkeitsformen keinesfalls immer auf Anhieb feststellen, ob sie im Einzelfall fanatisch oder nichtfanatisch ausgefüllt und gelebt werden. Es gibt Heilige und Märtyrer, Mönche und Nonnen, Prediger, Sektenangehörige und religiöse Reformer, die in ihrem Glauben fanatische Anteile oder eine deutliche fanatische Ausrichtung haben, und es gibt Angehörige derselben Gruppen, die dies nicht haben. So lassen sich z. B. bei Calvin, wie ausführlich beschrieben (vgl. Kap. V.), klare fanatische Elemente aufzeigen; Luther hingegen, bei aller reformatorischer Zielklarheit und Unbeugsamkeit, zeigte solche Züge kaum. Er neigte von seiner Persönlichkeitsstruktur her zwar zu affektiver Heftigkeit und auch poltrigen Ausbrüchen, aber nicht mit Nachhaltigkeit, eher impulsartig und unter wechselnder Antriebslage. Er konnte einmal die Bauern, dann wieder die Fürsten und Landesherren, dann wieder die reformatorischen Mitstreiter heftig und grobianisch attackieren, doch sind eben diese wechselnden Zielrichtungen typisch für seinen Blick für das situativ Gebotene; und selbst die »vernichtenden« Pamphlete gegen die katholische Kirche seiner Zeit zeugen, bei allen Verallgemeinerungen, wenig von blinder fanatischer Destruktivität. Auch sonst zeigen sich bei ihm mancherlei Inkonsequenzen und zwiespältige Einstellungen, theologisch und persönlich. Selbst seine fundamentalistischen Fixierungen waren nie durchgehend und »konsequent«; so steht seiner schriftbegründeten Unnachgiebigkeit im Abendmahlsstreit mit Zwingli, wie wir es geschildert haben (vgl. Kap. III.), ein im sonstigen sehr freier, wertender Umgang mit einzelnen Bibelstellen und sogar ganzen biblischen Büchern gegenüber. Offenbar konnte sein Kernglaube und sein Kernfundament sehr viel persönliche Freiheit in den Zielausrichtungen und Handlungen zulassen, was gerade nicht einer typischen fanatischen Einstellung entspricht.

2) Liebe und Fanatismus

In den bisherigen Darlegungen haben wir das Stichwort »Liebe« nur andeutungsweise eingebracht – teils aus einer Scheu vor »großen« Worten und deren Vereinnahmung, teils aber, weil sich Fanatismus und Liebe vom Wesen her gegensätzlich verhalten. Schon in der einleitenden Aufzählung von möglichen Fanatismus-Formen wurden Bedenken gegen den – immer wieder auftretenden – Begriff »Liebesfanatismus« geäußert, weil dieser die Konturen des Fanatismus-Begriffs sprengen würde (vgl. Kap. III.).

Es gibt für diese Ausgrenzung klare Gründe. Würde man die Bezeichnung »Liebesfanatismus« im Rahmen des Phänomens »Fanatismus« akzeptieren, so würde das, was mit »Liebe« üblicherweise gemeint ist, entweder inhaltlich pervertiert, oder aber der Begriff Fanatismus ginge, wie schon gesagt, wesentlicher Konturen und auch seiner Kernbestimmung verlustig. Dies jedenfalls, wenn mit »Liebesfanatismus« benannt werden soll, dass sich jemand mit höchster Intensität und Opferbereitschaft einer bestimmten karitativen Aufgabe oder der uneingeschränkten liebevollen Zuwendung zu Menschen oder Menschengruppen hinzugeben versucht (berühmte Beispiele wären Franz von Assisi, Elsa Brandström in Sibirien, Toyohiko Kagawa in Tokio, Mutter Teresa in Kalkutta, Schwester Emmanuelle in Kairo, doch gibt es weit darüber hinaus eine große Zahl anderer, unbekannter Menschen mit solchem Engagement). Nächstenliebe mit dieser Ausrichtung, die zu einer Grundhaltung geworden ist, erweist sich jedenfalls als unvereinbar mit einer fanatischen Haltung. Dies ergibt sich sowohl aus der allgemeinen Erfahrung als auch vom psychologischen Hintergrund her.

Schon im Zusammenhang mit der Besprechung der Art des Fühlens und der Beziehungen, also der affektiven Ebene bei typischen Fanatikern, wurde darauf hingewiesen, dass solche Menschen – einfach ausgedrückt – nicht echt lieben können; sie lieben Ideen mehr als Menschen, und während ihre Hingabe an Ideen und Ideologien abnorm stark ist, bleibt ihre Hingabe an Menschen merklich blockiert (vgl. Kap. IV.). Dazu verträgt sich die prinzipiell offene, wohlwollende und akzeptierende Einstellung den Bedürfnissen eines Menschen gegenüber, die mit einer liebenden Haltung verbunden ist, nicht mit der starren, auf konsequente Durchsetzung von Ideen fixierten fanatischen Ausrichtung und deren unbeeinflussbaren emotionalen Einengungen.

Es ist bemerkenswert, dass gerade auch die schon erwähnte moderne Bindungstheorie (vgl. Kap. IV.), in Anwendung der aus der Erfahrung gewonnenen Erkenntnisse, auf die große Bedeutung der »Feinfühligkeit« im Sozialisationsprozess hinweist; im Hinblick hierauf werden daher auch in verschiedenem Kontext Programme zum »Feinfühligkeits- und Empathie-Training« gefordert und durchgeführt (Brisch, 2001, S. 40ff. und 271). Feinfühligkeit und Empathiefähigkeit sind unzweifelhaft elementare und zentrale Anteile im intensiven liebenden Erleben und Verhalten. Sie nehmen die Bedürfnisse des anderen Menschen in ihrer Feinheit und Ungeschütztheit wahr und können ihm so in Achtsamkeit begegnen. Es kann hier natürlich nicht der Ort sein, die unüberschaubar reiche Literatur über die Liebe und die Psychologie des Liebens näher zu analysieren und zu würdigen, auch nicht deren klassischen Doppelaspekt von Eros und Agape. Dass eine liebende Einstellung sich aber nicht mit rigoroser Durchsetzungsmentalität und deren ideologischer Untermauerung gegenüber den geliebten Menschen verträgt, dürfte durchgehender Konsens sein. Und so macht auch gerade der bei Fanatikern so offensichtliche Mangel an Einfühlung in andere Menschen, wie er deutlich beschrieben wurde (s. o.), zudem die individuelle Leidenssituation des Anderen unerlebbar.

Vielleicht ist an keinem anderen Punkt in der Phänomenologie und Psychodynamik des Fanatischen so deutlich dessen diametral gegensätzliche Ausrichtung zum Humanen aufzuzeigen wie an diesem Vergleich mit dem, was wir mit »Liebe«, »Nächstenliebe«, »liebender Haltung« meinen. Auch die tiefe, von fanatischer Energie zur Durchsetzung angetriebene Überzeugung des Fanatikers, für das Wohl und Glück des »Nächsten« oder im Dienst einer hohen Weltbeglückungs- und Welterlösungsidee rastlos und opferbereit bis zum Tod tätig zu sein, lebt in einer anderen psychischen Atmosphäre als das »Lieben«. Hier wird wohl auch verständlich, was E. Fromm (1967/2002) mit der Kontrastbezeichnung »Biophilie« gemeint hat: »Wer das Leben wirklich liebt, wird nicht vom Tod angezogen, weder vom eigenen, noch von dem, den er anderen zufügt« (ebd., S. 184). Dies ist auf der individuellen Ebene, innerhalb der emotionalen Verfassung des einzelnen Menschen, am besten nachvollziehbar. Doch auch auf der kollektiven und kulturellen Ebene der Gebote und Normen, so dem Gebot der »Nächstenliebe« oder gar »Feindesliebe«, lässt sich dieser Kontrast ebenso verdeutlichen, wenn man Überzeugung, Motivation, emotionale Verfassung und Zielsetzung in ihrem inneren Zusammenhang zu erfassen versucht.

Letztlich bleibt deshalb »Liebe« – auf welcher Ebene auch immer – mit Fanatismus unvereinbar, und beide schließen sich gegenseitig aus. Denn Liebe ist zudem immer auch Liebe und Bekenntnis zur Individualität des Anderen, zu Fülle und Vielfalt des Lebens, zum Blühenden, zum Kreativen, zum Spontanen, sie zeigt Umsicht und Rücksicht, und sie kann auch zuwarten und sich über Kleines, Vorläufiges und Unvollkommenes freuen. All dies bleibt weit entfernt von der ideologischen Starre, Kompromissunfähigkeit und Rigorosität fanatischer Haltungen, wie sie insbesondere die »essentiellen« und »harten« Fanatiker aufweisen. »Teilfanatiker« und »induzierte Fanatiker« können freilich in ihren nichtfanatischen Lebensbereichen durchaus auch emotionale Qualitäten im Sinne des Durchschnittsverhaltens, auch mit Elementen der Liebesfähigkeit, erkennen lassen. In ihren fanatischen Lebensbereichen jedoch, politischen, religiösen oder anderen, werden solche Regungen allermeist durch die fanatische Schroffheit, Kompromisslosigkeit und Kampfeinstellung überlagert. Liebesfähigkeit und Empathiefähigkeit allgemein kann sich bei ihnen erfahrungsgemäß erst dann wieder herstellen, wenn, aus welchen Gründen auch immer, das Fanatische seine Überzeugungskraft, energetische Aufladung und persönliche Einbindung verloren hat.

c) Toleranz als aktive Position

Es mag unrealistisch und weltfremd, wenn nicht sogar naiv anmuten, im Gefolge der bisherigen Darlegungen jetzt einfach von Toleranz zu reden. So, als ob dem Ungeheuerlichen, das der Fanatismus in der Welt darstellt und das er ständig bewirkt, mit einer Art Gegenwelt der milden gegenseitigen Duldung, des Vertrauens oder von mehr Achtung voreinander begegnet werden könnte. Und als ob nicht deutlich geworden wäre, wie sehr der Drang zum Extrem, aus elementaren inneren Bedürfnissen und gewaltigen Energiequellen gespeist, gerade die Höchstform von Intoleranz und rücksichtsloser Durchsetzung aus Überzeugung darstellt. Wo soll hier Toleranz eine Chance haben?

Sie hat eine Chance schon dadurch, dass sie als Position bezogen, klar deklariert und glaubhaft gelebt wird. Dies zunächst einmal von denen, die dazu von den sozialen und psychologischen Voraussetzungen her überhaupt in der Lage sind. Geistige Gegenkräfte, in Haltung und Handlung umgesetzt, haben Wirkung, auch wenn dies oft über einen Lernprozess großen Ausmaßes und langer Dauer gehen muss. Der historische Toleranzprozess innerhalb des Christentums kann als anschaulicher Beleg dafür gelten. Damit ist noch nichts gegen gegenwärtig praktizierte, gewalttätige Intoleranz, gar gegen fanatisch-militante Bewegungen ausgerichtet, aber es ist die Alternative zur bloßen Resignation und hilflosen Angst ergriffen. Da, wie schon ausführlich dargelegt, auch der Fanatismus seine Bedingungen hat, innere und äußere, die keineswegs unveränderlich sind, hat auch die Haltung der Toleranz, die Lebensvielfalt zulassen kann, ihre Chance.

Toleranz setzt, ebenso wie Fanatismus, psychische Kraft, Nachhaltigkeit und Unbeirrbarkeit voraus, doch sie kann souveräner und offener sein und bedarf keiner »Konsequenz um jeden Preis« – sie käme ja sonst ihrem Gegenpol bereits wieder nahe. Der Konsequenzverzicht wird ja eben dann möglich, wenn keine elementare intrapsychische Dynamik zur Überkompensation von heimlichen Zweifeln oder persönlichen Mängeln zwingt, sondern wenn Schwäche, Unsicherheit, Unklarheit und eben auch Mehrdeutigkeit zugelassen werden können. Dazu zu stehen, braucht eine andere Art von Mut als den Mut zur Konsequenz und zur rigorosen Durchsetzung unantastbarer Zielvorstellungen. So ist auch, wie schon dargelegt (s. o.), für O. Marquard (1986, S. 22) das Zulassen von Mehrdeutigkeit, und damit das Verzichtenkönnen auf eindeutige Festlegungen, ein »Synonym für Toleranz«. Und V. Frankl (1993, S. 29) drückt einen ähnlichen Gedanken aus, wenn er formuliert, es könne zwar »nur eine Wahrheit geben«, doch könne niemand wissen, »ob es er ist und nicht jemand anderer, der sie besitzt«; zu dieser Ungewissheit gehöre auch Demut, »Demut bedeutet also Toleranz«.

Mit »Toleranz« ist etwas über die persönliche Wertigkeit anderer Menschen ausgesagt, und dies stellt auch die Kernaussage über ihre Wesen dar: ein Akzeptieren anderer Personen, deren Lebensrecht und Äußerungsrecht, trotz deren anderer Überzeugungen, Glaubensformen und Lebensstile. Gerade das kann der typische Fanatiker nicht. Denn er vermag sich ja nicht oder nur wenig in Andere einzufühlen, diese als gleichberechtigte Menschen wahrzunehmen und trotz der Unterschiede Bindungen zu ihnen aufzubauen. Die Toleranz bekommt also dann ihre Chance – zunächst überhaupt in uns selbst –, wenn diese Unterscheidung zwischen Person und Idee eines ihrer grundlegenden Merkmale ausmacht. Und wir müssen deshalb sofort hellhörig werden, wenn das Bekämpfen einer Meinung und Einstellung bereits das Mundtotmachen dessen, der sie vertritt, zum Ziel hat. Der Schritt vom Argumentieren zum Verfemen und von da zum Verbieten und Liquidieren, vom Bücherverbrennen zum Menschenverbrennen, hat in unserer Welt beängstigend niedere Schwellen. Die Wurzeln der Intoleranz in uns selbst, die sich auf weite Strecken mit den Wurzeln der fanatischen Anfälligkeit decken, zu sehen, ist ein Akt der Selbsterkenntnis. Toleranz kann im eigenen Umfeld nur praktiziert und in der Erziehung nur weitergegeben werden unter dieser Voraussetzung. A. Mitscherlich (1968) hat dazuhin betont, dass auch Toleranz selbst eine »Leistung« darstelle, gerade da, »wo meine Überzeugung, meine ›Ideale‹ herausgefordert werden«; denn je mehr unversöhnliche Unterdrückung und Entwürdigung uns widerfahren sei, »je mehr Erziehung durch lieblose, einsichtlose Repression, desto weniger Neigung und Fähigkeit zur Toleranz« (ebd., S. 274).

Hier ist deutlich ausgedrückt, welcher Kampf mit eigenen inneren Kräften einer aktiven Toleranzhaltung abverlangt wird; ebenso, dass dieser Prozess vor der eigenen Haustür beginnen muss und dass er historisch und gesellschaftlich zunächst weit davon entfernt ist, jene zu erreichen, denen wir ihren Fanatismus und ihre Intoleranz so besonders vorzuwerfen pflegen: den Anhängern fundamentalistisch-fanatischer Bewegungen im Islam z. B., oder den Skinheads und Rechtsextremen mit ihren ausländerfeindlichen oder antisemitischen Ausschreitungen. Die unheilvolle Durchmischung und gegenseitige Verstärkung sozialer, politischer und intrapsychischer Vorgänge, die hier am Werk sind – von denen jeder Anteil schon einen Sprengsatz für sich darstellt –, lässt ahnen, welche immensen psychischen Kräfte der Entwicklung von Toleranz in unserer Welt permanent entgegenstehen. Intoleranz und Fanatismus fordern so die nötige Gegenbewegung erst recht und ebenso permanent heraus.

Was das Wesen von Toleranz im Sinn eines nicht etwa nur passiv duldenden Zulassens, sondern einer aktiv wirkenden Position ausmacht, findet vielerlei Bestimmungen. Dem soll hier nicht weiter nachgegangen werden. Von grundlegender Wichtigkeit scheint aber die Frage, wie sich eine eigene, deutliche Position innerhalb der religiösen oder politischen Identität mit dem Dulden, Zulassen oder gar Anerkennen anderer Positionen verträgt. Es ist die »Gretchenfrage« für die Toleranzbereitschaft: Ist es mir möglich, von der eigenen Überzeugung her, andere ernsthafte Einstellungen und Positionen – religiöse, politische und sonstwelche – nicht nur zähneknirschend hinzunehmen, sondern deren Dasein als Zeichen der Vielfalt und Fülle oder wenigstens der grundsätzlichen Uneinheitlichkeit dieser Welt anzusehen und anzuerkennen? Am heißesten wird diese Frage sicher bei all jenen Religionen, denen es zentral um die »Wahrheit« geht. So fasst G. Schweizer (2002) die diesbezügliche – heimliche oder offene – Einstellung vieler Menschen in dem Satz zusammen: »Religionen, die sich wirklich ernst nehmen, können nicht tolerant sein«; in dieser »angeblich inneren Logik jeder Religion« sei dann die Abwehr des Andersartigen »stabilisierend für den Glauben«, und auch der Fanatismus sei dann »gar nicht so widersinnig«, wegen eben seiner Schutzfunktion für die eigene Religion; würde ein wirklich Gläubiger die moderne Forderung nach mehr Toleranz akzeptieren, dann würde er ja »die Konzentration auf das Absolute mit dem Zweifel, mit dem Bedürfnis des Relativierens vertauschen« (ebd., S. 14). In dieser Beschreibung ist zweifellos das diesbezügliche Dilemma vieler Menschen klar benannt, und Schweizer entfaltet es weiterhin ebenso auf der institutionellen Ebene, vom heutigen Katholizismus und bestimmten Formen des Protestantismus über den Islam bis hin zu heutigen Erscheinungen im – traditionell ja wesentlich toleranteren – Hinduismus und Buddhismus (ebd., S. 15ff.).

Wie also kann Toleranzhaltung ohne Verleugnung der eigenen Ursprungsgeschichte, der eigenen Glaubensidentitäten und Überzeugungen aussehen? Wohin muss sie sich lebensnotwendig und überlebenswichtig angesichts der immer enger werdenden Berührungen und Verflechtungen mit Menschen anderer kultureller Traditionen, religiöser Prägungen und persönlicher Einstellungen entwickeln? Wie kann eine angstfreie Psychologie des »Sichvertragens«, der »Verträglichkeit« untereinander aussehen? V. Kast (2003, S. 200) hat gerade die Wichtigkeit einer solchen »Verträglichkeit« besonders konkretisiert und den Vorschlag eingebracht, den Begriff der Toleranz durch den Begriff der »Differenzverträglichkeit« zu ersetzen. Trotz ihrer sprachlich weniger guten Handhabbarkeit würde diese Bezeichnung, statt auf ein unklares passives »Dulden«, eher auf eine aktive Position und Leistung des Ich verweisen, die ein Nebeneinander zulässt, ohne sich selbst aufzugeben. Eines allerdings muss wirkliche Toleranz und angestrebte Differenzverträglichkeit überwinden: den alten, klassischen »Absolutheitsanspruch«, das Bestehen auf der Vollgültigkeit der eigenen religiösen Wahrheit oder politischen Einstellung, die Opferung aller sonstigen Werte, berechtigter Sichtweisen und menschlicher Bedürfnisse für eine einzige »große« unverrückbare Überzeugung und Vision.

Die gewaltige Leistung, die hier dem Menschen abverlangt wird, hat A. Mitscherlich (1968) lapidar benannt: »Toleranz ist in einem von Natur aggressiven Wesen ein Anzeichen von Selbstüberwindung« (ebd., S. 263). Als eine der ersten Nebentugenden von Toleranz darf man daher wohl ein Stück kritischer Selbstbegrenzung nennen, oder einfach Bescheidenheit, hier als Rückzug vom vergötterten Absoluten verstanden. Dies nicht, weil es etwa keine großen und zentralen »Letzten Dinge« oder wichtige innere Ziele mehr geben kann, sondern weil es zu unserer erkannten menschlichen Beschränktheit gehört, diese nur in Unvollkommenheit und Gespaltenheit leben zu können. Die grundsätzliche Anerkennung einer Wertevielfalt und der angestrebte Mut zur Unvollkommenheit, wie dies beschrieben wurde (s. o.), können die grundlegenden ethischen Konsequenzen hieraus sein. Dass dies im Konkreten oft enorme Schwierigkeiten bereitet, zeigt sich täglich bei den unvermeidlichen inneren und äußeren Konflikten, die sich z. B. aus dem Zusammenleben von Schülern verschiedener Religionsgruppen oder aus dem Nebeneinander von Kirche und Moschee ergeben.

Nochmals: In Anbetracht der durch die verschiedensten Fanatismen weltweit enorm bedrohlich gewordenen Situation kann es unrealistisch, weltfremd und naiv anmuten, von Toleranz zu reden (s. o.). Denn gerade die Fanatiker werden durch solche Bestrebungen und Forderungen zuletzt erreicht, das heißt im Inneren überhaupt nicht. Auch B. Tibi (2002) trägt die Sorge vor, dass in Anbetracht des heutigen »Zivilisationskonflikts«, des »Clash of Civilizations« im Sinne von S. Huntington, bestimmte »Gutmenschen« im Namen der Toleranz in die Defensive gingen und nicht verstünden, dass es

»nicht mehr nur um Werte«, sondern um den Wettstreit ginge, welches Staatsmodell im 21. Jahrhundert universell gelten wird, »der Scharia-Staat der Islamisten oder der säkular-demokratische Staat der westlichen Zivilisation« (ebd., S. 216, 211 und 215). Aber welche Alternative bleibt, als den Zielpunkt Toleranz und Toleranzfähigkeit auf allen denkbaren Ebenen unbeirrt zu verfolgen, bei aller gebotenen, kritischen Wachsamkeit und gegebenenfalls geistigen und realen Wehrhaftigkeit? Und vor allem unentwegt für den höheren Wert menschlichen Lebens und menschlicher Vielfalt vor allen absolut fordernden Ideen, Ideologien, Theorien und Glaubenssystemen zu kämpfen? – K. Popper (1994) hat es auf den Punkt gebracht: »Laßt Theorien sterben, nicht Menschen« (zit. n. J. Güntner, *Dtsch. allg. Sonntagsblatt*, Nr. 38 vom 23. 09. 1994, S. 21). Dies könnte ein zündender Leitsatz für Toleranz und gegen Fanatismus sein.

d) Zum möglichen Umgang mit Fanatikern

Die Frage, welche Gegenbewegungen es gegen die Entwicklung fanatischer Bewegungen, ebenso auch gegen das Erstarken einzelner Fanatiker geben kann, ist eine für unsere Welt absolut lebenswichtige. Wie jedoch soll den gegenwärtig schon bestehenden Systemen begegnet werden, deren Initiatoren und deren Anhänger fanatisch ausgerichtet sind, und wie der Vielzahl einzelner fanatischer Menschen bei uns und weltweit? Wie kann mit ihnen im Konkreten umgegangen werden? Wo lässt sich in der gegenwärtigen historischen Situation und in der Gesellschaft, wie sie ist, der Hebel ansetzen, um fanatische Entwicklungen Einzelner oder bestimmter Gruppen – ob religiöser, ob politischer Art – zu verhindern? Die Frage, so gestellt, könnte wirklich Resignation auslösen. Denn wer den direkten Schlüssel zu solchem Einstieg hätte, hätte ihn auch zur Änderung der einzelnen psychischen Strukturen, der – ausführlich dargelegten – komplexen Dynamik, aus der heraus der Drang zum Extrem entsteht.

Freilich wäre es – theoretisch – denkbar, bestimmte Menschen, bei denen auf Grund ihrer bisherigen Biographie und psychischen Entwicklung eine verstärkte Fanatisierungsgefahr zu vermuten ist, in einem komplizierten Verfahren zu bestimmen, um sie zumindest von größerer politischer oder auch religiöser Einflussmöglichkeit fernzuhalten. Aber wer sollte dies tun, und, wäre es möglich, welche neue Art von Gesinnungsterror und Machtausübung würde dadurch geboren? Es gab ja durchaus schon Vorschläge, auch milde und gutgemeinte, in diese Richtung. So z. B. der des Psychiaters Kolb, der auf Grund der schlimmen Erfahrungen mit der Münchener Räterepublik nach dem Ersten Weltkrieg tatsächlich anregte, »psychiatrische Beraterstellen« bei den Regierungen einzurichten, um niemand in wichtige staatliche Stellung zuzulassen, »dessen Lebensgang nicht vollständig überblickt werden kann« (zit. n. K. Bonhoeffer, 1923, S. 601). Diese Anregung nötigt uns heute aus verschiedenen Gründen ein Lächeln ab – und dennoch: Gefährliche Menschen vom Typ Stalin, Hitler, Saddam Hussein, Gaddhafi, Khomeini oder Karadzic, und nicht wenige andere Machthaber mit oder ohne fanatische Ausrichtung, könnten so vielleicht von der Macht ferngehalten werden. Was aber, wenn dieselben von einer großen Zahl fanatisch induzierter Anhänger emporgetragen werden, oder wenn sie gar durch einen demokratischen Wahlprozess an eben diese ihre Macht gelangen? Die Frage beantwortet sich von selbst.

Der direkte Umgang mit fanatischen Menschen ist prinzipiell schwierig, und er kann nie befriedigend gelingen. Dies ergibt sich aus allem, was über das Wesen des »Fanatischen« und über die Struktur und Psychodynamik von Fanatikern ausgeführt wurde. So betont auch H.-J. Wirth (2002) im Blick auf die Frage, wie man mit Fanatikern und Terroristen um- und gegen sie vorgehen soll, dass diese »sich selbst jedoch nicht oder nur höchst begrenzt kommunikativ beeinflussen lassen«; ihre »paranoide ›Festungsmentalität‹« schirme sie gegen solche Versuche der Einflussnahme ab, und deshalb stießen »diplomatische Initiativen bei fanatischen und paranoiden politischen und religiösen Gruppen meist an unüberwindliche Grenzen«; Fazit: »Mit Fanatikern kann man nicht oder nur höchst begrenzt verhandeln« (ebd., S. 384). So sehr dies zutrifft – ein differenziertes Wissen um die beschriebenen unterschiedlichen Formen der fanatischen Ausprägung und ihrer Entstehungsarten, einschließlich der verschiedenen hier wirksamen Einflussgrößen, vermag dennoch sehr hilfreich zu sein. Fanatiker ist nicht gleich Fanatiker, wie wir schon sagten. Es können sich trotz allem eventuell mögliche Zugangsseiten, Chancen für Gesprächsansätze oder Unterschiede im Gruppen- oder Einzelverhalten herausfinden lassen, aus denen sich Hinweise für die flexible Gestaltung des eigenen Verhaltensstils ergeben.

Beim typischen *essentiellen* Fanatiker nun, wie er beschrieben wurde, speziell noch bei dem von der »harten« Ausprägung (vgl. Kap. III.), ist in der Regel ein offener Dialog zur Sache ebenso wenig möglich wie eine Bitte, ein Appell, ein Ultimatum, um ihn in der fanatischen Zielverfolgung zu mildern oder zu stoppen. Hier hat auch ein Toleranzsignal keine Chance. Der politische Weltverbesserungs- und Welteroberungsfanatiker, wie wir ihn konkret kennen, wird dies nur als Schwäche einstufen und diese auszunutzen versuchen; der religiöse Sektenfanatiker oder der fanatische »Heilige Krieger« wird darin nur eine abzuwehrende Versuchung seitens des »Bösen«, eine Verführung zur Halbheit oder zum Abfall vom reinen Glauben erleben.

In solchem Fall kann dann – wie gerade die sehr drastischen Beispiele von verbrecherischer fanatischer Machtausübung in unserem und im vergangenen Jahrhundert zeigen – wirklich nur die klare Gegenposition der Abgrenzung oder gar des äußeren, militanten Kampfes als Alternative übrig bleiben. Dies wäre der Zeitpunkt zum Einsatz des Gewaltmonopols des Staates oder der Völkergemeinschaft, im Inneren auch des »Widerstands« in allen denkbaren Formen. Dies bedeutet für die nichtfanatische Seite aber auch den Bewährungspunkt für die gebotene und wirkliche Abkehr vom Konsequenzprinzip (s. o.), indem sie nämlich auch für die hier so sehr hochgehaltene Toleranz eine Grenze setzt: Toleranz als Haltung wo auch immer möglich, ja – aber keine Toleranz gegenüber der Intoleranz! Dazu zu stehen, heißt den harten Fanatismus aus Kenntnis seiner inneren Art und damit seiner Gefährlichkeit ernst zu nehmen. Das Erstreben von Toleranz in unserer Welt ist deshalb auch keinesfalls identisch mit einfacher Gewaltlosigkeit oder mit Pazifismus, so sehr diese ihre eigene, gewiss hochzuschätzende Bedeutung und Wirkebene zur friedlichen Erreichung von Zielen haben.

Bei jenen weitaus zahlreicheren Menschen nun, die »nur« *teilfanatisch* sind, die also in einer besonderen sozialen, politischen und psychologischen Situation fanatisch mitgerissen wurden, sonst aber strukturell in ihre bisherigen Lebensbezüge eingebettet bleiben, ist die Situation eine andere, günstigere. Solche »induzierten« Fanatiker, die sich zu einem großen Teil – aber keineswegs durchgehend – mit dem Typus des »weichen« Fanatikers decken, sind von anderer Struktur und Reaktionsweise (vgl. Kap. III.). Ihre stärkere Beeinflussbarkeit und fanatische »Verführbarkeit« auf idealistisch-begeisternder Ebene oder aber auf der Ebene der eigenen Interessen und Triebdynamik macht sie auch prinzipiell zugänglich gegenüber sonstigen Kommunikationsversuchen von außen. Dies besonders auch noch wegen ihrer gleichzeitigen anderen, harmonisierenden Charakterzüge und vor allem der partiell ja erhaltenen Bedeutung des bisherigen sozialen Beziehungsnetzes, ihrer Einbettung in Familie, Beruf, Freundeskreis, künstlerische und andere Interessen also. Die Stärke solcher verbliebener Bindungen macht die Chance für einen Dialogversuch auch zu dem fanatisierten Lebensbereich hin aus. Derartiges kann freilich nur sehr behutsam geschehen. Hier ist der Ort für eine zu entwickelnde »Kultur des Dialogs«, wie sie von R. Bernhardt (1994, S. 193) speziell für den religiösen Dialog gefordert wird. Auch wo zunächst schroffe Ablehnung und fanatische Zielkonsequenz nach außen die erste Reaktion darstellen, kann es innerlich zu einem gewissen kritischen Anstoß kommen: ein Ansatz des Überlegens, der Introspektion, der Realitätsprüfung oder Projektions-Rücknahme, überhaupt des Besinnens auf weiterhin gültige ethische Normen und andere wichtige Lebensperspektiven.

Denn der »weiche« Fanatiker und der »Teilfanatiker« trägt ja selbst den Zwiespalt, dieses oft auch innerlich wahrgenommene Spannungsfeld zwischen seiner fanatischen Ausrichtung auf der einen und seiner sonstigen persönlichen Existenz auf der anderen Seite, in sich.

Die Haltung der Toleranz bedeutet also nicht nur allgemeine Gegenbewegung und Gegeneinstellung gegen das Fanatische überhaupt. Das Toleranzangebot hat auch echte Chancen in der direkten Begegnung und im Umgang mit fanatischen Menschen. Sie liegen zwar bei »Null« dort, wo wir den klassischen, essentiellen Fanatiker vom »harten« Typ vor uns haben; sie steigen aber prinzipiell bei allen Arten von »Teilfanatikern«, vom induzierten oder vom primär »weichen« Typ, an. Dies gilt für politischen Fanatismus eher als für religiösen Fanatismus. Nur dort freilich, wo die Begegnung ernsthaft ist, wo der Fanatiker sich trotz aller Gegensätze als Mensch wahrgenommen und ernstgenommen fühlt, ist überhaupt die Öffnung eines solchen ersten Spaltes in der fanatischen Festung zu erwarten.

VIII. Schlussbetrachtung

Es ging in diesen Darstellungen um den Versuch, das Gesamtphänomen Fanatismus von seinen psychischen Voraussetzungen und seinen inhaltlichen Entfaltungen her zu beleuchten, verständlich zu machen und gleichzeitig zu analysieren. Dies geschah in einem Bogenschlag von wichtigen gesellschaftlichen Hintergründen über grundlegende Wesensmerkmale und Einteilungsmöglichkeiten bei fanatischen Menschen bis zu entsprechenden typologischen und psychodynamischen Differenzierungen; und von da aus weiter über die Darstellung typischer Fanatiker-Gestalten und fanatischer Bewegungen sowie die Besprechung von Übergängen und notwendigen Abgrenzungen bis zu der Frage, welche Gegenbewegungen gegen den Fanatismus möglich sind. Auf Vieles, was noch zu sagen ebenfalls wichtig oder erhellend gewesen wäre, musste verzichtet werden, oder es ließ sich nur andeuten.

Wir stehen so nach diesen einzelnen Schritten unter dem Eindruck einer beklemmenden und erschreckenden, manchmal ungeheuerlich anmutenden Erscheinung, die andererseits sehr zentral im Wesen des Menschen und in den für ihn gerade besonders wichtigen Anliegen wurzelt. Unvermittelt können wir mit dem Ausbruch fanatischer Gewalt konfrontiert sein, oder miterleben, wie jemand von einer fanatischen Idee plötzlich gepackt und mitgerissen wird. Andererseits kann sich das Entstehen einer fanatischen Bewegung, oder die fanatische Entwicklung eines Menschen, erkennbar in einem Prozess über längere Zeit hinziehen. Für beides wurden Beispiele gebracht. Und diese Prozesse lassen sich bei allen Arten von Fanatismus beobachten: sowohl bei den beiden inhaltlichen Hauptformen, nämlich dem religiösen und dem politischen Fanatismus – die zugleich die weltweit wirksamsten und gefährlichsten sind –, als auch bei den vielerlei persönlich-individuellen Formen, die zur Sprache gekommen sind. Die allmähliche Entwicklung einer fanatischen Einstellung und ihrer Ausformung ist aber die Regel.

Von besonderer Wichtigkeit war dabei auch eine Differenzierung und nähere Darstellung der verschiedenen *formalen* Arten von Fanatismus: einmal die Unterscheidung von »essentiellem« und »induziertem« Fanatismus, dann von »Einzel«- und »Massen«-Fanatismus, ebenso auch von »hartem« und »weichem« Fanatismus. Jeweils ergibt sich aus der Art der Entstehung, der intrapsychischen Bedürfnislage sowie der Einbettung der fanatischen Einstellung in die übrige Persönlichkeit und deren soziale Welt eine recht unterschiedliche Konstellation. Fanatismus ist nicht gleich Fanatismus, und Fanatiker ist nicht gleich Fanatiker – diese hier mehrfach betonte Feststellung und Erfahrung bildet den Schlüssel zum besseren Verstehen der Welt des Fanatischen überhaupt, als Voraussetzung auch jeder Überlegung, wie mit dem jeweiligen Fanatiker umgegangen werden könnte. Andernfalls würde der Fanatismus für uns nichts anderes sein können als eine prinzipiell unübersteigbare Wand oder eine uneinnehmbare Bastion feindlicher Mächte, gegen deren gewaltsames Vorrücken und rücksichtslose Durchsetzung nur hilfloses Entsetzen oder aber militante Gegengewalt bleibt. Das weit verbreitete Bild vom Fanatismus als einem Ausleben brutaler Gewalt- und Machtbedürfnisse, von Hass, Grausamkeit und infernalischem Bösen wurde von uns deshalb mit gutem Grund gleich zu Beginn korrigiert, mit der Klarstellung, dass diese Phänomene zunächst und vom Wesen her nichts mit Fanatismus selbst zu tun haben, auch wenn sie sich mit ihm oft in so verheerender Weise vermischen.

Das wirklich Beklemmende und Erschreckende, das zutiefst Beunruhigende und Alarmierende am Fanatismus in unserer Welt liegt auf einer ganz anderen Ebene. Dies wurde im Lauf der Darstellungen immer wieder und unter den verschiedensten Blickpunkten herausgestellt und beleuchtet: die Tatsache nämlich, dass die allermeisten fanatischen Einstellungen und Bewegungen, im besonderen gerade die im religiösen und im politischen Raum verankerten, von dem Zielpunkt der Verwirklichung *hoher Ideen und Ideale*, vollkommener Glaubens- und Lebensformen, umfassender welt- und menschenbeglückender Systeme ihren Ausgang nehmen. Das Vorfeld hierfür stellt die hohe Begeisterung, die totale Identifikation mit eben einem solchen Ideal dar, das dann in seiner Einseitigkeit in typischer Weise entartet und destruktiv wird. Auf der Basis fundamentalistischer Eindeutigkeit und Festgelegtheit, erst recht der primären Bedürfnisse nach Ausschließlichkeit und Konsequenz, und unter Entbindung besonderer »fanatischer Energie«, kommt es dann zur fanatischen absoluten Durchsetzung der eigenen Position, notfalls mit Gewalt und um jeden Preis.

Eine solche *»Destruktivität von Idealen«* – W. Schmidbauer (1980) hat es markant in seinen Buchtitel aufgenommen – gerade infolge des Versuchs zu deren vollkommener Realisierung, und dann die Manipulierung der Gewissensfunktion im Dienste eben dieser Ideale – dies ist es, was wir eingangs als den »luziferischen Sturz« von hohen Wertidentifikationen und Beglückungsphantasien in tiefe Inhumanität bezeichnet haben. Eben diese Erfahrung macht das besonders Erschreckende aus, und dies um so mehr, als ja damit nicht etwa ein Problem der »Anderen« beschrieben ist, sondern eine Gefahr in uns allen. Nur wer keinerlei Begeisterungsfähigkeit für eine große Sache, keine Sehnsüchte nach Schaffung einer besseren Welt, keine Hingabebedürfnisse an eine faszinierende Gemeinschaft kennt, kann sich davon freisprechen – aber was ist dies dann für ein Mensch?

So bleibt der beklemmende Zwiespalt in uns selbst, die lauernde Gefahr solcher »ungewollter« und ungeahnter Destruktivitätsentwicklung, gegen die nur Wachsamkeit nach innen, Selbsterfahrung und kritische Selbsterkenntnis helfen kann. Damit sind hier auch alle Menschen und Institutionen, die sich mit Erziehung, Bildung, Verkündigung und Therapie befassen, in besonderer Weise aufgerufen, diese Binnengefahr zu erkennen, bewusst zu machen und zu bearbeiten: eben die »Gefahr von oben«, von der Welt hoher Ziele und Ideale her, nicht die hinreichend thematisierte »Gefahr von unten«, von der Triebwelt und Machtwelt her (s. o. und Kap. IV.). Ausdrücklich ausgehend vom diesbezüglichen Wissen der Psychoanalyse, haben Haynal u. a. (1983) diese Gefahr für die humane Wertwelt dahingehend lapidar formuliert, »that all this values are profoundly threatened by ourselves, by the fanatic who lurks in each of us« (ebd., S. 78).

Es wurde auch dargestellt, dass die *inhaltliche* Ausrichtung des Fanatischen sich auf praktisch alle Lebensgebiete erstrecken kann. Überall, wo starke Bindung an eine Sache herrscht und diese dann hohe Begeisterung weckt, wo es um reinen Glauben und zentral wichtige Überzeugung geht, kann das Pendel aus dem Normal- oder Durchschnittszustand in die fanatische Richtung ausschlagen: in die genannten, vielgestaltigen Formen von religiösem oder politischem Fanatismus, in den klassischen Gerechtigkeits- oder Wahrheitsfanatismus, in Kunstfanatismus, Ernährungsfanatismus, Sportfanatismus u. a. Die Übergänge sind natürlich oft fließend. In der Regel bestehen aber doch Unterscheidungsmöglichkeiten – und diese wurden z. T. ausführlich besprochen (vgl. Kap. V.) – auch gegenüber den vielen Menschen, die in ihrem intensiven persönlichen Engagement für eine ihnen enorm wichtige und sie faszinierende Sache ebenfalls höchsten und absoluten Einsatz bringen; man denke an außergewöhnliche Leistungen auf künstlerischem, wissenschaftlichem oder technischem Gebiet, aber auch an das intensive Aufgehen in einer religiösen Lebensführung oder karitativen Aufgabe. Dies alles gehört, auch in seiner Außergewöhnlichkeit und Normabweichung, einfach zum großen Reichtum des Lebens und seinen Sinngestaltungen. Oft wird hier dann die Bezeichnung »fanatisch« in falscher oder vorschneller Weise verwendet.

Das fanatische Verhalten vermittelt vom äußeren Eindruck her weithin die Zeichen von großer Stärke, Energie, Selbstbewusstsein und Gewissheit um das richtige Ziel. Es war uns sehr wichtig, gerade dieses Bild partiell zu entlarven und solche Merkmale, überhaupt den Drang zum Extrem, auf besondere Mechanismen der Überkompensation von heimlich vorhandenen Zweifeln an der Sache, auch von persönlichen Mängeln und Kränkungserfahrungen im bisherigen Leben, zurückzuführen. Ein solcher Zusammenhang im psychodynamischen Ablauf, wie er auch von anderen Autoren herausgestellt wird, macht vieles am fanatischen Wesen, auch an dessen spezieller Ausformung durch die Persönlichkeitsstruktur, verständlich. Fanatismus besteht also nicht nur in ganz spezifischer *Stärke*, sondern auch in ganz spezifischer *Schwäche*. Das bekannte Wort Nietzsches (1882; zit. nach Wirth, 2002, S. 365), der Fanatismus sei »die einzige ›Willensstärke‹, zu der auch die Schwachen und Unsichern gebracht werden können«, trifft also ebenfalls zu, aber es trifft eben nur die eine Hälfte der psychischen Wahrheit, ist also in dieser Einseitigkeit wiederum unstimmig. Zweifellos aber erweist sich gegenüber diesem Anteil von »Schwäche«, auch in deren Überkompensation, die eingehend beschriebene Fähigkeit zu echter Toleranz als die eigentliche menschliche Stärke.

Um diese eine spezielle Wurzel des Fanatischen zu wissen, um die besondere individuelle Schwäche dessen also, der zur fanatischen Ausrichtung oder zum Infiziertwerden durch fanatische Bewegungen neigt, scheint uns sehr wichtig. Freilich gibt es auch die erwähnte, jedoch kleinere Gruppe fanatischer Menschen, bei denen solche Überkompensations-Vorgänge keine Rolle spielen, die vielmehr ein von Natur aus ungetrübt starkes Selbstbewusstsein und Energiegefühl entwickeln, das sie, mit urtümlicher Lust an extremen Aktionen und Zielverwirklichungen gepaart, zu fanatischem Verhalten hinreißen kann. Hier vermögen sich primäre Größenideen, welchen Ursprungs auch immer, in direkter Weise zu entfalten.

Die andere, ersterwähnte Gruppe jedoch erweist sich als wesentlich gefährlicher. Nicht etwa nur, weil sie umfangreicher ist und zu ihr auch ein Großteil der fanatisch Infizierten und der Mitläufer in fanatischen Systemen gehört; sondern weil Überkompensationsvorgänge von derartiger innerer Notwendigkeit und Heftigkeit zu einem ebenso heftigen und übersteigerten Durchsetzungsdrang, einer entsprechenden energetischen Aufladung und einer absoluten Konsequenz im Denken und Handeln führen. Jede Kompromissbildung wäre Verrat an der inneren und äußeren Sache. Hier wurzelt die fatale Alles-oder-Nichts-Einstellung, die Fixierung des verhängnisvollen Vollkommenheits- und Perfektionsideals, der tödliche Kampf »bis zum letzten Blutstropfen«. Eingebettet in eine solche Bewegung, begeistert mitgerissen und emporgetragen durch ein überzeugendes religiöses oder politisches Ziel, kann dann auch der sekundär fanatisch Infizierte die Kompensation aller seiner Defizite, die Befreiung von seinen Selbstwertproblemen, die Ergänzung seiner narzisstischen Lücken – Lösung und Erlösung in einem – erleben. Dies dann erst recht, wenn die Gestalt eines entsprechenden »Führers« nicht nur eine ideologische, sondern auch eine personale Identifizierung erlaubt. Diese Zusammenhänge wurden hinreichend beschrieben.

Von der stärksten und verhängnisvollsten Auswirkung auf unsere Welt ist zweifellos der Typ des stoßkräftigen, *expansiven Ideen-Fanatikers*.

Sowohl in seiner essentiellen, also das gesamte Wesen und Verhalten durchdringenden Form, als auch in Form seiner fanatisch induzierten Anhängerschaft, wozu auch die beschriebenen dumpf-emotionalen Gruppen-Fanatiker und die konformen Mitläufer-Fanatiker gehören, neigt er zur steten Ausbreitung und zur rücksichtslosen Durchsetzung der idealisierten Ziele. Die Mittel hierzu können Gesinnungsterror, Glaubensterror und autoritäre Beherrschung sein, ebenso auch revolutionäre Aktionen, militanter Kampf und offener, blutiger Terrorismus bis hin zum Suizid-Terrorismus.

Erneut sei auch betont, dass nicht nur religiöser Fanatismus und politischer Fanatismus je für sich in unserer Welt derartig gefährlich werden können, sondern auch, und erst recht, die Kombinations- und Verschmelzungsformen und die vielschichtigen Verstrickungen zwischen beiden; und ebenso, dass beide Formen im Untergrund der Psyche emotional zusammenfließen, dass sich deshalb auch der politische Fanatismus als umso rigoroser, unbeeinflussbarer und totaler erweist, je mehr er Elemente des religiösen Fanatismus in sich trägt. So kann die »Nation«, das »Vaterland«, die »ethnische Reinheit« zur Ersatzreligion werden. Eine entsprechende Sprache – »Heilig Vaterland« – muss uns daher in höchstem Maße alarmieren!

In allen Darlegungen und Analysen wurde immer wieder darauf hingewiesen, dass es sich beim Fanatismus um ein sehr *komplexes* Phänomen handelt, dass er im Schnittpunkt unterschiedlichster Beeinflussungsgrößen entsteht. Außer der persönlichen sozialen Situation, dem politischen und religiösen Umfeld sowie dem allgemeinen gesellschaftlichen Klima spielen vor allem die Persönlichkeitsstruktur und die intrapsychische Dynamik des Einzelnen eine zentrale Rolle. Ohne eine begünstigende psychische Innensituation kann eine noch so missliche, extreme und dramatische Außensituation nicht zur fanatischen Entwicklung führen. Der Drang zum Extrem wurzelt im Inneren des Menschen, nicht im Außen.

In der Gesamtbetrachtung aller uns bekannter und zugänglicher Determinanten stellt das Fanatischwerden und der Fanatismus somit ein deutlich multifaktorielles Geschehen dar. Er ist, nach L. Bolterauer (1975), »eine mehrfach bedingte Reaktionsform, und er ist nur bei Zutreffen aller Voraussetzungen möglich« (ebd., S. 302). Dies trifft selbst für die beschriebenen massenfanatischen Erscheinungen zu; auch wenn hier die äußeren, situativen Einflussfaktoren dominieren, bleiben diese ohne die Induzierung innerer fanatismusgeneigter Anteile mit ihrer entsprechenden Dynamik unwirksam, bzw. entfalten kaum eine fanatische Stoßkraft. Monokausale Zuordnungs- und einlinige psychogenetische Modellvorstellungen gehen jedenfalls an dem systemischen Bedingungs- und Wirkgefüge, mit dem wir es hier auf sozialer, mentaler, affektiver und psychodynamischer Ebene zu tun haben, völlig vorbei.

Andererseits wurde aber auch klargestellt und entsprechend belegt, dass der klassische Fanatismus *keine Form von Krankheit* ist, dass er zwar weithin zur typischen Welt des *Abnormen* gehört, doch ohne in der Regel die Grenze zum definierbar Pathologischen zu überschreiten. So spielen hier oftmals abnorm strukturierte Menschen, kaum aber psychisch kranke Menschen eine Rolle. Es sind Ausnahmefälle, bei denen der Fanatismus wirklich aus einer Krankheit im psychiatrischen Sinn entsteht, z. B. im Zusammenhang mit einer wahnbildenden Störung. Vor allem das große Heer von fanatisch infizierbaren, begeisterungsfähigen und überzeugungsfixierten Menschen kann ja gewiss nicht pathologisch akzentuiert werden, sieht man von den allgemeinen, für unseren Kulturraum nun einmal typischen neurotischen Strukturbildungen ab. Diese haben, wie gezeigt wurde, zwar deutliche ausformende Einflüsse auf das fanatische Verhalten, doch liegen sie nicht auf gleicher Ebene wie dessen eigentliche Wurzeln.

Das Bedrückende und Erschreckende, und das, was uns alle so betroffen machen muss, ist ja gerade, dass der Fanatismus der Welt der *Gesunden* entstammt; und dass wir alle uns von einer solchen potentiellen Anfälligkeit von vornherein nie freisprechen können (s. o.); der Beweis hierfür wurde in unserer Kultur, bis in die jüngsten Zeiträume hinein, hinreichend geliefert. Viele der »großen« markanten Fanatiker, die politische und religiöse Weltgeschichte machen, und nicht wenige der »kleinen« Fanatiker, Menschen also mit typischer fanatischer Wesensart, stechen freilich durch ihr auffälliges Verhalten oft schon im Vorfeld besonders hervor. Im Prinzip gibt es sie allerorts und zu allen Zeiten. Wenn die sozialen, politischen und psychologischen Voraussetzungen dann für sie günstig sind, haben sie ihre große Stunde des Wirkens, und finden dann auch prompt ihre Anhänger in Form von fanatisch induzierbaren Menschen. E. Kretschmer (1958) hat die entsprechende Situation trefflich gekennzeichnet, wenn er nach der Bestätigung, dass es solche Menschen immer gebe, lapidar fortfährt: »Aber in den kühlen Zeiten begutachten wir sie, und in den heißen – beherrschen sie uns« (ebd., S. 20).

Eine *Gegenbewegung* gegen den Fanatismus – kann sie eine Chance haben? Wir haben versucht, uns der Frage zu stellen. Gerade das derzeitige weltweite Wiedererstarken fundamentalistischer und fanatischer Bewegungen (s. Kepel, 2001, S. 14f.) muss uns aktiv herausfordern, wollen wir nicht in Resignation verfallen oder uns in hilfloser Angst einigeln. Zunächst ist schon die Tatsache wichtig, dass der überwiegende Teil der Menschen auf dieser Welt nicht fanatisch ist und auch nicht fanatisch wird. Sie haben nicht die innerseelischen Voraussetzungen dazu, trotz noch so schwieriger sozialer oder politischer Verhältnisse. Fanatiker sind also in der Minderzahl. Und unter ihnen selbst stellt wiederum die grundsätzlich beeinflussbare Gruppe der Anhänger, der »infizierten« Fanatiker, überhaupt auch der »Teilfanatiker« und der »weichen« Fanatiker, den weiteren Hauptanteil dar. Bei diesen nun – nicht bei dem Kern der »essentiellen« und »harten« Fanatiker – gibt es Chancen der ansatzweisen Kommunikation, der individuellen Versuche zu einem Dialog. Denn diese Gruppe trägt eine spezifische Ambivalenz, die eingehend beschriebene Spannung zwischen fanatischer Existenz und »normaler« Existenz, in sich, worin eben die Möglichkeit für eine solche Einflussnahme liegen kann (vgl. Kap. III.). Es darf aber kein Zweifel aufkommen: Alle solchen Versuche sind enorm mühsam und enttäuschungsreich, denn es liegt ja eben im Wesen des Fanatikers, dialogunfähig und ganz auf Kompromisslosigkeit ausgerichtet zu sein.

So lässt sich auch die Haltung der *Toleranz*, als Kern jeglicher antifanatischer Einstellung, zunächst nur im eigenen Umkreis praktizieren. Sie stellt, wie gezeigt, eine aktive und hohe psychische Errungenschaft dar, eine Kulturleistung, die eine vergleichsweise ebenso große Kraft, Hartnäckigkeit und Unbeirrbarkeit erfordert wie die fanatische Intensität. Die Einübung von Toleranz hat natürlich weitreichende pädagogische Perspektiven und Konsequenzen. Und auf dieser Ebene trifft sie sich mit den beiden anderen, oben beschriebenen Zielen, die in besonderer Weise auf die Fähigkeit zur Kompromissbildung ausgerichtet sind: die Anerkennung der *Wertevielfalt* als eigenem Wert und damit als Bejahung eines prinzipiellen Werte-Pluralismus; und ebenso die positive Anerkennung der *Unvollkommenheit* aller Lebensabläufe und Zielverwirklichungen, mit dem Mut zu ihr als Kontrapunkt zu den typischen ideell-ideologischen Zielsetzungen mit Vollkommenheitsimperativen (vgl. Kap. VII.). Dies bezieht sich auf religiöse und auf politische Systeme gleichermaßen.

In Anbetracht der Weltlage, mit dem beschriebenen unerwarteten Erstarken fundamentalistischer und fanatischer Strömungen (s. o.), mag eine solche Ausrichtung auf notwendige, ihrem Wesen nach aber langfristige Änderungen in unserer Wertehierarchie für viele naiv anmuten. Das klassische Argument, dass ja eben jene Gruppen und Bewegungen, die eine Einstellungsänderung am nötigsten hätten, von solchen Impulsen am wenigsten erreicht würden, scheint zunächst schlagend zu sein. Daraus aber den Schluss abzuleiten, alle Bemühungen um Gegenbewegungen gegen die Welt des Fanatischen seien vergeblich, wäre klare Resignation und Kapitulation vor eben dieser Welt. Außerdem verbergen sich auch in dieser Sicht selektive Elemente, indem nicht wahrgenommen wird, wie sehr als Gegenbewegung gerade seitens der Religionen vielfältige Bemühungen, Strömungen und Begegnungen aufeinander zu im Gange sind: von den bekannten versöhnenden und dialogbereiten Deklarationen übergeordneter Institutionen bis zu den vielfältigen verstehensgeneigten Annäherungen der Menschen aus verschiedenen religiösen Traditionen im Alltagsleben. G. Schweizer (2002) hat, neben vielen anderen Autoren, diese Doppelpoligkeit und scheinbare Widersprüchlichkeit der gegenwärtigen geistigen und religiösen Strömungen in vielen Details aufgezeigt (ebd., S. 11–30).

So rief schon 1961 der Ökumenische Rat der Kirchen die Weltreligionen auf, sie sollten alte Vorurteile überwinden und vorbehaltlos den Dialog miteinander beginnen, und 1965 sandte der Islamische Weltkongress an die Kirchen Grußbotschaften des Inhalts, dass zu lange schon das Trennende über das Gemeinsame gestellt worden sei und die Muslime zu Gedankenaustausch und Zusammenarbeit bereit wären; 1985 forderte der interreligiöse Kongress von Madras in einer Erklärung die Religionen auf, sich nicht länger untereinander zu bekämpfen, sondern das Wertvolle in anderen Glaubensbekenntnissen zu respektieren (s. Schweizer, 2002, S. 11f.). Einen besonderen und bemerkenswerten neueren Markstein in dieser Entwicklung stellt die Deklaration des Parlaments der Weltreligionen in Chicago 1993 zum »Weltethos« dar. Zum ersten Mal in der Geschichte der Religionen überhaupt hat dieses Parlament, unter Vorarbeit von H. Küng, eine solche gemeinsame Erklärung vorgelegt als das »Minimum« dessen, »was den Religionen der Welt schon jetzt im Ethos gemeinsam ist«. Einer der wesentlichen Abschnitte in der zusammenfassenden Einführung lautet: »Wir verpflichten uns auf eine Kultur der Gewaltlosigkeit, des Respekts, der Gerechtigkeit und des Friedens. Wir werden keine anderen Menschen unterdrücken, schädigen, foltern, gar töten und auf Gewalt als Mittel zum Austrag von Differenzen verzichten« (Küng/Kuschel, 1993, S. 10 u. 18).

Man kann diese Einstellungen und Erklärungen, vor allem die letztere zum »Weltethos« im Sinn von H. Küng (vgl. auch Kap. VII.), mit Recht als eine Art »antifanatische« Position werten, indem hier implizit alle fanatischen Durchsetzungsaktivitäten und Gewaltmittel abgelehnt werden. Und langfristig gibt es wohl nur den einen Weg: dies unentwegt zu deklarieren, zu verbreiten, es in Erziehung und Unterricht als Basis und Standard zu setzen, im Wissen darum, dass im friedfertigen Angehen von Problemen und Differenzen die menschlich bessere Lösung liegt. In Anbetracht der eigentlichen Aufgaben der großen Weltreligionen hätten es die christlichen Kirchen sogar leicht, sagt H. Geißler (2003, S. 268), »sich an die Spitze der globalen Bewegung für Freiheit, Toleranz und Gerechtigkeit zu setzen«.

Dass freilich in der Bekämpfung des Fanatismus und von Fanatikern, speziell wenn es um essentielle Fanatiker mit Expansivität und dem rigorosen Einsatz von Machtmitteln geht, als letzte Möglichkeit trotz allem dann doch oft nur die entschlossene Gegengewalt bleibt – »keine Toleranz gegenüber der

Intoleranz!« –, gehört zu den in dieser Welt, so wie sie ist, notwendigen Inkonsequenzen (vgl. Kap. VII.). In dieser Art von Inkonsequenz liegt auch gleichzeitig ein besonderer Prüfstein für das Augenmaß, das jede antifanatische Strategie braucht. Denn dass in der »Konsequenz« und im »Konsequentsein« ohnehin eine gefährliche, fanatismusgeneigte Ideologie schlummert, und diese Haltungen also keinesfalls naiv als einfache »Tugend« oder als fragloser besonderer Wert eingestuft werden können, haben wir hinreichend verdeutlicht.

Die erwähnten Aufforderungen und Deklarationen zum friedlichen, sich akzeptierenden Umgang der Religionen untereinander stellen deswegen eine so wichtige Antithese zum gegebenen Zustand der Welt dar, weil ja gerade von religiösen Glaubensüberzeugungen Urformen und Höchstformen von Fanatismus in der Welt mit absoluter Intoleranz und rigoroser Durchsetzung ausgegangen sind. Wir haben psychologisch verständlich zu machen versucht, warum. Dass jetzt bei der Gegenbewegung wiederum die Religionen in der Initiative sind, darf als ein besonderes Hoffnungszeichen gelten. Denn diese können von ihrer Substanz her, weit mehr als politische Systeme, den Willen und die Kraft aufbringen, Wert und Würde jedes einzelnen Menschen von Grund auf zu achten – entgegen allem Augenschein. Gerade aber in dieser Achtung, die ohne einen ersten Ansatz von Liebe nicht möglich ist, liegt ein besonderer Gegenpol zum Fanatischen.

Die Auseinandersetzung mit dem Fanatismus in der Welt, die gegenwärtige und die zukünftige, trägt sicherlich oft Züge einer Sisyphus-Arbeit an sich. Denn Fanatismus ist ein Menschheitsphänomen, das bleiben wird, er wurzelt in den Eigenschaften der menschlichen Psyche überhaupt. Amos Oz (2004) nennt ihn »unglücklicherweise eine allseits präsente Komponente der menschlichen Natur« (ebd., S. 38f). Zumindest für eine bestimmte Gruppe von Menschen stellt er ja die Möglichkeit dar, in der Überkompensation von persönlichen Mängeln und Lebenswidrigkeiten durch den fanatischen Aktionismus eine besondere Erhöhung und ein besseres Selbstgefühl zu erfahren; ebenso kann er die in uns verborgenen Größenideen auf eine scheinbar legitime Weise zur Entfaltung bringen, sodass sich eben in dieser Erhöhung eine Erfüllung hoher Ideale erleben lässt – eine Identifikation mit dem, was den Menschen vollkommenes Glück und letztlich Erlösung bringen soll. Diese faszinierende Versuchung, diesen Drang zum Extrem wird es daher immer geben, und dies gerade ja auch deshalb, weil nicht etwa eine primär »niedrige«, sondern eine primär »hohe« Gesinnung den Fanatismus ausmacht und somit den Fanatiker in seinem Selbsterleben prägt.

In der Haltung, vor der Macht des Fundamentalismus und erst recht des Fanatismus in der Welt nicht zu resignieren, sondern alle Möglichkeiten einer Gegenbewegung hierzu zu aktivieren, liegt eine Entscheidung für Fülle und Reichtum des Lebens, seinen Wert und seine Vielfalt an Einzelwerten und Möglichkeiten überhaupt. Denn eben diese Lebenselemente sind durch die fixierten Einseitigkeiten und Verabsolutierungen fanatischer Bewegungen mit ihrer kompromisslosen Durchsetzungsrigorosität im Kern bedroht. Unbestritten wollen auch fanatische Menschen aus ihrer Sicht und Überzeugung das »Bessere« und das »Gute« für die Welt, und ebenso unbestritten will es auch die beschriebene Gegenbewegung hierzu. Solche Gegensätze können in der aktuellen Auseinandersetzung unauflösbar bleiben und volle Konfrontation, ja Kampf bedeuten.

Langfristig freilich darf man in den Maßstäben, die sich in der Kultur- und Religionsentwicklung für das »Gute« herausgebildet und bewährt haben, die größere Chance für diese Welt sehen. Hierzu gehört eben im besonderen die beschriebene Ausgewogenheit der Werte untereinander, ihre gleichzeitige Vielfalt (s. o.), die das verträgliche soziale Zusammenleben überhaupt erst möglich und fruchtbar macht. L. Bolterauer (1975, S. 305) hat es beispielhaft und treffend formuliert: »Alles *Gute*, auch das Gerechte, wird erst gut durch die *Güte*«. Genau diese Einstellung und Verhaltensweise ist dem Fanatiker nicht möglich. Und eben sie ist die Stärke eines jeden, dem es um eine humane Welt geht.

Literatur

Adler, A. (1920): Praxis und Theorie der Individualpsychologie. Frankfurt a. M. (Fischer-TB).

Adorno, T. W. (1973): Studien zum autoritären Charakter. Frankfurt a. M. (Suhrkamp-TB).

Aeschbacher, U. (1992): Faschismus und Begeisterung. Psychologische Neuvermessungen eines Jahrhunderttraumas. Essen (Die Blaue Eule).

Akhtar, S. (1996/2001): Deskriptive Merkmale und Differentialdiagnose der narzißtischen Persönlichkeitsstörung. In: Kernberg, O. F. (Hg.): Narzißtische Persönlichkeitsstörungen. Korrigierter Nachdruck 2001. Stuttgart (Schattauer), S. 52–70.

Amirpur, K. (2001): Der Koran kennt keinen heiligen Krieg. In: Schwäbische Zeitung., Nr. 233 v. 09. 10. 2001, S. 2.

Arendt, H. (1958): The Origins of Totalitarianism. Cleveland (World Publishing Co.).

Baechler, J. (1981): Tod durch eigene Hand. Frankfurt a. M. (Ullstein).

Barr, J. (1986): Fundamentalismus. In: Fahlbusch, E. u. a. (Hg.): Evangelisches Kirchenlexikon, Bd. 1, 3. Aufl. Göttingen (Vandenhoeck u. Ruprecht).

Battegay, R. (1970/1971): Der Mensch in der Gruppe. 3. Aufl., Bd. I, 1970; Bd. II, 1971. Bern (H. Huber).

Becker, J. (1977): Hitler's Children: The Story of the Baader-Meinhof Gang. Philadelphia (J. B. Lippincott).

Beinert, W (1991): Der »katholische« Fundamentalismus und die Freiheitsbotschaft der Kirche. In: Beinert, W. (Hg.): Katholischer Fundamentalismus. Regensburg (Friedrich Pustet), S. 52–115.

Benz, E. (1972): Ergriffenheit und Besessenheit als Grundformen religiöser Erfahrung. In: Zutt, J. (Hg.): Ergriffenheit und Besessenheit. Bern (A. Francke), S. 125–148.

Berner, P (1986): Wahn. In: Müller, Chr. (Hg.): Lexikon der Psychiatrie, 2. Aufl., Berlin (Springer), S. 719–735.

Bernhardt, R. (1994): Zwischen Größenwahn, Fanatismus und Bekennermut. Stuttgart (Kreuz).

Bernoulli, C. A. (1929): Märtyrer. In: Gunkel, H. u. Zscharnak, L. (Hg.): Die Religion in Geschichte und Gegenwart, 2. Aufl., Bd. 3. Tübingen (J. C. B. Mohr), S. 1834–1835.

Beyer, S., u. a. (2003): Nobel statt Nabel. In: Der Spiegel, Nr. 28 v. 07. 07. 2003, S. 124–137.

Bierhoff, B. (2002): Psychogramm der Selbstmordattentäter – auf dem Hintergrund kultureller Unterschiede. In: Zimmer, M. (Hg.): Der 11. September 2001 und die Folgen. Tübingen (Eigenverlag d. Erich-Fromm-Gesellschaft), S. 36–56.

Bleuler, E. (1972): Lehrbuch der Psychiatrie. 12. Aufl. Berlin (Springer).

Bollnow, O. F. (1956): Das Wesen der Stimmungen. 3. Aufl. Frankfurt (Klostermann).

Bolterauer, L. (1975): Der Fanatismus. In: Psyche, 29. Jg., S. 287–315.

Bolterauer, L. (1989): Die Macht der Begeisterung. Fanatismus und Enthusiasmus in tiefenpsychologischer Sicht. Tübingen (edition diskord).

Bonhoeffer, K. (1923): Inwieweit sind politische, soziale und kulturelle Zustände einer psychopathologischen Betrachtung zugänglich? Klinische Wochenschr., 2. Jg., S. 598–601.

Borchers, A. (1993): Wiedervereinigung und Neonazismus: Von der Zionskirche bis Hoyerswerda. In: Leier, M. (Hg.): Un-Heil über Deutschland. Hamburg (Gruner u. Jahr), S. 120–135.

Borst, A. (1965): Mittelalterliche Sekten und Massenwahn. In: Bitter, W. (Hg.): Massenwahn in Geschichte und Gegenwart. Stuttgart (Klett), S. 173–184.

Bossert, A. (1908): Johann Calvin. Gießen (A. Töpelmann).

Bradlaugh, Ch. (1870): Heresy: Its Utility and Morality. London (Austin and Co.).

Brisch, K. H. (2001): Beziehungsstörungen. 4. Aufl. Stuttgart (Klett-Cotta).

Brückner, P. (1969): Zur Psychologie des Mitläufers. In: Hartmann, K. D. (Hg.): Politische Beeinflussung. Frankfurt (Europ. Verlagsanstalt), S. 153–160.

Bryson, A. (2002): Fanaticism – A World-Devouring Fire. New Delhi (Sterling Publishers).

Bullock, A. (1991): Hitler und Stalin. Berlin (Siedler/Goldmann).

Bychowski, G. (1969): Dictators and Disciples from Caesar to Stalin: A Psychoanalytic Interpretation of History. New York (International Universities Press).

Canetti, E. (1980): Masse und Macht. Frankfurt (Fischer-TB).

Carmody, D. L. and J. T. (1984): Ways to the Center: An Introduction to World Religion. 2nd ed. Belmont, California (Wadsworth Publishing Co.).

Comblin, J. (1970): Theologie de la Revolution. Paris (Editions universitaires).

Dankbaar, W. F. (1959): Calvin. Sein Weg und sein Werk. Moers (Neukirchener Verl.).

Dehn, U. (1996): Neue religiöse Bewegungen in Japan. Evang. Zentralstelle f. Weltanschauungsfragen, Information Nr. 133. Berlin/Stuttgart, S. 15f.

Demling, J. (1996): Neurobiochemie suizidalen Verhaltens. In: Wolfersdorf, M. u. Kaschka, W. (Hg.): Suizidalität. Die biologische Dimension. Berlin/Heidelberg (Springer), S. 47–72.

Der Koran (1959) (Übertragung v. L. Ullmann). 7. Aufl. München (Goldmann).

Dethlefs, G. (1982): Das Wiedertäuferreich in Münster 1534/35. In: Galen, H. (Hg.): Die Wiedertäufer in Münster. Münster (Ausstellungskatalog des Stadtmuseums).

Dide, M. (1913): Les Idealistes Passionées. Paris (Editions universitaires).

Die Bibel (1968) (Deutsche Übersetzung n. Martin Luther). Stuttgart (Württembergische Bibelanstalt).

Dlubis-Mertens, K. (2003): Suizidforen im Internet. Ernst zu nehmende Beziehungen. In: Deutsches Ärzteblatt, 100. Jg., Heft 7 v. 14. 02. 2003.

Dorsch, F. (1976): Psychologisches Wörterbuch. 9. Aufl. Bern/Stuttgart/Wien (H. Huber).

Durkheim, E. (1897): Le Suicide. Paris. Dt. (1973): Der Selbstmord. Neuwied (Luchterhand).

Eisenberg, G. (2002): Amok – Kinder der Kälte. Über die Wurzeln von Wut und Hass. Reinbek (Rowohlt).

Elvert, J. (1993): Geschichte Irlands. München (Deutscher TB-Verl.).

Emrich, H. M. (1992): Der überwertige Charakter. Prozess, Identität und Wertwelt. In: Pflüger, P. M. (Hg.): Gewalt/Warum? Olten (Walter), S. 31–61.

Enzensberger, H. M. (1991): Hitlers Wiedergänger. In: Der Spiegel, Nr. 6 v. 04. 02. 1991, S. 26–28.

Erb, R. (1993): Gruppen junger Männer als gewalttätige rechtsextreme Handlungskerne. In: Beckmann, H. (Hg.): Angegriffen und bedroht in Deutschland. Weinheim (Deutscher Studien-Verlag), S. 164–168.

Erdheim, M. (1999): Jugendliche Entwicklung zwischen Familie und Kultur. In: Schmitten (Hg.): Materialien zur Beratungsarbeit, Nr. 14/1999. Arnoldshein/Taunus, S. 40–54.

Erikson, E. H. (1953): Wachstum und Krisen der gesunden Persönlichkeit. In: Psyche 7, S. 1–139.

Esser, B., u. a. (2002): 26. April – der Tag der Apokalypse. In: Focus, Nr. 18 v. 29. 04. 2002.

Farin, K. u. Seidel-Pielen, E. (1992a): Die Mitte ist in Gefahr. In: Deutsches Allgemeines Sonntagsblatt, Nr. 36 v. 04. 09. 1992.

Farin, K. u. Seidel-Pielen, E. (1992b): Rechtsruck. Rassismus im neuen Deutschland. 2. Aufl., Berlin (Rotbuch-Verl.).

Faust, V., Mombour, W., Scharfetter, C. u. Zaudig, M. (1995): Glossar. In: Faust, V. (Hg.): Psychiatrie. Stuttgart/Jena/New York (Fischer), S. 929–992.

Faust, V. (2002): Psychische Störungen heute. Wahnhafte Störungen (W). Landsberg (ecomed Verlagsges.).

Feagin, J. R. (1964): Prejudice and Religious Types: A Focused Study of Southern Fundamentalists. Journ. Scient. Study of Religion 4, S. 3–13.

Feuerlein, W. (1980): Suizidale Verhaltensweisen. Neurol. Psychiat. 6, S. 340–346.

Fireman, H. (1995): Understanding fanatics and followers. In: Canadian Medical Association Journal (CMAJ) 152 (6), S. 807f.

Fischer-Barnicol, H. A. (1980): Die islamische Revolution. Stuttgart (Kohlhammer).

Fischer-Fabian, S. (1987): Die Macht des Gewissens. München (Droemersche Verlagsanstalt).

Follath, E. (2003): Der Sanfte und der Schlächter. In: Allahs blutiges Land. In: Spiegel spezial, Nr. 2, S. 92–97.

Frankl, V. E. (1970): Theorie und Therapie der Neurosen. München/Basel (E. Reinhardt).

Frankl, V. E. (1993): Das Leiden am sinnlosen Leben. 3. Aufl. Freiburg u. a. (Herder).

French, H. W. (1990): A Study of religious Fanaticism and Responses to it. Adversary Identity. Lewinston u. a. (Edwin Mellen Press).

Freud, S. (1921/1963): Massenpsychologie und Ich-Analyse. In: Ges. Werke, Bd. XIII, 4. Aufl. Frankfurt (S. Fischer), S. 71–161.

Freud, S. (1923/1963): Das Ich und das Es. In: Ges. Werke, Bd. XIII, 4. Aufl. Frankfurt (S. Fischer), S. 235–289.

Freud, S. (1968): In: Veszy-Wagner, L. (Hg.): Gesamtregister. Bd. XVIII. Frankfurt (S. Fischer).

Freudenreich, J.-O. (2003): Die Uhr tickt immer rückwärts. In: Stuttgarter Zeitung Nr. 93 v. 23. 04. 2003, S. 3.

Friedlander, A. H. (1998): Judentum. In: Clarke, B. (Hg.): Atlas der Weltreligionen. 3. Aufl. München (Frederking und Thaler), S. 16–39.

Fromm, E. (1961/1989): Es geht um den Menschen. In: Gesamtausgabe (1989), Bd. V, S. 44–191.

Fromm, E. (1966): Psychoanalyse und Religion. Zürich (Diana-Verl.).

Fromm, E. (1967/2002): Märtyrer und Helden. In: Zimmer, M. (Hg.): Der 11. September 2001 und die Folgen. Tübingen (Eigenverlag d. E. Fromm-Gesellschaft), S. 179–185.

Fromm, E. (1971): Die Furcht vor der Freiheit. 4. Aufl. Frankfurt (Europäische Verlagsanstalt).

Fromm, E. (1976/1980): Haben oder Sein. 4. Aufl. München (dtv Sachbuch).

Fromm, E. (1977): Anatomie der menschlichen Destruktivität. Hamburg (Rowohlt TB-Verl.).

Funk, R. (2002): Destruktivität als Faszination und Folge ungelebten Lebens. Erich Fromms Verständnis der Nekrophilie. In: Zimmer, M. (Hg.): Der 11. September 2001 und die Folgen. Tübingen (Eigenverlag der E. Fromm-Gesellschaft), S. 57–89.

Funke, M. (1977): Terrorismus. Untersuchung zur Strategie und Struktur Revolutionärer Gewaltpolitik. Bonn (Bundeszentrale für politische Bildung).

Furet, F. u. Richet, D. (1968): Die Französische Revolution. Frankfurt 1968 (Fischer).

Gaebel, W. (2002): Schizophrenie, schizotype und wahnhafte Störungen. In: Gaebel, W., u. Müller-Spahn, F. (Hg.): Diagnostik und Therapie psychischer Störungen. Stuttgart (Kohlhammer), S. 244–362.

Gamm, H.-J. (1990): Führung und Verführung. Pädagogik des Nationalsozialismus. 3. Aufl. München (Paul List-Verl.).

Gasper, H., Müller, J. u. Valentin, F. (1994): Lexikon der Sekten, Sondergruppen und Weltanschauungen. Freiburg (Herder).

Gaucher, R. (1974): Les Terroristes. Geneva (Cremille).

Geerds, F. (1981): Gewaltkriminalität. In: Schneider, H. J. (Hg.): Die Psychologie des 20. Jahrhunderts. Bd. XIV. Zürich (Kindler), S. 329–343.

Geißler, H. (2003): Intoleranz. Reinbek (Rowohlt TB).

Gerber, J.-P (1993): Indien. Vortrag in der Sendung »International« des DRS vom 28. 11. 1993 über die Erstürmung der Moschee in Ayodhya.

Gheorghiu, V. (1990): Hypnose, Suggestion und Suggestibilität. In: Revenstorf, D. (Hg.): Klinische Hypnose. Berlin/Heidelberg (Springer), S. 65–78.

Glatzel, J. (1977): Das psychisch Abnorme. München (Urban u. Schwarzenberg).

Goldberg, C. (2003): Fanatic Hatred and Violence in Contemporary America. In: Journ. of Applied Psychoanalytic Studies, 5 (Nr. 1), S. 9–19.

Grom, B. (1992): Religionspsychologie. München/Göttingen (Kösel/Vandenhoeck u. Ruprecht).

Gross, R. (1989): Klassische Theorien der Massenpsychologie. In: TW Neurol. Psychiat. 3, S. 33–40.

Gruen, A. (2002): Der Kampf um die Demokratie. Der Extremismus, die Gewalt und der Terror. Stuttgart (Klett-Cotta).

Gründel, J. (1990): Verbindlichkeit und Reichweite des Gewissensspruches. In: Gründel, J. (Hg.): Das Gewissen. Düsseldorf (Patmos).

Gruhle, H. W. (1956): Verstehende Psychologie. 2. Aufl. Stuttgart (Thieme).

Grundgesetz der BRD 1949, Textausgabe 1994. Hg.: Deutscher Bundestag. Bonn (Referat Öffentlichkeitsarbeit).

Güntner, J. (1994): Prophet der offenen Gesellschaft. Zum Tod von Sir Karl Popper. In: Deutsches Allgemeines Sonntagsblatt, Nr. 38 v. 23. 09. 1994, S. 21.

Haack, F.-W. (1991): Jugendreligionen. München (Wilh. Heyne-Verl.).

Habermann, P. (1965): Über die Kinderkreuzzüge. In: Bitter, W. (Hg.): Massenwahn in Geschichte und Gegenwart. Stuttgart (Klett), S. 185–197.

Habermas, J. (1968): Erkenntnis und Interesse. Frankfurt (Suhrkamp).

Hacker, F. (1992): Das Faschismus-Syndrom. Frankfurt (Fischer TB).

Häfner, H. u. Schmidtke, A. (1991): Selbstmord durch Fernsehen: Die Wirkung der Massenmedien auf Selbstmordhandlungen. In: Häfner, H. (Hg.): Psychiatrie: Ein Lesebuch für Fortgeschrittene. Stuttgart/Jena (G. Fischer), S. 238–255.

Häfner, S. u. Franz, M. (2000): Untersuchungen zu Häufigkeit, Verlauf und Ursachen psychogener Erkrankungen. In: Franz, M., Lieberz, K. u. Schepank, H. (Hg.): Seelische Gesundheit und neurotisches Elend. Wien/New York (Springer), S. 11–24.

Haffner, S. (1989): Anmerkungen zu Hitler. In: Zentner, Chr. (Hg.): Bild der Geschichte, Nr. l/1989, S. 3–13.

Hartmann, N. (1926): Ethik. Berlin (De Gruyter).

Hayes, C. I. H. (1960): Nationalism: A Religion. New York (Macmillan).

Haynal, A., Molnar, M., u. De Puymege, G. (1980): Le fanatisme. Paris (Editions Stock).

Haynal, A., Molnar, M., u. De Puymege, G. (1983): Fanaticism: a historical and psychoanalytical Study. New York (Grune and Stratton).

Helfaer, Ph. M. (1972): The Psychology of Religions Doubt. Boston (Beacon Press).

Hendrix, S. (1992): Luthers Theologie. In: Fahlbusch, E. u. a. (Hg.): Evangelisches Kirchenlexikon. 3. Aufl., 3. Bd. Göttingen (Vandenhoeck u. Ruprecht), Sp. 211–220.

Henry, P. (1846): Das Leben Johann Calvins. Hamburg/Gotha (Perthes).

Henseler, H. (1974): Narzißtische Krisen. Zur Psychodynamik des Selbstmords. Reinbek (Rowohlt).

Hercz, R. (2003): Die Kinder vom Berg der Märtyrer. In: Chrismon plus, Nr. 3, März 2003, S. 34–40.

Heussi, K. (1949): Kompendium der Kirchengeschichte. 10. Aufl. Tübingen (J. C. B. Mohr).

Hick, J. (1974): Truth and Dialogue in World Religions. Philadelphia (Westminster Press).

Hilgers, M. (2001): Terroranschläge gegen die USA. Ref.: Bühring, P., in: Deutsches Ärzteblatt 98, S. 2614–2615.

Hoffer, E. (1999): Der Fanatiker. Frankfurt (Eichborn).

Hole, G. (1971): Das Gewissheitselement im Glauben und im Wahn. In: Confinia Psychiatrica 14, Teil I, S. 65–90, Teil II, S. 145–173.

Hole, G. (1980): Psychiatrie und Religion. In: Peters, U. H. (Hg.): Die Psychologie des 20. Jahrhunderts. Bd. X. Zürich (Kindler), S. 1079–1097.

Hole, G. (1988): Fundamentalismus, Dogmatismus, Fanatismus: Der Konsequenzzwang in der Persönlichkeit und die Chance der Toleranz. In: Zulehner, P. (Hg.): Pluralismus in Gesellschaft und Kirche. Freiburg/München (Katholische Akademie/Verlag Schnell u. Steiner).

Hole, G. (1996): Umwertung der Werte. Psychische und ethische Folgen aus dem Dritten Reich und seinem Zusammenbruch. In: Egner, H. (Hg.): Macht, Ohnmacht, Vollmacht. Zürich/Düsseldorf (Walter), S. 181–211.

Hole, G. (1997): Die therapeutische Hypnose. In: Deutsches Ärzteblatt 94, Heft 49, S. 3351–3356.

Huntington, S. P. (1998): Kampf der Kulturen. 8. Aufl. München (Siedler/Goldmann).

Huth, W. (1984): Glaube, Ideologie und Wahn. München (Nymphenburger Verlagshandlung).

Huth, W. (1995): Flucht in die Gewissheit. Fundamentalismus und Moderne. München (Claudius).

Hutten, K. (1989): Seher, Grübler, Enthusiasten. 14. Aufl. Stuttgart (Quell-Verlag).

ICD-10 (International Classification of Diseases, Nr. 10) (1991). Dilling, H., Mombour, W., u. Schmidt, M. H. (Hg.). Bern/Göttingen/Toronto (H. Huber).

Jacobson, E. (1977): Depression. Frankfurt (Suhrkamp).

Jäggi, Chr. J. u. Krieger, D. J. (1991): Fundamentalismus. Zürich/Wiesbaden (Orell Füssli).

Jaspers, K. (1959): Allgemeine Psychopathologie. 7. Aufl. Berlin (Springer).

Jetzinger, F. (1956): Hitlers Jugend. Phantasien, Lügen – und die Wahrheit. Wien (Europa-Verlag).

Jovanovic, U. J. (1988): Methodik und Theorie der Hypnose. Stuttgart/New York (G. Fischer).

Jung, B., Taheri, A., Dietl, W. u. Gruber, P. (2001): Osama Bin Laden. Die Jagd auf einen Mythos. In: Focus, Nr. 44 v. 29. 10. 2001, S. 283–290.

Jung, C. G. (1921/1990): Psychologische Typen. Ausgabe: Typologie. 2. Aufl. München (Deutscher TB-Verl.).

Jung, C. G. (1943/1960): Über die Psychologie des Unbewussten. 7. Aufl. Zürich/Stuttgart (Rascher).

Kämpchen, M. (2003): Kuhhandel. In: Frankfurter Allgemeine Zeitung (FAZ), Nr. 98 v. 28. 03. 2003, S. 39.

Kahre, O. (2002): Der vergessene Suizid – Anmerkungen zu Selbstmordattentaten. In: Wolfersdorf, M. u. Wedler, H. (2002): Teroristen-Suizide und Amok. Regensburg (Roderer), S. 19–24.

Kakar, S. (1997): Die Gewalt der Frommen. Zur Psychologie religiöser und ethnischer Konflikte. München (C. H. Beck).

Kaplan, D. u. Marshall, A. (1997): Aum – Eine Sekte greift nach der Welt. In: Im Spiegel der Zeit. Stuttgart (Das Beste GmbH), S. 7–155.

Kast, V. (2003): Im Fanatismus verborgene Lebensthemen. In: Schweizerisches Psychotherapie-Forum, Vol. 11, S. 191–201.

Kepel, G. (2001): Die Rache Gottes. 2. Aufl. München (Piper).

Kernberg, O. F. (1979): Borderline-Störungen und pathologischer Narzißmus. 3. Aufl. Frankfurt (Suhrkamp).

Kernberg, O. F. (1996/2001): Die narzißtische Persönlichkeitsstörunng und ihre differentialdiagnostische Abgrenzung zum antisozialen Verhalten. In: Kernberg, O. F. (Hg.): Narzißtische Persönlichkeitsstörungen. Korrigierter Nachdruck 2001. Stuttgart (Schattauer), S. 52–70.

Khoury, A. (1991): Was sagt der Koran zum Heiligen Krieg? Gütersloh (Verlagshaus Gerd Mohn).

Kienzler, K. (2002): Der religiöse Fundamentalismus. Christentum, Judentum, Islam. 4. Aufl. München (C. H. Beck).

Kieselbach, Th. (1995): Arbeitslosigkeit und Gesundheit. In: Faust, V. (Hg.): Psychiatrie. Stuttgart/Jena/New York (G. Fischer), S. 501–508.

Kirscht, J. P. u. Dillehay, R. C. (1967): Dimensions of authoritarianism. A review of research and theory. Lexington (Univ. Kentucky Press).

Klein-Franke, F. (1987): Terror widerspricht dem klassischen Islam. In: Italiaander, R. (Hg.): Die Herausforderung des Islam. Göttingen (Muster-Schmidt-Verlag).

Kleist, H. v. (1952): Michael Kohlhaas. In: Heinrich von Kleist: Sämtliche Werke. München (Droemersche Verlagsanstalt), S. 597–680.

Klosinski, G. (1994): Zugang zu einer Heilslehre. In: Unseriöse Hilfen zur Lebensbewältigung. Dokumentation des Ministeriums f. Arbeit, Gesundheit u. Sozialordnung Baden-Württemberg. Stuttgart (Eigendruck).

König, B. (1966): Hexenprozesse. Schwerte/Ruhr (Hubert Freistühler).

König, K. (1995): Kleine psychoanalytische Charakterkunde. 3. Aufl. Göttingen (Vandenhoeck u. Ruprecht).

Kohut, H. (1973): Narzißmus. Frankfurt (Suhrkamp).

Krause, C. (2001): Hypnotisierbarkeit, Suggestibilität und Trancetiefe. In: Revenstorf, D. u. Peter, B. (Hg.): Hypnose in Psychotherapie, Psychosomatik und Medizin. Berlin/Heidelberg (Springer), S. 101–119.

Kretschmer, E. (1951): Körperbau und Charakter. 20. Aufl. Berlin (Springer).

Kretschmer, E. (1958): Geniale Menschen. 5. Aufl. Berlin (Springer).

Kucklick, Chr. (2001): Kamikaze-Flieger. Selbstmörder wider Willen. GEO, Nr. 11, S. 122.

Küfner, H., Nedopil, N. u. Schöch, H. (2002): Gesundheitliche und rechtliche Risiken bei Scientology. Lengerich (Pabst Science Publishers).

Küng, H. (1990): Projekt Weltethos. München (Piper).

Küng, H. (1994): Das Christentum. München/Zürich (Piper).

Küng, H. u. Kuschel, K.-J. (1993): Erklärung zum Weltethos. Die Deklaration des Parlamentes der Religionen. München (Piper).

Kuiper, P. (1968): Die seelischen Krankheiten des Menschen. Bern/Stuttgart (Huber/Klett).

Kujath, G. (1942): Über religiösen Fanatismus. In: Allgem. Ztschr. f. Psychiatrie u. ihre Grenzgebiete 120, S. 66–84.

Laffin, J. (1980): Islam. Weltbedrohung durch Fanatismus. München (W. Heyne).

Lange-Eichbaum, W. (1961): Genie, Irrsinn und Ruhm. 5. Aufl. München (E. Reinhardt).

Laqueur, W. (2001): The New Terrorism. Fanaticism and the Arms of Mass Destruction. London (Phoenix Press).

Lauriere, H. (1951): Assassins au nom de Dieu. Paris (La Virgie).

Le Bon, G. (1911/1982): Psychologie der Massen (1911). 15. Aufl. (1982). Stuttgart (Kröner).

Lehner, M. (2003): Eine hochexplosive Kameradschaft. In: Schwäbische Zeitg. /ap Nr. 212 v. 13. 09. 03, S. 2.

Lempp, R. (1993): In: Der Spiegel, Nr. 47, S. 46.

Leonhard, K. (1968): Akzentuierte Persönlichkeiten. Berlin (VEB Verlag Volk und Gesundheit).

Lepszy, N. u. Veen, H.-J. (1993): »Republikaner« und DVU in kommunalen und Landesparlamenten sowie im Europarat. St. Augustin (Konrad-Adenauer-Stiftung).

Lerchenmüller, H. (1994): Die Scientology Organisation. In: Unseriöse Hilfen zur Lebensbewältigung. Dokumentation des Ministeriums für Arbeit, Gesundheit und Sozialordnung Baden-Württemberg. Stuttgart (Eigendruck).

Lersch, Ph. (1962): Aufbau der Person. 8. Aufl. München (Joh. Ambr. Barth).

Lewis, B. (2002): Der Aufstand des Islam. In: Metzger, H. (Hg.): Rundbrief des Denkendorfer Kreises für christlich-jüdische Begegnung e. V. Tübingen, S. 5–19.

Lifton, R. J. (1961): Thought Reform and the Psychology of Totalism. New York (W. W. Norton).

Lifton, R. J. (1979): Religiöse Kulte und Totalitarismus. In: Müller-Küppers, M. u. Specht, F. (Hg.): Neue Jugendreligionen. Göttingen (Vandenhoeck u. Ruprecht), S. 73–84.

Mann, Th. (1986): Tagebücher von 1944 – 1. 4. 46 (Hg. J. Jens). Frankfurt.

Marcuse, H. (1967): Der eindimensionale Mensch. Neuwied (Luchterhand).

Marquard, O. (1986): Über die Unvermeidlichkeit der Geisteswissenschaften. In: Uni Ulm intern 16, Nr. 127/128, S. 18–23.

Martin, J. G. u. Westie, F. R. (1959): The tolerant personality. Americ. sociol. Rev. 24, S. 521.

McGrath, A. (1990): Johann Calvin. Zürich (Benziger).

Meerloo, J. A. M. (1962): Suicide and mass suicide. New York (Grune and Stratton).

Meyer, Th. (1989): Fundamentalismus. Aufstand gegen die Moderne. Hamburg (Rowohlt-TB).

Mitscherlich, A. (1963): Psychoanalytische Anmerkungen über die Kultureignung des Menschen. In: Hiltmann, H., u. Vonessen, F. (Hg.): Dialektik und Dynamik der Person. Festschrift für R. Heiss. Köln/Berlin (Kiepenheuer & Witsch), S. 171–193.

Mitscherlich, A. u. M. (1968): Die Unfähigkeit zu trauern. München (Piper u. Co.).

Möller, H.-J. (1992): Psychiatrie. Stuttgart (Kohlhammer).

Müller, A. (1972): Enthusiasmus (Inspiration, Begeisterung). In: Ritter, J. (Hg.): Historisches Wörterbuch der Philosophie. Bd. 2. Basel/Stuttgart (Schwabe u. Co.), Sp. 525–528.

Müller, H. (1963): Katholische Kirche und Nationalsozialismus. München (Nymphenburger Verlagshandlung).

Mundt, Ch. (1995): Schizophrenie. In: Faust, V. (Hg.): Psychiatrie. Stuttgart/Jena/New York (Fischer), S. 93–109.

Nietzsche, F. (1966): Die fröhliche Wissenschaft. In: Schlechta, K. (Hg.): Werke in 3 Bänden. Bd. 2. München (Hanser), S. 7–274.

Niewiadomsky, J. (2002): Kampf dem Terror – Kampf dem Islam? In: Zimmer, M. (Hg.): Der 11. September 2001 und die Folgen. Tübingen (Eigenverlag der E. Fromm-Gesellschaft), S. 253.

Nirumand, B. (1989): Der Prophet des Hasses. In: Die Zeit, Nr. 24 v. 09. 06. 1989, S. 4.

Odermatt, M. (1991): Der Fundamentalismus. Zürich (Benziger).

Otto, R. (1924): Das Heilige. 12. Aufl. Gotha/Stuttgart (Friedrich Andreas Perthes A. G.).

Oz, A. (2004): Wie man Fanatiker kuriert. Frankfurt a. M. (Suhrkamp).

Pausewang, G. (1997): Adi – Jugend eines Diktators. Ravensburg (Ravensburger Buchverlag).

Peter, B. u. Revenstorf, D. (2001): Kontraindikationen, Bühnenhypnose und Willenlosigkeit. In: Revenstorf, D. u. Peter, B. (Hg.): Hypnose in Psychotherapie, Psychosomatik und Medizin. Berlin/Heidelberg (Springer), S. 119–142.

Peters, B. (2001): Der 11. September, der Islam und das Christentum. Bielefeld (Christl. Lit.-Verbreitung).

Petri, H. (2001): Werteverlust und Wertebewusstsein bei Jugendlichen. In: Egner, H. (Hg.): Neue Lust auf Werte – Herausforderung durch Globalisierung. Düsseldorf/Zürich (Walter), S. 54–80.

Petrilowitsch, N. (1964): Abnorme Persönlichkeiten. 2. Aufl. Basel/New York

(Karger).
Pfeiffer, Ch. (2001): In: Chrismon plus, Heft 4, S. 22–24.
Pfürtner, St. H. (1991): Fundamentalismus. Die Flucht ins Radikale. Freiburg (Herder).
Pfürtner, St. H. (1993): Religiöser Fundamentalismus. In: Fundamentalismus – Versprechen und Versuchung. Bad Herrenalb (Tagungsprotokoll Nr. 9356 der Evang. Akademie Baden).
Plack, A. (2002): Die Psyche der Selbstmordattentäter. In: Zimmer, M. (Hg.): Der 11. September 2001 und die Folgen. Tübingen (Eigenverlag der E. Fromm-Gesellschaft), S. 244–252.
Pleticha, H. (1976): Mohammed und die Hedschra. In: Pleticha, H. u. a. (Hg.): Panorama der Weltgeschichte. Bd. II. Gütersloh/Berlin (Bertelsmann Lexikon-Verlag).
Pöldinger, W. u. Holsboer-Trachsler, E. (1988): Suizidalität. Erkennung und Abschätzung. In: Neurologie Psychiatrie 4, S. 323–329.
Pöll, W. (1965): Religionspsychologie. München (Kösel).
Pulsfort, E. (1993): Was ist los in der indischen Welt? Freiburg (Herder/Spektrum).
Rabe, K.-K. (1981): »Wir sehen uns als eine große Gemeinschaft«. In: Lersch, P. (Hg.): Die verkannte Gefahr. Rechtsradikalismus in der Bundesrepublik. Hamburg (Spiegel-Verlag).
Race, A. (1983): Christians and Religious Pluralism. London (SCM Press).
Rashid, A. (2001): Taliban. Afghanistans Gotteskrieger und der Dschihad. München (Droemersche Verlagsanstalt).
Rauchfleisch, U. (1992): Allgegenwart von Gewalt. Göttingen (Vandenhoeck u. Ruprecht).
Remplein, H. (1965): Psychologie der Persönlichkeit. 5. Aufl. München/Basel (Ernst Reinhardt-Verlag).
Reuter, Chr. (2003): Die sanfte Revolution. In: Stern Nr. 27, v. 26. 06. 2003, S. 34–44.
Richter, H.-E. (1979): Der Gotteskomplex. Hamburg (Rowohlt).
Richter, H.-E. (1993): Wer nicht leiden will muss hassen. Hamburg (Hoffmann u. Campe).
Riemann, F. (1961): Grundformen der Angst. München/Basel (E. Reinhardt).
Ringel, E. (1953): Der Selbstmord. Abschluss einer krankhaften Entwicklung. Wien/Düsseldorf (Maudrich).
Rohter, O. (1972): The Religious Rightists. In: LeRoy, A. u. Bruce, M. (Hg.): The Discontented Society. Chicago (Rand McNally).
Rougier, L. (1979): Du paradis à l'utopie. Paris (La Virgie).
Rudin, J. (1975): Fanatismus. Die Magie der Gewalt. 2. Aufl. Olten/Freiburg (Walter).
Salewski, W. u. Lanz, P. (1978): Die neue Gewalt. Locarno/Zürich (Droemer-Knaur/Ferenczy).
Saß, H. (1995): Persönlichkeitsstörungen. In: Faust, V. (Hg.): Psychiatrie. Stuttgart/Jena/New York (Fischer), S. 215–222.
Seiterich-Kreuzkamp, Th. (2003a): Members only am Tisch des Herrn? In: Publik-

Forum, Nr. 9, v. 09. 05. 2003, S. 42f.

Seiterich-Kreuzkamp, Th. (2003b): Das andere Mahl. In: Publik Forum, Nr. 11, v. 13. 06. 2003, S. 54.

Sickenberger, U. (2003): In: Sportbild, Nr. 22 v. 27. 05. 2003, S. 27.

Sieburg, F. (1967): Robespierre, Napoleon, Chateaubriand. Stuttgart (Deutsche Verlagsanstalt).

Singer, M. Th., u. Lalich, J. (1997): Sekten. Heidelberg (Carl-Auer-Systeme).

Singer, U. (1980): Massenselbstmord. Stuttgart (Hippokrates).

Sinus-Studie (1981): In: Greiffenhagen, M. (Hg.): Veröffentlichung des Sinus-Instituts über rechtsextremistische Einstellungen bei den Deutschen. Reinbek (Rowohlt-TB).

Smelser, N. J. (1968): Personality and the explanation of political phenomena at the social-system level: A methodological statement. In: Journ. sociol. Issues 24, S. 3 u. 111.

Sommer, R. E. (1981): Islam. Eine Religion auf dem Weg zur Revolution? Basel (Reinhardt).

Spaemann, R. (1972): Fanatisch, Fanatismus. In: Ritter, J. (Hg.): Historisches Wörterbuch der Philosophie. Bd. 2. Basel/Stuttgart (Schwabe u. Co.), Sp. 904–908.

Steck, P. (1980): Grundzüge der politischen Psychologie. Bern (H. Huber).

Stemmler, K. (2002): Reißen die sozialen Bindungen? In: Publik-Forum, Nr. 23, S. 8–11.

Stertz, G. (1919): Verschrobene Fanatiker. In: Berliner Klinische Wochenschrift, Nr. 25, S. 586–588.

Stierlin, H. (1980): Eltern und Kinder. Das Drama von Trennung und Versöhnung im Jugendalter. Frankfurt/M. (Suhrkamp).

Stockdorfer, E. (1991): Saddam Hussein: Der Mann, der eine Eisenstange liebt. In: Münchener Allgem. Ztg. v. 26./27. 01. 1991.

Streeck-Fischer, A. (1994): »Haßt Du was, dann bist Du was«. In: Egner, H. (Hg.): Das Eigene und das Fremde. Solothurn/Düsseldorf (Walter), S. 117–138.

Studt, H. H. (1995): Psychosomatische Medizin und Neurosenlehre. In: Faust, V. (Hg.): Psychiatrie. Stuttgart (Kohlhammer), S. 170–213.

Stupperich, R. (1982): Das Münsterische Täufertum, sein Wesen und seine Verwirklichung. In: Galen, H. (Hg.): Die Wiedertäufer in Münster. Münster (Ausstellungskatalog des Stadtmuseums).

Schapiro, L. (1972): Totalitarianism. London (Pall Mall).

Scharfetter, Chr. (1986): Norm. In: Müller, Chr. (Hg.): Lexikon der Psychiatrie. 2. Aufl. Berlin (Springer), S. 472–474.

Schimmel, A. (2000): Sufismus. Eine Einführung in die islamische Mystik. München (C. H. Beck).

Schmidbauer, W. (1980): Alles oder Nichts. Über die Destruktivität von Idealen. Reinbek (Rowohlt).

Schneider, K. (1928): Zur Einführung in die Religionspsychopathologie. Tübingen (J. C. B. Mohr).

Schneider, K. (1950/1973): Klinische Psychopathologie. 10. Aufl. Stuttgart (Thieme).

Scholl-Latour, P. (2003): Kampf dem Terror – Kampf dem Islam? 3. Aufl. München (Propyläen).

Schweizer, G. (2002): Ungläubig sind immer die anderen. Weltreligionen zwischen Toleranz und Fanatismus. 2. Aufl. Stuttgart (Klett-Cotta).

Taheri, A. (1993): Morden für Allah. München (Droemersche Verlagsanstalt).

Thamer, H.-U. (1986): Verführung und Gewalt. Deutschland 1933–1945. Berlin (Siedler).

Thamm, B.-G. (2003): Selbstmörder mit Ticket zum Paradies. In: Schwäbische Zeitung v. 02. 04. 2003, S. 2.

Thielicke, H. (1964): Theologische Ethik. 2. Aufl., Bd. III, 3. Teil. Tübingen (J. C. B. Mohr).

Thielicke, H. (1966): Theologische Ethik. 2. Aufl., Bd. II, 2. Teil: Tübingen (J. C. B. Mohr).

Thomas, K. (1987): Fanatismus. In: Arnold, W., Eysenck, H. J. u. Meili, R. (Hg.): Lexikon der Psychologie. Bd. 1, 2. Aufl. Freiburg/Basel/Wien (Herder).

Tibi, B. (1992/1994): Islam und Moderne. Zum Phänomen des islamischen Fundamentalismus. In: Evangelische Aspekte 2, S. 21; 4, S. 27f.

Tibi, B. (2002): Die fundamentalistische Herausforderung – Der Islam und die Weltpolitik. 3. Aufl. München (C. H. Beck).

Tibi, B. (2003): Unsere Werte müssen verteidigt werden. In: Focus Nr. 1 vom 29. 12. 2003, S. 46.

Tölle, R. (1988): Psychiatrie. 8. Aufl. Berlin u. a. (Springer).

Trippel, K. (2001): Unnachgiebig und rücksichtslos. In: GEO 11, S. 121.

Türcke, Chr. (1992): Kassensturz. Zur Lage der Theologie. Frankfurt (Fischer TB).

Van der Leeuw, G. (1956): Phänomenologie der Religion. 2. Aufl. Tübingen (J. C. B. Mohr).

Van Norden, G. (1994): »Wir haben aus Angst den Mund gehalten«. In: Deutsch. Allgem. Sonntagsblatt 47, Nr. 28 v. 15. 07. 1994.

Venard, M. (1992): Die Zeit der Konfessionen. In: Brox, N. (Hg.): Die Geschichte des Christentums. Bd. 8 (Deutsche Ausgabe). Freiburg (Herder).

Venzky, G. (1993): Hindus, erwachet! In: Die Zeit, Nr. 5 v. 29. 01. 1993.

Vizetelly, V. R. (1972): The Anarchists. New York (Kraus Reprint).

Volkan, V. (2001): Terroranschläge gegen die USA. Ref.: Bühring, P., in: Dtsch. Ärzteblatt 98, S. 2614f.

Von Sury, K. (1974): Wörterbuch der Psychologie und ihrer Grenzgebiete. 4. Aufl. Olten/Freiburg (Walter).

Wedler, H. (2002): Über den Terroristen-Suizid. In: Wolfersdorf, M. u. Wedler, H. (Hg.): Terroristen-Suizide und Amok. Regensburg (Roderer), S. 37–47.

Weitbrecht, H.-J. (1948): Beiträge zur Religionspsychopathologie. Heidelberg (Scherer).

Weitbrecht, H.-J. (1973): Psychiatrie im Grundriß. 3. Aufl. Berlin (Springer).

Williams, J. A. (1973): Der Islam. Genf (Edito-Service S. A.)

Wilson, G. D. (1973): A dynamic theory of conservatism. In: Wilson, G. D. (Hg.): The psychology of conservatism. London (Academic Press).

Wirth, H.-J. (2001): Fremdenhass und Gewalt als familiäre und psychosoziale Krankheit. In: Psyche 55, S. 1217–1244.

Wirth, H.-J. (2002): Narzissmus und Macht. Gießen (Psychosozial-Verlag).

Wördemann, F. (1977): Terrorismus. München (Piper).

Wolfersdorf, M. (1996): Suizidalität – Begriffsbestimmung und Entwicklungsmodelle suizidalen Verhaltens. In: Wolfersdorf, M. u. Kaschka, W. (Hg.): Suizidalität. Die biologische Dimension. Berlin/Heidelberg (Springer), S. 1–16.

Wolfersdorf, M. (2000): Der suizidale Patient in Klinik und Praxis. Stuttgart (Wissenschaftl. Verlagsges.).

Wolff, H. (1975): Jesus der Mann. Die Gestalt Jesu in tiefenpsychologischer Sicht. Stuttgart (Radius-Verlag).

Woodrow, A. (1977): Les Nouvelles Sectes. Paris (Le Seuil).

Zentner, Chr. (1990): Adolf Hitler. Berlin (Dietz) u. München (Delphin).

Sachwortverzeichnis

Personenverzeichnis

2003
414 Seiten · Broschur
EUR (D) 24,90 · SFr 42,30
ISBN 3-89806-247-3

11. September 2001 – Dieses Datum markiert einen tiefen Einschnitt im Welt- und Selbstverständnis Amerikas und lässt auch die übrige Welt nicht unberührt. Seit den Terroranschlägen auf das World Trade Center in New York und das Pentagon in Washington steht fest, dass die Bedrohung durch den Terrorismus in der globalisierten Welt eine nie gekannte Dimension erreicht hat und die Angst vor neuen Terroranschlägen wächst. Welche psychologischen, ökonomischen, religiösen, kulturellen und politischen Ursachen hat dieser Terrorismus? Wie funktioniert die Psyche von Selbstmordattentätern?

Renommierte Psychoanalytiker, Sozialwissenschaftler und Friedensforscher stellen Überlegungen zur psychischen Struktur der Selbstmord-Attentäter an und arbeiten Gemeinsamkeiten und Unterschiede zwischen den Selbstmord-Attentätern vom 11. 9. und den palästinensischen Selbstmord-Attentätern heraus.

2002
159 Seiten · Broschur
EUR (D) 14,90 · SFr 25,90
ISBN 3-89806-203-1

Das Massaker von Erfurt markiert den vorläufigen Schlusspunkt einer Blutspur, die Amokläufe in jüngster Zeit durch Europa gezogen haben. Doch was bedeutet Amok, woher stammt dieses rätselhafte Phänomen und wie breitet es sich aus?

Eisenberg greift diese Frage auf und versucht zu zeigen, dass die jüngsten Gewaltausbrüche kein Zufall sind. In seinen Essays widmet sich der Autor zudem auch anderen Gewaltphänomenen und ihrer gesellschaftlichen Verflechtung. Er geht u. a. auf den Amoklauf von Bad Reichenhall ein, untersucht die Ereignisse in Sebnitz, wo die Medien eine Straftat erfanden, und fragt nach den Ursachen des erstarkenden Rechtspopulismus, die sich in Personen wie Schill, Pim Fortuyn oder Haider manifestiert.

Die Gewaltphänomene erschließen sich dem Lesenden dabei als »Innenseite« einer Globalisierung, die über die Köpfe und Bedürfnisse der Menschen rabiat hinweggeht und sie gleichzeitig bis in ihr Innerstes erschüttert und verängstigt. Ein Auszug des Buches ist bereits in der Frankfurter Rundschau als Vorabdruck erschienen.

PSV
Psychosozial-Verlag

www.ingramcontent.com/pod-product-compliance
Ingram Content Group UK Ltd.
Pitfield, Milton Keynes, MK11 3LW, UK
UKHW041317280225
4808UKWH00016B/67

9 783898 062930